HIGHTOP

하이탑

과학 고수들의 필독서

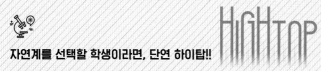

자연계를 선택할 학생이라면, 단연 하이탑!!

High Top

2권

생명과학 I

이 책의 구성과 특징

지금껏 선생님들과 학생들로부터 고등 과학의 바이블로 명성을 이어온 하이탑의 자랑거리는 바로,

- 기초부터 심화까지 이어지는 튼실한 내용 체계
- 백과사전처럼 자세하고 빈틈없는 개념 설명
- 내용의 이해를 돕기 위한 풍부한 자료
- 과학적 사고를 훈련시키는 논리 정연한 문장

이었습니다. 이러한 전통과 장점을 이 책에 이어 담았습니다.

1 개념과 원리를 익히는 단계

●개념 정리
여러 출판사의 교과서에서 다루는 개념
들을 체계적으로 다시 정리하여 구성하
였습니다.

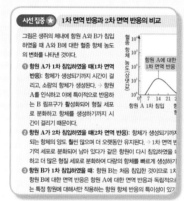

●시선 집중
중요한 자료를 더 자세히 분석하거나
개념을 더 잘 이해할 수 있도록 추가로
설명하였습니다.

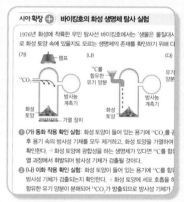

●시야 확장
심도 깊은 내용을 이해하기 쉽도록 원
리나 개념을 자세히 설명하였습니다.

●탐구
교과서에서 다루는 탐구 활동 중 가장
중요한 주제를 선별하여 수록하고, 과
정과 결과를 철저히 분석하였습니다.

●집중 분석
출제 빈도가 높은 주제를 집중적으로
분석하고, 유제를 통해 실제 시험에 대
비할 수 있도록 하였습니다.

●심화
깊이 있게 이해할 필요가 있는 개념을
따로 발췌하여 심화 학습할 수 있도록
자세히 설명하고 분석하였습니다.

●개념 모아 정리하기
각 단원에서 배운 핵심 내용을 빈칸에 채워 나가면서 스스로 정리하는 코너입니다.

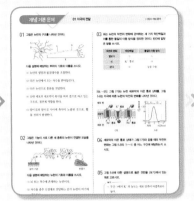

●개념 기본 문제
각 단원의 기본적이고 핵심적인 내용의 이해 여부를 평가하기 위한 코너입니다.

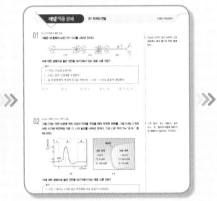

●개념 적용 문제
기출 문제 유형의 문제들로 구성된 코너입니다. '고난도 문제'도 수록하였습니다.

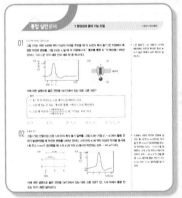

●통합 실전 문제
중단원별로 통합된 개념의 이해 여부를 확인함으로써 실전에 대비할 수 있도록 구성하였습니다.

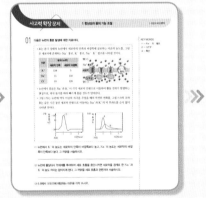

●사고력 확장 문제
창의력, 문제 해결력 등 한층 높은 수준의 사고력을 요하는 서술형 문제들로 구성하였습니다.

●논구술 대비 문제
논구술 시험에 출제되었거나, 출제 가능성이 높은 예상 문제를 수록하여 답변 요령 및 예시 답안과 함께 제시하였습니다.

●정답과 해설
정답과 오답의 이유를 쉽게 이해할 수 있도록 자세하고 친절한 해설을 담았습니다.

> ❝
> 하이탑은
> 과학에 대한 열정을 지닌 독자님의
> 실력이 더욱 향상되길 기원합니다.
> ❞

Contents
이 책의 차례 — 생명 과학

" 자세하고 짜임새 있는 설명과 수준 높은 문제로 실력의 차이를 만드는 High Top "

1권

I 생명 과학의 이해

1. 생명 과학의 이해
01 생물의 특성 ···················· 10
02 생명 과학의 특성과 탐구 방법 ···················· 24

II 사람의 물질대사

1. 사람의 물질대사
01 세포의 물질대사와 에너지 ···················· 52
02 기관계의 통합적 작용 ···················· 66
03 물질대사와 건강 ···················· 86

III 항상성과 몸의 조절

1. 항상성과 몸의 기능 조절
01 자극의 전달 ···················· 114
02 근육 수축의 원리 ···················· 134
03 신경계 ···················· 146
04 항상성 유지 ···················· 166

2. 방어 작용
01 질병과 병원체 ···················· 198
02 우리 몸의 방어 작용 ···················· 212

부록

• 논구술 대비 문제 ···················· 244

2권  **IV** 유전

1. 세포와 세포 분열
01 유전자와 염색체 ·········· 10
02 생식세포 형성과 유전적 다양성 ·········· 28

2. 사람의 유전
01 사람의 유전 현상 ·········· 56
02 사람의 유전병 ·········· 74

V 생태계와 상호 작용

1. 생태계의 구성과 기능
01 생물과 환경의 상호 작용 ·········· 106
02 개체군 ·········· 116
03 군집 ·········· 130
04 에너지 흐름과 물질 순환 ·········· 148

2. 생물 다양성과 보전
01 생물 다양성의 중요성 ·········· 176
02 생물 다양성 보전 ·········· 186

부록 • 논구술 대비 문제 ·········· 204

3권 • 정답과 해설 ·········· 2

IV
유전

1 세포와 세포 분열

2 사람의 유전

1
세포와 세포 분열

01 유전자와 염색체

02 생식세포 형성과 유전적 다양성

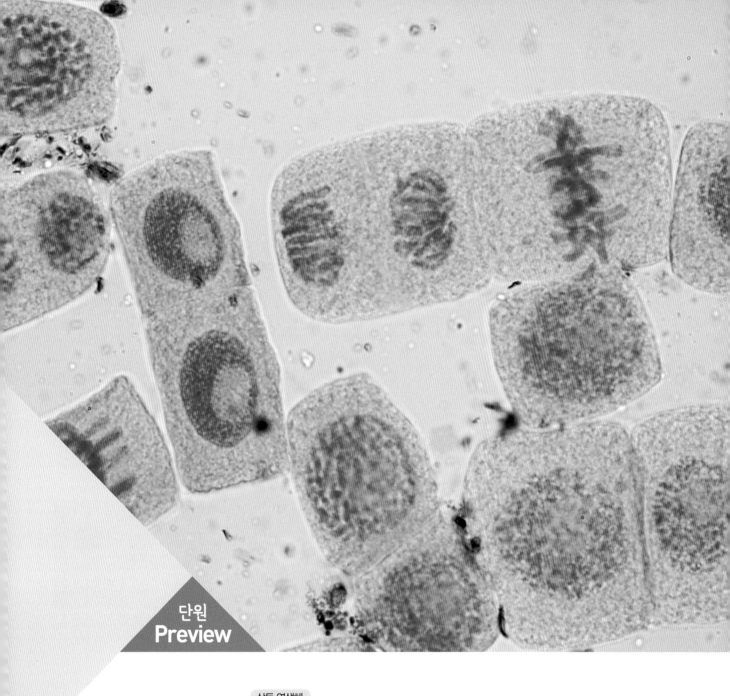

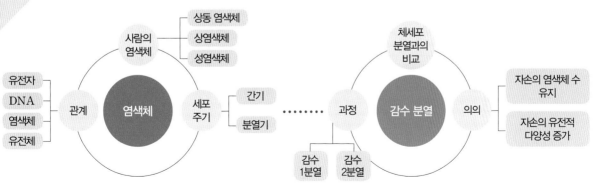

유전자와 염색체

생식세포 형성과 유전적 다양성

01 유전자와 염색체

학습 Point 염색체의 구조 〉 염색체와 유전자의 관계 〉 사람의 염색체 〉 상동 염색체와 염색 분체의 유전자 구성 〉 세포 주기와 체세포 분열

 염색체

다양한 생물이 서로 다른 모양을 하고 서로 다른 방식으로 살아가는 까닭은 각 생물이 가진 유전 정보가 서로 다르기 때문이다. 생물은 세포 분열 과정에서 유전 정보를 복제하여 딸세포에 전달함으로써 동일한 유전 정보를 가진 세포의 수를 늘려 생장하거나 자신과 닮은 자손을 남겨 종을 유지한다. 이때 생명체의 핵심인 유전 정보를 담아 전달하는 역할을 하는 것이 염색체이다.

1. 염색체의 발견

19세기 중반 과학자들이 세포를 염기성 염색액으로 처리한 후 관찰하는 과정에서 핵 부위가 염색되면서 독특한 구조가 나타나는 것을 발견하고, 이를 염색체라고 하였다. 이 염색체에 유전 물질이 들어 있지만, 당시에는 염색체의 성분과 기능을 알지 못하였다.

2. 염색체의 구조

(1) **구성 성분**: 염색체는 유전 물질인 DNA와 히스톤 단백질로 구성되어 있다. DNA는 이중 나선 구조이며, 히스톤 단백질은 DNA를 응축시키는 데 관여한다.

(2) **뉴클레오솜**: DNA가 히스톤 단백질을 휘감고 있는 구조물로, 염색체의 기본 단위이다. 뉴클레오솜과 뉴클레오솜 사이는 DNA로 연결되어 전자 현미경으로 보면 실에 꿰인 구슬 모양으로 나타난다.

(3) **염색체**: 핵 속에서 DNA로 연결된 수백만 개의 뉴클레오솜은 원통 코일 모양으로 감겨서 굵은 실과 같은 구조를 형성하고 있다가 세포가 분열할 때 더욱 꼬이고 응축되어 막대 모양의 염색체로 나타난다.

염색체
염색체는 카민과 같은 염기성 색소에 염색이 잘 된다고 해서 붙여진 이름이다. 분열하지 않는 세포에서는 핵 속에 실처럼 풀어져 있다가 세포가 분열할 때 막대 모양으로 나타난다.

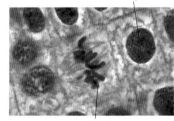

히스톤 단백질
진핵세포의 핵 속 DNA와 결합하고 있는 염기성 단백질이다.

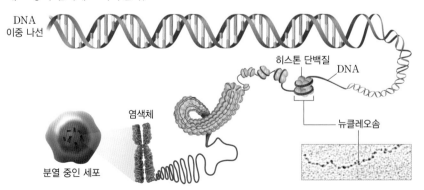

▲ **염색체의 구조** DNA는 총 길이가 약 2 m에 달하지만, 히스톤 단백질과 함께 여러 단계에 걸쳐 꼬이고 응축되어 $\frac{1}{10000}$ 정도로 짧아지게 된다.

3. 염색체와 유전자의 관계

(1) 유전자: DNA의 특정 부분에는 생물의 형질을 결정하는 유전 정보가 저장되어 있는데, 이 부분을 유전자라고 한다. 하나의 DNA에는 많은 수의 유전자가 존재한다.

(2) DNA: 유전 정보를 저장하고 있는 유전 물질로, 기본 단위는 인산, 당, 염기가 1 : 1 : 1로 결합한 뉴클레오타이드이다. 뉴클레오타이드가 반복적으로 연결되어 폴리뉴클레오타이드를 형성하며, 폴리뉴클레오타이드 두 가닥이 서로 결합하여 이중 나선 구조를 이룬다. 이중 나선 안쪽의 염기 서열에 유전 정보가 저장되어 있다.

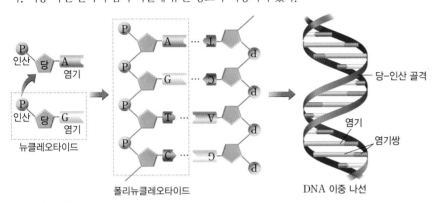

▲ 뉴클레오타이드와 DNA 이중 나선 구조

(3) 염색체: 하나의 염색체에는 한 분자의 DNA가 있으며, DNA는 히스톤 단백질과 결합하여 응축되어 있다.

(4) 유전체: 한 생명체(세포)가 가진 모든 유전 정보를 유전체라고 한다.

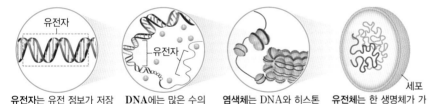

유전자는 유전 정보가 저장된 DNA의 특정 부분이다.

DNA에는 많은 수의 유전자가 존재한다.

염색체는 DNA와 히스톤 단백질로 구성된다.

유전체는 한 생명체가 가진 모든 유전 정보이다.

▲ 유전자, DNA, 염색체, 유전체의 관계

시야 확장 ➕ DNA와 유전자의 관계

DNA의 염기 서열 중에는 유전 정보가 저장되어 있는 부분이 있고, 유전 정보가 저장되어 있지 않은 부분이 있다. 그중 유전 정보가 저장되어 있는 부분을 유전자라고 한다. 유전자 중에는 단백질의 아미노산 서열에 대한 정보가 저장되어 있는 것이 있고, 특정 기능을 나타내는 RNA의 염기 서열에 대한 정보가 저장되어 있는 것이 있다. 유전자가 발현될 때는 RNA로 전사된다.

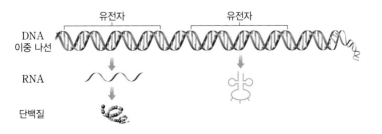

유전자
DNA에서 특정한 단백질이나 RNA를 만들 수 있는 유전 정보의 단위이다. 사람은 20000개~25000개의 단백질 유전자를 가진다.

폴리뉴클레오타이드
한 뉴클레오타이드의 인산이 다른 뉴클레오타이드의 당과 결합하며, 이 결합이 반복되어 긴 사슬 모양의 폴리뉴클레오타이드를 형성한다.

DNA 이중 나선 구조
• 이중 나선의 바깥쪽은 당과 인산이 공유 결합으로 연결되어 골격을 형성하고, 안쪽은 염기 사이의 수소 결합으로 연결되어 있다.
• 유전 정보는 DNA의 염기 서열에 저장되는데, 염기가 1개라도 바뀌면 유전 정보가 달라지므로 DNA 이중 나선 구조의 안쪽에 염기가 상보적으로 결합한 상태로 있어 염기 서열이 안정적으로 보존될 수 있다.
• 유전자가 발현될 때에는 염기 사이의 수소 결합이 끊어지면서 염기 서열이 드러나 유전 정보가 RNA로 전사된다.

유전체(genome)
유전자를 뜻하는 'gene'과 염색체를 뜻하는 'chromosome'의 일부를 결합하여 만든 합성어이다. 1920년 독일의 식물학자 한스 빙클러가 제안한 용어로, 유전자에 대한 이해가 깊어지면서 그 의미가 조금씩 변해 왔다. 현재는 한 생명체(세포)가 가진 모든 유전 정보를 뜻한다.

② 사람의 염색체 [탐구] 2권 17쪽

염색체에는 유전 물질인 DNA가 있으므로 염색체를 조사하면 유전 물질의 양을 간접적으로 알아볼 수 있다. 태아의 염색체 수, 모양, 크기 등을 정상인의 염색체와 비교하면 태아가 염색체 이상에 의한 유전병을 가지고 있는지 알아볼 수도 있다.

1. 사람의 염색체

(1) **상동 염색체:** 체세포에 들어 있는 모양과 크기가 같은 한 쌍의 염색체를 상동 염색체라고 한다. 상동 염색체는 아버지와 어머니에게서 1개씩 물려받은 것이다.

(2) **상염색체와 성염색체**

① 상염색체: 암수에 공통으로 존재하며, 성 결정과 관련이 없는 염색체를 상염색체라고 한다. 사람의 체세포에는 총 46개(23쌍)의 염색체가 있는데, 이 중 남자와 여자에 공통으로 존재하는 44개(22쌍)의 염색체가 상염색체이다.

② 성염색체: 암수에 따라 구성이 다르며, 성 결정에 관여하는 염색체를 성염색체라고 한다. 사람의 체세포에는 1쌍, 즉 2개의 성염색체가 있다. 사람의 성염색체에는 X 염색체와 Y 염색체가 있는데, 남자는 X 염색체와 Y 염색체를 1개씩 갖고, 여자는 X 염색체를 2개 가진다.

2. 핵상과 핵형

(1) **핵상:** 하나의 세포에 들어 있는 염색체의 상대적인 수를 핵상이라고 한다. 핵상은 염색체의 구성 상태를 나타내는데, 상동 염색체가 쌍을 이루고 있으면 $2n$, 상동 염색체 중 하나씩만 있으면 n으로 표시한다. 일반적으로 체세포의 핵상은 $2n$이고, 생식세포의 핵상은 n이다.

$2n=6$　　　$n=3$

▲ **핵상과 염색체 수 표시**

(2) **핵형:** 체세포에 들어 있는 염색체의 수, 모양, 크기와 같은 염색체의 외형적 특징을 핵형이라고 한다. 생물종마다 고유한 핵형을 가지며, 같은 종의 생물은 성별이 같으면 핵형이 같다. 또, 한 개체에서 생식세포를 제외한 모든 체세포는 핵형이 같다. 핵형을 분석할 때에는 염색체가 가장 응축된 상태인 분열기 중기의 염색체를 이용하며, 핵형 분석을 통해 성별이나 염색체 이상 등을 알아낼 수 있다.

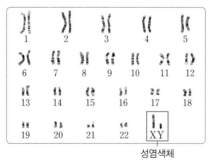

여자의 핵형($2n=44+$XX)　　　남자의 핵형($2n=44+$XY)

▲ **사람의 핵형** 사람의 체세포에는 22쌍의 상염색체와 1쌍의 성염색체가 있다. 남녀에 공통으로 존재하는 1번 ~22번 염색체가 상염색체이고, 맨 끝에 있는 1쌍의 염색체가 성염색체이다.

상동 염색체와 성염색체

상동 염색체는 흔히 '체세포에 들어 있는 모양과 크기가 같은 한 쌍의 염색체'로 정의한다. 그런데 남자의 성염색체인 X 염색체와 Y 염색체는 모양과 크기가 다르지만 감수 분열 시 짝을 이루어 접합했다가 서로 다른 세포로 나뉘어 들어가므로 상동 염색체로 간주한다. 이 때문에 상동 염색체를 '감수 분열 시 짝을 이루어 접합하는 염색체'로 정의하기도 한다.

생물의 염색체 수와 핵형

생물	염색체 수(개)
사람	46
침팬지	48
개	78
초파리	8
벼	24
완두	14
감자	48

같은 종의 생물은 염색체 수가 같지만, 염색체 수가 같다고 해서 같은 종의 생물은 아니다. 서로 다른 종인 침팬지와 감자는 염색체 수가 48개로 같지만, 염색체의 모양과 크기가 달라서 핵형이 다르다.

핵형 분석

핵형을 알기 위해 염색체를 분석하는 작업이다. 핵형 분석을 할 때에는 염색체가 가장 뚜렷하게 관찰되는 체세포 분열 중기의 염색체 사진을 이용한다. 이때 크기와 모양이 같은 상동 염색체끼리 짝을 지은 후 크기가 큰 것부터 순서대로 배열하고, 성염색체를 맨 끝에 배열한다.

③ 염색 분체의 형성과 분리

중요한 내용이 담긴 유인물을 한 장 더 복사하면 친구와 나누어 가질 수 있다. 이와 마찬가지로 세포는 분열하기 전에 유전 정보가 담긴 DNA를 복제한 후 세포 분열을 통해 이를 나누어 주는 방식으로 유전 정보가 같은 딸세포 2개를 만든다.

1. 염색 분체의 형성

⑴ **염색 분체**: 세포 분열이 시작될 때 관찰되는 각 염색체는 2개의 가닥으로 되어 있는데, 하나의 염색체를 구성하는 각각의 가닥을 염색 분체라고 한다. 염색 분체는 잘록한 부분에서 서로 붙어 있는데, 이 부분을 동원체라고 한다.

⑵ **염색 분체의 형성**: 세포 분열이 일어나기 전에 핵 속에서 DNA가 복제된다. 복제된 2개의 DNA는 각각 히스톤 단백질과 결합하여 응축되고, 세포 분열이 시작되면 더욱 꼬이고 응축되어 염색 분체로 나타난다. 결국 하나의 염색체를 구성하는 두 염색 분체는 DNA가 복제되어 만들어진 것이므로 유전 정보가 같다.

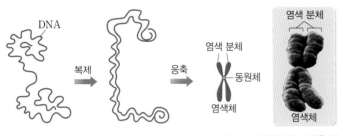

▲ **염색 분체의 형성** 세포 분열이 일어나기 전에 DNA가 복제되어 유전 정보가 같은 염색 분체가 형성된다.

2. 염색 분체의 분리

염색 분체는 세포 분열 과정에서 분리되어 서로 다른 딸세포로 나뉘어 들어간다. 2개의 염색 분체는 유전 정보가 같으므로 세포 분열 결과 형성된 딸세포 2개는 유전 정보가 같다.

3. 염색체가 응축되는 까닭

염색체는 세포가 분열하지 않을 때에는 핵 속에 실처럼 풀려 있다가 세포 분열이 일어날 때 더욱 응축되어 막대 모양으로 나타난다. 이때 염색체의 길이는 DNA 가닥을 풀어놓았을 때에 비해 $\frac{1}{10000}$ 정도로 짧아진다. 길이가 매우 긴 DNA가 히스톤 단백질과 결합하여 응축된 염색체 상태가 되면

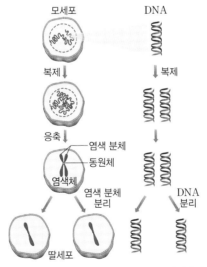

▲ **염색 분체의 분리** 염색 분체는 세포 분열 과정에서 분리되어 서로 다른 딸세포로 나뉘어 들어가므로 딸세포 2개는 모세포와 유전 정보가 같다.

세포 분열이 일어나는 동안 유전자가 손상되거나 소실되는 것을 막고, 유전 물질이 딸세포에 정확하게 반씩 나뉘어 들어갈 수 있게 된다.

동원체
염색체에서 잘록한 부분으로, 세포 분열 시 방추사가 붙는 부분이다.

복제
복제(겹칠 複, 지을 製)는 원래의 것과 똑같은 것을 만드는 것을 뜻한다. 따라서 DNA 복제라고 하면 어떤 하나의 DNA가 염기 서열이 같아 유전적으로 동일한 2개의 DNA로 늘어나는 것이다.

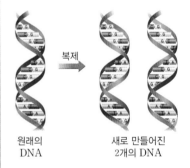

원래의   새로 만들어진
DNA   2개의 DNA

자매 염색 분체(sister chromatid)
하나의 염색체를 구성하는 2개의 염색 분체를 좀 더 정확히 표현하면 자매 염색 분체라고 한다. 자매 염색 분체는 DNA가 복제되어 만들어진 것이므로 유전자 구성이 같다.

4. 상동 염색체와 염색 분체의 유전자 구성

(1) **상동 염색체와 대립유전자:** 상동 염색체의 같은 위치에는 하나의 형질을 결정하는 유전자가 있는데, 이를 대립유전자라고 한다. 상동 염색체는 부모에게서 1개씩 물려받은 것이므로 대립유전자도 부모에게서 1개씩 물려받은 것이다. 따라서 한 쌍의 대립유전자는 같을 수도 있고 다를 수도 있다. 예를 들어, 상동 염색체 중 하나의 특정한 위치에 눈꺼풀을 결정하는 유전자가 있다면, 다른 하나의 같은 위치에도 눈꺼풀을 결정하는 유전자가 있다. 쌍꺼풀 대립유전자를 A, 외까풀 대립유전자를 a라고 할 때, 한 쌍의 대립유전자는 AA나 aa로 같을 수도 있지만, Aa로 다를 수도 있다.

(2) **염색 분체와 유전자:** 하나의 염색체를 구성하는 2개의 염색 분체는 세포 분열 전에 DNA가 복제되어 만들어진다. 따라서 각 염색 분체를 구성하는 DNA의 염기 서열이 같으므로 염색 분체의 유전자 구성은 같다. 예를 들어, 복제 전의 DNA에 유전자 A가 있었다면, 이 DNA가 복제되어 만들어진 2개의 염색 분체에는 모두 유전자 A가 있다.

대립유전자

대립유전자는 상동 염색체의 같은 위치에 있으며, 하나의 형질에 대해 대립 형질이 나타나게 하는 유전자이다. 그러나 하나의 염색체를 구성하는 두 염색 분체의 같은 위치에 있는 유전자는 복제되어 만들어진 것이므로, 같은 유전자이다.

시선 집중 ★ 상동 염색체와 염색 분체의 유전자 구성

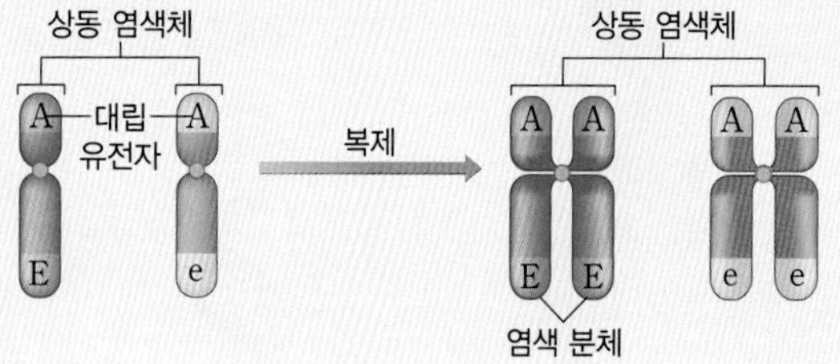

❶ 상동 염색체의 같은 위치에는 하나의 형질을 결정하는 대립유전자가 있다. → 대립유전자 A와 A는 눈꺼풀을 결정하며, E와 e는 귓불 모양을 결정한다.

❷ 상동 염색체에 있는 한 쌍의 대립유전자는 같을 수도 있고 다를 수도 있다. → 눈꺼풀을 결정하는 대립유전자는 A와 A로 같고, 귓불 모양을 결정하는 대립유전자는 E와 e로 다르다.

❸ 염색 분체는 세포 분열 전에 DNA가 복제되어 만들어지므로 유전자 구성이 같다. → 하나의 염색체를 구성하는 두 염색 분체의 유전자 구성은 AE와 AE 또는 Ae와 Ae로 같다.

예제

그림은 어떤 생물의 세포에 들어 있는 두 쌍의 상동 염색체와 각 염색체에 존재하는 일부 유전자를 나타낸 것이다. 이 생물은 유전자 A와 a, B와 b를 모두 가지고 있으며, A와 a, B와 b는 각각 서로 대립유전자이다.

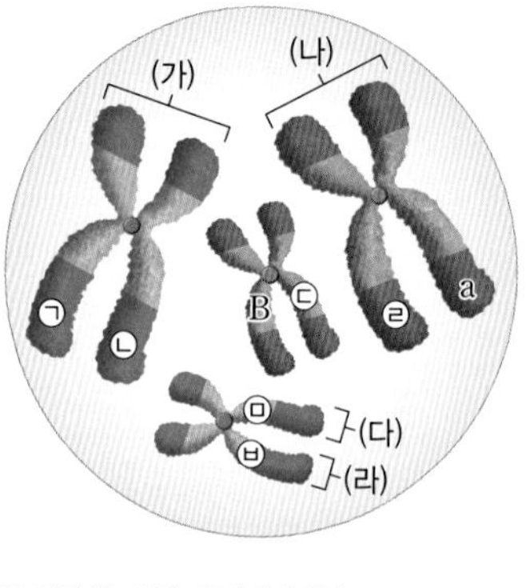

(1) (가)와 (나)는 어떤 관계인지 쓰시오.

(2) (다)와 (라)는 어떤 관계인지 쓰시오.

(3) ㉠ ~ ㉥에 들어갈 유전자를 각각 쓰시오.

해설 (1) (가)와 (나)는 모양과 크기가 같은 상동 염색체이다.
(2) (다)와 (라)는 하나의 염색체를 구성하는 염색 분체이다.
(3) 상동 염색체의 같은 위치에는 대립유전자가 있고, 염색 분체의 같은 위치에는 같은 유전자가 있다.

정답 (1) 상동 염색체 (2) 염색 분체 (3) ㉠ A, ㉡ A, ㉢ B, ㉣ a, ㉤ b, ㉥ b

4 세포 주기와 체세포 분열

집중 분석 2권 18쪽

몸을 구성하는 체세포는 크기가 어느 정도 커지면 분열하여 크기가 작은 딸세포를 만든다. 세포 분열로 만들어진 딸세포는 생장하여 다시 분열하는 과정을 반복하는데, 이 과정에서 염색 분체의 형성과 분리가 일어난다.

1. 세포 주기

일반적으로 체세포는 일정한 크기가 되면 생장을 멈추고 분화하거나 세포 분열을 한다. 세포 분열을 통해 새로 생겨난 딸세포가 생장하여 다시 분열을 마칠 때까지의 과정을 세포 주기라고 한다. 세포 주기는 크게 DNA 복제와 세포의 생장이 일어나는 간기와 분열이 일어나는 분열기(M기)로 나뉜다. 간기는 DNA 복제를 기준으로 G_1기, S기, G_2기로 구분하며, 분열기는 핵분열과 세포질 분열로 구분한다.

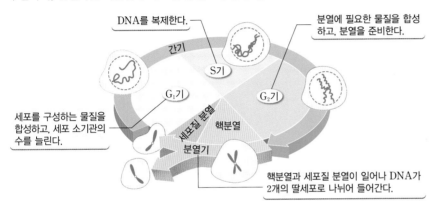

▲ **세포 주기** 세포 주기는 간기와 분열기로 나뉜다.

(1) **간기**: 세포 분열이 끝난 후부터 다음 세포 분열이 일어날 때까지의 시기로, 세포 주기의 90 % 이상을 차지한다. 간기에는 핵(핵막)과 인이 관찰되고, DNA 복제와 단백질 합성 등 물질대사가 활발하게 일어난다. 염색체는 핵 속에 실처럼 풀어진 상태로 존재하며, 광학 현미경으로 관찰되지 않는다.

① G_1기: 세포 분열이 끝난 직후부터 DNA 복제가 일어나기 전까지의 시기로, 세포가 빠르게 생장한다. 세포의 생장에 필요한 효소와 세포를 구성하는 단백질의 합성이 활발하고, 세포 소기관의 수가 증가한다.

② S기: DNA 복제가 일어나는 시기로, 핵 속의 모든 DNA가 복제되어 그 양이 2배로 증가한다.

③ G_2기: DNA 복제가 끝난 후부터 분열기에 들어가기 전까지의 시기로, 세포 분열을 준비한다. 세포가 완전히 생장하고, 분열에 필요한 방추사의 재료가 되는 단백질과 세포막을 구성하는 물질이 합성된다.

(2) **분열기(M기)**: 세포 분열이 일어나는 시기로, 간기에 비해 걸리는 시간이 매우 짧다. 분열기에는 2개의 딸핵이 형성되는 핵분열이 먼저 일어나고, 이어서 세포질 분열이 일어나 2개의 딸세포를 형성한다. 핵분열은 염색체의 모양과 행동에 따라 전기, 중기, 후기, 말기로 구분하며, 세포질 분열은 세포의 구조 차이 때문에 동물 세포와 식물 세포에서 다른 방식으로 일어난다.

분화
세포가 분열하면서 구성하는 조직의 특성에 알맞게 모양과 기능이 서로 다른 세포로 발달하는 것이다.

G, S, M의 의미
G_1기와 G_2기의 G는 공백(Gap) 또는 생장(Growth)을 의미하고, S기의 S는 합성(Synthesis)을 의미한다. 또, 분열기의 M은 체세포 분열(Mitosis)을 의미한다.

간기의 의의
체세포가 분열을 거듭하는데도 유전 물질의 양은 물론이고 세포질과 세포 소기관의 양도 거의 변함없이 유지된다. 이것은 간기에 DNA를 포함하여 세포질에 있는 대부분 물질의 양이 2배로 증가한 후에 세포 분열이 일어나기 때문이다.

인
간기의 핵에서 관찰되는 구조물로, 리보솜이 생성되는 장소이다.

2. 체세포 분열

체세포가 분열하여 세포 수가 늘어나는 과정을 체세포 분열이라고 한다. 체세포 분열 결과 모세포와 유전 정보가 같은 딸세포 2개가 형성된다.

(1) 간기: 세포가 생장하고, DNA가 복제되며, 세포 분열에 필요한 물질이 합성된다. 핵막과 인이 뚜렷하게 관찰되며, 염색체는 핵 속에 풀어져 있어서 관찰되지 않는다.

(2) 핵분열

① **전기:** 핵막과 인이 사라지고, 응축된 염색체가 나타난다. 각 염색체는 2개의 염색 분체로 이루어져 있으며, 방추사가 뻗어 나와 동원체에 붙는다.

② **중기:** 염색체가 방추사에 이끌려 세포의 중앙에 배열된다. 염색체가 최대로 응축되어 염색체를 관찰하기에 좋은 시기이며, 이 시기의 염색체로 핵형을 분석한다.

③ **후기:** 동원체에서 서로 붙어 있던 염색 분체가 분리되어 각각 세포의 양극으로 이동한다.

④ **말기:** 염색체가 양극에 도달하면 방추사는 사라지고 염색체가 풀어지며, 핵막이 다시 나타나 2개의 딸핵을 형성한다. 두 딸핵의 염색체 수와 유전 정보는 모세포와 같다.

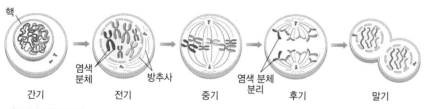

▲ 간기와 핵분열 과정

(3) 세포질 분열: 핵분열이 끝날 무렵 세포질이 나누어져 딸세포 2개가 형성된다. 동물 세포는 세포질이 함입하고, 식물 세포는 세포판이 형성되어 세포질이 나누어진다.

▲ 동물 세포의 세포질 분열 　　　▲ 식물 세포의 세포질 분열

(4) 체세포 분열 과정에서의 DNA양 변화: G_1기 세포에 풀어져 있는 각 염색체는 1개의 이중 나선 DNA로 이루어져 있다. S기에 DNA가 복제되면 2개의 이중 나선 DNA가 만들어져 DNA양은 2배로 증가한다. 2개의 이중 나선 DNA 가닥은 각각 염색 분체를 형성하며, 두 염색 분체는 분열기의 후기에 분리될 때까지 붙어 있다. 말기에는 2개의 딸핵이 형성되는데, 각각의 딸핵에는 2개의 염색 분체 중 1개가 들어 있으므로 G_2기나 말기 이전의 세포에 비해 DNA양이 반으로 감소한 상태이다. 즉, 딸핵의 DNA양은 분열 전의 G_1기 세포와 같다.

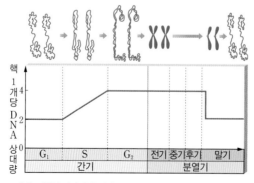

▲ 체세포 분열 과정에서 염색체 변화와 핵 1개당 DNA양 변화

방추사

방추사는 세포 분열이 일어날 때 염색체의 동원체에 붙는 실 모양의 구조물로, 미세 소관으로 이루어져 있다. 동물 세포에서는 중심체가 양극으로 이동하여 방추사를 형성하고, 중심체가 없는 식물 세포에서는 세포의 양극에서 방추사가 뻗어 나온다.

체세포 분열에서 딸세포의 유전자 구성

체세포 분열 과정에서는 염색 분체가 형성되고 분리되므로 모세포와 유전자 구성이 같은 딸세포 2개가 형성된다.

세포질 분열

식물 세포와 동물 세포에서 세포질 분열이 일어나는 방식이 다른 것은 세포벽의 유무 때문이다. 동물 세포는 세포벽이 없어 세포막이 안으로 함입되면서 세포질이 나누어진다. 그러나 식물 세포는 세포막 바깥에 단단하고 질긴 세포벽이 있어 2개의 딸핵 사이에 세포판이 형성된 후 바깥쪽으로 자라면서 새로운 세포벽이 형성되어 세포질이 나누어진다.

사람의 핵형 분석하기

핵형을 분석하여 사람의 체세포에 들어 있는 염색체의 수와 모양 등의 특징을 설명할 수 있다.

과정

1 사람의 염색체 사진에서 각 염색체를 모양에 따라 오려 낸 후 크기와 형태적 특징이 같은 염색체끼리 짝을 짓는다.

2 짝 지은 염색체 쌍을 길이가 긴 것부터 짧은 것의 순서대로 종이에 붙이고, 각 염색체 쌍 아래에 1, 2, 3, 4, ······ 순으로 번호를 쓴다.

3 X 염색체는 맨 끝에 붙이고, 그 옆에 짝이 되는 염색체를 붙인다.

4 위 과정을 거쳐 분석한 사람 (가)~(다)의 핵형은 다음과 같다.

● 유의점
X 염색체와 짝이 되는 염색체는
X 염색체와 모양과 크기가 같을
수도 있고 다를 수도 있다.

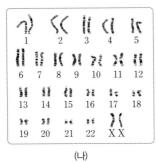

(가)   (나)   (다)

결과 및 해석

1 (가)와 (나)의 염색체 수는 각각 46개이고, (다)의 염색체 수는 47개이다.

2 (가)는 성염색체 구성이 XY이므로 남자이고, (나)와 (다)는 성염색체 구성이 XX이므로 여자이다.

3 (가)는 정상 남자, (나)는 정상 여자이다. 그런데 (다)는 21번 염색체가 3개 있어 상염색체 수가 45개이므로 정상인보다 21번 염색체의 유전 물질 양이 많아 유전병을 나타낸다(다운 증후군).

정리

1 사람의 체세포에는 46개의 염색체가 들어 있으며, 그중 44개는 상염색체이고, 2개는 성염색체이다.

2 성염색체 구성이 XY인 사람은 남자이고, XX인 사람은 여자이다.

3 핵형을 분석하면 성별과 염색체 수 이상 등을 알 수 있다.

탐구 확인 문제

〉 정답과 해설 **54**쪽

01 (나)의 핵형에 대한 설명으로 옳은 것을 모두 고르면?

(정답 2개)

① 생식세포의 핵형이다.

② 1번 염색체가 2개 있다.

③ 상동 염색체가 23쌍 있다.

④ 성염색체는 상염색체보다 길이가 짧다.

⑤ 성 결정에 관여하지 않는 염색체가 22개 있다.

02 위 탐구에 대한 물음에 답하시오.

(1) (가)와 (나)에서 각 번호마다 염색체가 쌍으로 존재하는 까닭을 서술하시오.

(2) 핵형 분석으로 염색체 이상은 알 수 있지만, 유전자 이상은 알 수 없다. 그 까닭을 염색체와 유전자의 관계로 서술하시오.

염색체와 세포 주기

염색체는 유전 정보가 저장되어 있는 DNA와 히스톤 단백질로 구성되어 있다. 세포가 생장하고 분열하는 과정에서 DNA가 복제된 후 염색체로 응축되었다가 분리되는데, 이러한 염색체의 변화를 세포 주기와 관련지어 묻는 경우가 많다. 또, 체세포 분열 결과 모세포와 유전적으로 동일한 딸세포 2개가 형성되는 원리를 염색 분체의 형성과 분리로 설명할 수 있어야 한다.

❶ 염색체의 응축 정도

(1) (가)는 2개의 염색 분체로 이루어진 염색체로, 분열기(M기)의 전기와 중기에 관찰된다. A와 B는 간기의 S기에 DNA가 복제된 후 응축되어 만들어진 염색 분체이므로 유전자 구성이 같다.

(2) (나)는 수많은 뉴클레오솜이 DNA로 연결되어 핵 속에 실처럼 풀어져 있는 상태로, 간기에는 (나)와 같은 형태로 존재한다. DNA가 히스톤 단백질을 휘감고 있는 구슬 모양의 ㉠은 뉴클레오솜이다.

(3) (다)는 뉴클레오솜을 구성하는 성분을 분리하여 나타낸 것이다. ㉡은 DNA이고, ㉢은 히스톤 단백질이다.

❷ 세포 주기와 염색체의 행동

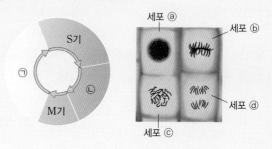

(1) 세포 주기 중 ㉠은 G_1기이고, ㉡은 G_2기이다. 간기는 ㉠+S기+㉡이며, 이 시기의 세포에서는 ⓐ와 같이 핵이 관찰된다.

(2) 세포 ⓑ, ⓒ, ⓓ는 모두 M기(분열기)에 속한다. 세포 ⓑ는 중기, 세포 ⓒ는 전기, 세포 ⓓ는 후기 상태이다.

(3) 세포 ⓑ와 ⓒ에서는 각 염색체가 2개의 염색 분체로 이루어져 있고, 세포 ⓓ에서는 염색 분체가 분리되어 양극으로 이동하고 있다.

> 정답과 해설 **54**쪽

유제

그림 (가)는 염색체의 구조를, 그림 (나)는 세포 주기를 나타낸 것이다. ⓐ~ⓒ는 각각 G_1기, G_2기, M기 중 하나이다.

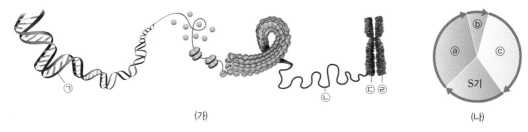

이에 대한 설명으로 옳은 것을 모두 고르면? (정답 2개)

① ㉠의 기본 단위는 아미노산이다.

② ㉡은 DNA와 단백질로 구성되어 있다.

③ ㉢과 ㉣에서 같은 위치에 있는 유전자는 같을 수도 있고 다를 수도 있다.

④ ㉢과 ㉣은 세포 주기의 ⓑ 시기에 분리되어 이동한다.

⑤ 세포 1개의 DNA양은 ⓐ 시기 세포가 ⓒ 시기 세포의 $\frac{1}{2}$이다.

심화

세포 주기의 조절

세포 분열로 새로운 세포가 생성되는 시기와 속도는 세포의 종류에 따라 달라서 피부 세포는 일생 동안 자주 분열하지만, 간세포는 분열 능력은 있지만 손상된 부분을 재생할 때에만 분열한다. 세포 주기는 어떻게 조절되며, 세포 주기 조절에 이상이 생기면 어떻게 되는지 알아보자.

❶ 세포 주기 조절 시스템

진핵세포에서 세포 주기는 세포 안팎의 신호에 반응하는 확인점(checkpoint)에서 조절한다. 확인점은 세포 주기의 각 단계가 끝나거나 시작될 때 앞 단계가 완벽하게 이루어져 있는지를 검사한 후, 그 단계에서 정지할 것인지 다음 단계로 진행할 것인지를 결정하는 일종의 감시 시스템이다.

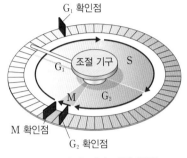

▲ 세포 주기 조절 시스템과 3개의 확인점

❷ 확인점의 세포 주기 조절 방식

주요 확인점에는 G_1기, G_2기, M기의 3개가 있다. G_1 확인점은 세포 주기의 시작 또는 정지를 결정하고, G_2 확인점은 DNA가 2배로 복제되고 세포 분열 준비가 완료되었는지를 확인하여 M기로의 진행 여부를 결정한다. M 확인점은 중기의 모든 염색체를 구성하는 각 염색 분체에 방추사가 부착되었는지를 확인하여 후기로의 진행 여부를 결정한다.

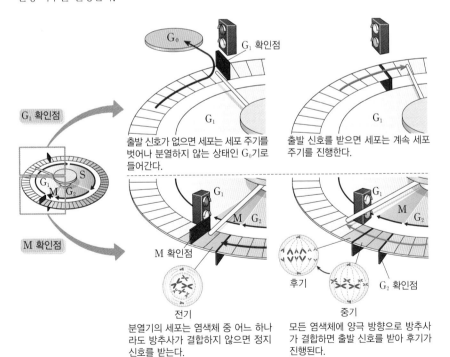

▲ 확인점의 세포 주기 조절 방식

G_1 확인점

M 확인점

출발 신호가 없으면 세포는 세포 주기를 벗어나 분열하지 않는 상태인 G_0기로 들어간다.

출발 신호를 받으면 세포는 계속 세포 주기를 진행한다.

전기

분열기의 세포는 염색체 중 어느 하나라도 방추사가 결합하지 않으면 정지 신호를 받는다.

중기

모든 염색체에 양극 방향으로 방추사가 결합하면 출발 신호를 받아 후기가 진행된다.

진핵세포

핵막으로 둘러싸인 뚜렷한 핵이 있는 세포를 진핵세포라고 한다. 반면에, 핵막으로 둘러싸인 뚜렷한 핵이 없는 세포는 원핵세포라고 한다. 동물, 식물 등은 몸이 진핵세포로 이루어진 진핵생물이고, 세균은 원핵생물이다.

후기의 시작

염색 분체는 코헤신이라는 단백질에 의해 분리되지 않도록 묶여 있다. 후기에 코헤신이 분해되면서 염색 분체가 분리되어 양극으로 이동한다.

③ 세포 주기 조절 이상과 암세포

세포 주기 조절은 정상적인 생장과 발생 및 유지에 매우 중요한데, 암세포는 세포 주기 조절에 이상이 생긴 경우이다. 표는 정상 세포와 암세포를 조직 배양한 결과이다.

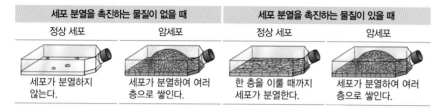

세포 분열을 촉진하는 물질이 없을 때		세포 분열을 촉진하는 물질이 있을 때	
정상 세포	암세포	정상 세포	암세포
세포가 분열하지 않는다.	세포가 분열하여 여러 층으로 쌓인다.	한 층을 이룰 때까지 세포가 분열한다.	세포가 분열하여 여러 층으로 쌓인다.

정상 세포는 세포 분열을 촉진하는 물질이 있을 때 한 층을 이룰 때까지만 분열한다. 그러나 암세포는 세포 분열을 촉진하는 물질의 유무에 관계없이 계속 분열하여 여러 층으로 쌓인다. 이를 통해 과학자들은 암세포는 세포 분열을 촉진하는 물질을 스스로 만들어 내거나, 신호 전달에 이상이 생겼거나, 세포 주기 조절 시스템이 비정상일 것으로 추론하고 있다. 어떤 경우이든 암세포는 세포 주기 조절에 관여하는 유전자에 변이가 생겨 세포 주기 조절에 이상이 생긴 것이다. 그 결과 암세포는 세포 주기를 조절하는 신호를 무시하고 세포 주기를 지속적으로 반복하기 때문에 영양분이 계속 공급되기만 하면 무한정 분열을 계속할 수 있다.

세포가 계속 분열하여 형성된 세포 덩어리를 종양이라고 한다. 이 세포들이 주위의 조직에 영향을 미치지 않으면 양성 종양, 주위의 다른 조직으로 침투하면 악성 종양이다. 악성 종양을 암이라고 하는데, 악성 종양은 끊임없이 분열할 뿐만 아니라, 혈액이나 림프를 따라 온몸을 이동하다가 다른 기관에 정착한 후 증식하여 또 다른 종양을 생기게 할 수 있다. 암세포가 다른 조직으로 이동하는 현상을 암의 전이라고 한다. 전이된 암세포는 무제한으로 자라면서 영양분을 빼앗아가기 때문에 암 환자는 여러 장기가 손상되어 사망에 이를 수 있다.

조직 배양
생물의 조직 일부나 세포를 떼어 내어 인공적인 환경에서 증식시키는 것이다.

전이
암세포가 한 기관이나 부분으로부터 거리상으로 분리되어 있는 다른 곳으로 옮겨 가는 현상이다. 암의 전이는 무작위로 일어나는 것이 아니라 여러 가지 원인이 복합적으로 작용하여 일어나는 것으로 알려져 있다.

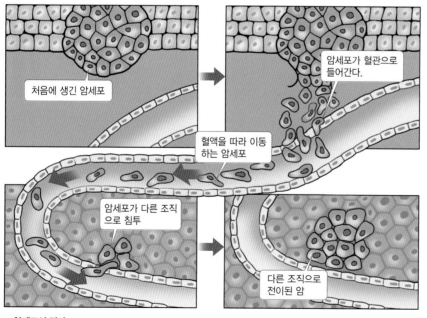

▲ 암세포의 전이

01 유전자와 염색체

1 염색체

1. **염색체의 구조** 염색체는 (❶)와 히스톤 단백질로 구성되어 있으며, 세포가 분열할 때 응축되어 막대 모양으로 나타난다.

2. **염색체와 유전자의 관계**
   - (❷): 유전 정보가 저장된 DNA의 특정 부분이다.
   - DNA: 유전 물질로, 하나의 DNA에는 많은 수의 유전자가 존재한다.
   - 염색체: DNA가 히스톤 단백질과 결합하여 응축된 구조이다.
   - (❸): 한 생명체(세포)가 가진 모든 유전 정보이다.

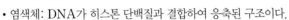

▲ **염색체의 구조**

2 사람의 염색체

1. **사람의 염색체** 사람의 체세포에는 (❹)개의 염색체가 있다.
   - (❺): 모양과 크기가 같은 한 쌍의 염색체로, 부모에게서 1개씩 물려받은 것이다.
   - 사람의 염색체 구성: 사람은 22쌍의 상염색체와 1쌍의 성염색체를 가지고 있다.
     → 남자의 염색체 구성: 44+XY, 여자의 염색체 구성: (❻)

2. **핵상과 핵형**
   - 핵상: 하나의 세포에 들어 있는 염색체의 상대적인 수로, 체세포는 $2n$, 생식세포는 (❼)이다.
   - 핵형: 체세포에 들어 있는 염색체의 수, 모양, 크기 등의 특징이다.

3 염색 분체의 형성과 분리

1. **염색 분체의 형성과 분리** 간기에 DNA가 복제된 후 히스톤 단백질과 결합하여 응축되고, 세포 분열 시 더욱 응축되어 염색 분체로 나타나며, 하나의 염색체를 이루던 2개의 염색 분체는 세포 분열 후기에 분리되어 서로 다른 딸세포로 나뉘어 들어간다.

2. **상동 염색체와 염색 분체의 유전자 구성**
   - 상동 염색체: 상동 염색체의 같은 위치에는 하나의 형질을 결정하는 (❽)가 있다. → 상동 염색체는 부모에게서 1개씩 물려받은 것이므로 한 쌍의 대립유전자는 같을 수도 있고 다를 수도 있다.
   - 염색 분체: 하나의 염색체를 구성하는 2개의 염색 분체는 DNA가 복제되어 만들어진 것이다. → 염색 분체는 유전자 구성이 (❾).

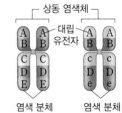

▲ **상동 염색체와 염색 분체**

4 세포 주기와 체세포 분열

1. **세포 주기** 간기와 분열기로 나뉜다.
   - 간기: 세포가 빠르게 생장하는 G_1기, DNA 복제가 일어나는 (❿), 세포 분열을 준비하는 G_2기로 구분한다. → 핵이 관찰된다.
   - 분열기(M기): 세포 분열이 일어나는 시기로, 핵분열과 세포질 분열이 일어난다.

2. **체세포 분열** 전기, 중기, 후기, 말기로 구분하며, 모세포와 유전 정보가 같은 딸세포 2개가 형성된다.

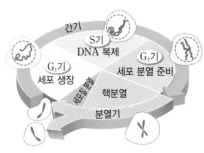

▲ **세포 주기**

01 유전 물질과 관련하여 다음에서 설명하는 용어를 쓰시오.

(1) 생물의 형질을 결정하는 유전 정보의 단위

(2) 염색체를 구성하는 물질 중 유전 정보를 저장하고 있으며, 이중 나선 구조인 물질

(3) 상동 염색체의 같은 위치에 존재하며, 하나의 형질을 결정하는 한 쌍의 유전자

02 다음은 유전 물질과 관련된 용어이다.

> 염색체   유전체   유전자

각각 하나씩을 비교하였을 때 유전 물질의 양이 많은 것부터 순서대로 나열하시오.

03 그림은 염색체의 구조를 나타낸 것이다.

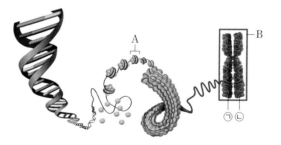

(1) A의 이름을 쓰고, A를 구성하는 물질 두 가지를 쓰시오.

(2) 위 자료에 대한 설명으로 옳은 것만을 〈보기〉에서 있는 대로 고르시오.

> 보기
> ㄱ. B는 세포 주기 중 분열기에만 관찰할 수 있는 구조이다.
> ㄴ. ㉠과 ㉡은 유전자 구성이 같다.
> ㄷ. ㉠과 ㉡은 부모에게서 1개씩 물려받은 것이다.

04 그림은 두 가지 세포 (가)와 (나)에 들어 있는 모든 염색체를 나타낸 것이다.

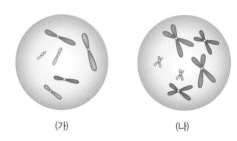

(가)와 (나)의 핵상과 염색체 수를 각각 쓰시오.

05 그림은 핵형이 정상인 사람 (가)와 (나)의 핵형을 각각 나타낸 것이다.

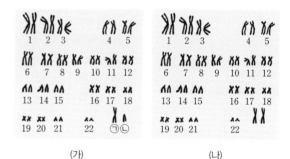

(1) (가)와 (나)의 성별을 각각 쓰시오.

(2) (가)의 ㉠과 ㉡은 각각 어떤 염색체인지 쓰시오.

(3) (나)의 핵형에서 상동 염색체는 몇 쌍인지 쓰시오.

(4) (나)의 핵형에서 상염색체는 몇 개인지 쓰시오.

(5) 위 자료에 대한 설명으로 옳은 것만을 〈보기〉에서 있는 대로 고르시오.

> 보기
> ㄱ. 핵형은 체세포 분열 중기의 염색체 사진을 이용하여 분석한다.
> ㄴ. (가)의 3번 염색체는 부모에게서 1개씩 물려받은 것이다.
> ㄷ. 정상인 여자의 생식세포 핵형은 (나)의 핵형과 같다.

06 그림은 어떤 동물의 체세포 분열 과정에서 볼 수 있는 두 세포 (가)와 (나)를 나타낸 것이다. 그림에는 1번 염색체만을 나타내었으며, 이 동물은 1번 염색체에 대립유전자 A와 a가 있다.

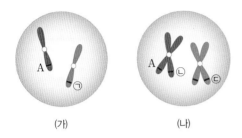

ⓒ~ⓒ에 해당하는 유전자를 각각 쓰시오.

07 그림은 어떤 세포의 세포 주기를 나타낸 것이다. ⓒ~ⓒ은 각각 M기, G_1기, G_2기 중 하나이다.

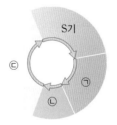

(1) ⓒ~ⓒ 시기의 이름을 각각 쓰시오.

(2) 간기에 해당하는 시기를 모두 쓰시오.

(3) 세포 주기 중 S기에 일어나는 가장 중요한 변화는 무엇인지 쓰시오.

(4) ⓒ~ⓒ 중 아래 그림과 같은 변화가 나타나는 시기를 쓰시오.

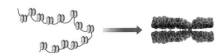

08 그림은 간기를 포함하여 체세포 분열 과정을 순서 없이 나타낸 것이다.

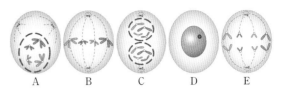

(1) 분열 과정을 간기부터 순서대로 나열하시오.

(2) ⓒ염색 분체가 나타나는 시기와 ⓒ염색 분체가 분리되는 시기를 각각 기호로 쓰시오.

09 그림은 체세포 분열로 만들어진 세포 A가 다시 분열하여 딸세포 B와 C를 만드는 과정을 나타낸 것이다.

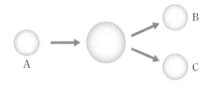

A의 핵상과 염색체 수가 $2n=16$일 때, B와 C의 핵상과 염색체 수를 각각 쓰시오.

10 그림은 체세포 분열 과정에서 핵 1개당 DNA 상대량 변화를 나타낸 것이다.

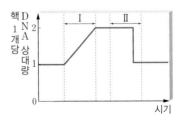

이에 대한 설명으로 옳은 것만을 〈보기〉에서 있는 대로 고르시오.

보기
ㄱ. 구간 I은 간기의 S기이다.
ㄴ. 구간 I에서 핵막과 인이 사라진다.
ㄷ. 구간 II에서 염색 분체가 분리된다.

01 ❯ 염색체의 구조

그림은 염색체의 구조를 나타낸 것이다.

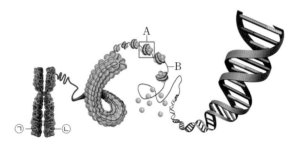

이에 대한 설명으로 옳은 것만을 〈보기〉에서 있는 대로 고른 것은?

보기
ㄱ. A는 핵산과 단백질로 구성되어 있다.
ㄴ. B는 인산, 당, 염기로 구성되어 있다.
ㄷ. ㉠과 ㉡의 같은 위치에 있는 유전자는 같을 수도 있고 다를 수도 있다.

① ㄱ   ② ㄴ   ③ ㄱ, ㄴ   ④ ㄱ, ㄷ   ⑤ ㄴ, ㄷ

• ㉠과 ㉡은 동원체에서 서로 붙어 있으므로 복제되어 형성된 것이다.

02 ❯ 핵상과 핵형

그림 (가)와 (나)는 각각 동물 A($2n=6$)와 B($2n=?$)의 어떤 세포에 들어 있는 모든 염색체를 나타낸 것이다. A와 B의 성염색체 구성은 XY이다.

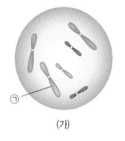

(가)   (나)

이에 대한 설명으로 옳은 것만을 〈보기〉에서 있는 대로 고른 것은? (단, 돌연변이는 고려하지 않는다.)

보기
ㄱ. ㉠은 상염색체이다.
ㄴ. 성염색체 수는 (가)가 (나)의 2배이다.
ㄷ. ㉡이 부계로부터 물려받은 것이라면 ㉢은 반드시 모계로부터 물려받은 것이다.

① ㄱ   ② ㄴ   ③ ㄷ   ④ ㄱ, ㄴ   ⑤ ㄴ, ㄷ

• (가)와 (나)에서 상동 염색체의 존재 여부를 판단하고, 핵상과 염색체 수를 써서 나타내 본다.

03 〉사람의 핵형

그림은 핵형이 정상인 사람의 피부 세포를 채취하여 핵형 분석을 한 결과를 나타낸 것이다.

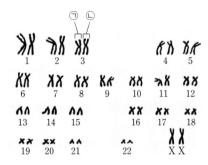

이에 대한 설명으로 옳은 것만을 〈보기〉에서 있는 대로 고른 것은?

보기
ㄱ. ㉠과 ㉡은 상동 염색체이다.
ㄴ. 이 사람의 간세포를 핵형 분석한 결과도 위와 같을 것이다.
ㄷ. 분열 중인 피부 세포 1개에 들어 있는 상염색체의 염색 분체 수는 44개이다.

① ㄱ   ② ㄴ   ③ ㄱ, ㄴ   ④ ㄴ, ㄷ   ⑤ ㄱ, ㄴ, ㄷ

04 〉사람의 염색체와 유전자

그림은 사람 (가)의 세포 ㉠과 사람 (나)의 세포 ㉡의 유전자 A, a, B, b의 DNA 상대량을 나타낸 것이다. A와 a, B와 b는 각각 서로 대립유전자이며, A와 b는 서로 다른 염색체에 있다.

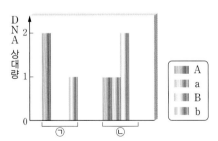

이에 대한 설명으로 옳은 것만을 〈보기〉에서 있는 대로 고른 것은? (단, 돌연변이는 고려하지 않으며, A, a, B, b 각각의 1개당 DNA 상대량은 같다.)

보기
ㄱ. a는 상염색체에 있다.
ㄴ. (가)의 b는 어머니에게서 물려받은 것이다.
ㄷ. (나)의 아버지와 어머니는 모두 B를 가진다.

① ㄴ   ② ㄱ, ㄴ   ③ ㄱ, ㄷ   ④ ㄴ, ㄷ   ⑤ ㄱ, ㄴ, ㄷ

• 사람의 핵형 분석 결과에서 상염색체는 숫자로 표시하고, 성염색체는 X와 Y로 표시한다. 같은 종의 생물은 성별이 같으면 핵형이 같으며, 한 개체를 구성하는 모든 체세포는 핵형이 같다.

• ㉠의 유전자형은 AAb이고, ㉡의 유전자형은 AaBB이다. ㉠과 ㉡에서 B와 b의 유전자 개수의 합이 서로 다른 것은 B와 b가 성염색체에 존재하기 때문이다.

05 ❭ 세포 주기와 염색체의 응축

그림 (가)는 어떤 동물 체세포의 세포 주기를, 그림 (나)의 A와 B는 이 세포 주기에 따른 염색체의 응축 정도를 나타낸 것이다. ㉠~㉢은 각각 G_1기, M기, S기 중 하나이다.

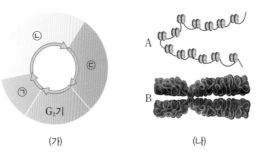

(가)   (나)

이에 대한 설명으로 옳은 것만을 〈보기〉에서 있는 대로 고른 것은?

보기
ㄱ. ㉠ 시기에 핵막이 소실되고 형성된다.
ㄴ. 핵 1개당 DNA양은 $\dfrac{㉡\ 시기\ 세포}{G_2기\ 세포}$ = 2이다.
ㄷ. ㉢ 시기에 A가 B로 변한다.

① ㄱ   ② ㄴ   ③ ㄷ   ④ ㄱ, ㄷ   ⑤ ㄴ, ㄷ

세포 주기 중 간기의 S기에는 DNA 복제가 일어나고, M기에는 응축된 염색체가 관찰되며 핵분열이 일어난다.

06 ❭ 세포 주기와 체세포 분열

그림 (가)는 핵상이 $2n$인 식물 P의 체세포의 세포 주기를, 그림 (나)는 P에서 체세포 분열 과정에 있는 세포들을 나타낸 것이다. P의 특정 형질에 대한 유전자형은 Tt이며, T와 t는 대립유전자이다.

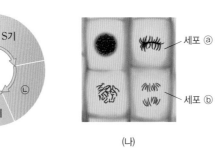

(가)   (나)

이에 대한 설명으로 옳은 것만을 〈보기〉에서 있는 대로 고른 것은? (단, 돌연변이는 고려하지 않는다.)

보기
ㄱ. ㉠ 시기의 세포에는 T와 t가 모두 있다.
ㄴ. ⓑ는 염색 분체가 분리된 상태이다.
ㄷ. 세포 1개당 T의 수는 ㉡ 시기 세포와 ⓐ가 같다.

① ㄱ   ② ㄷ   ③ ㄱ, ㄴ   ④ ㄴ, ㄷ   ⑤ ㄱ, ㄴ, ㄷ

세포 주기의 각 시기에 일어나는 변화와 세포 ⓐ, ⓑ에서의 염색체 행동을 유전자 수 변화와 관련지어 생각해 본다.

07 › 체세포 분열 과정에서의 DNA양 변화

그림 (가)는 어떤 동물의 체세포 분열 과정에서 시기에 따른 핵 1개당 DNA양을, 그림 (나)는 이 동물에서 관찰된 어떤 세포를 나타낸 것이다. I ~ Ⅲ은 각각 G_1기, G_2기, M기 중 하나이다.

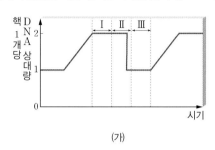

(가)

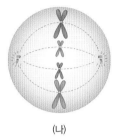

(나)

● 체세포 분열 결과 1개의 모세포로부터 유전자 구성이 같은 딸세포 2개가 형성된다.

이에 대한 설명으로 옳은 것만을 〈보기〉에서 있는 대로 고른 것은?

보기

ㄱ. I 시기의 세포에서 2개의 염색 분체로 이루어진 염색체가 관찰된다.
ㄴ. Ⅱ 시기에 (나)가 관찰된다.
ㄷ. Ⅲ 시기 세포의 핵상은 I 시기 세포와 같다.

① ㄱ   ② ㄴ   ③ ㄱ, ㄷ   ④ ㄴ, ㄷ   ⑤ ㄱ, ㄴ, ㄷ

고난도
08 › 체세포 분열 과정에서의 변화

다음은 세포 주기에 대한 실험이다.

(가) 어떤 동물의 체세포를 배양하여 집단 A와 B로 나눈다.
(나) 집단 B에만 물질 X를 처리한 후 두 집단을 동일한 조건에서 일정 시간 동안 배양한다.
(다) 두 집단의 세포를 동시에 고정하고, 각 집단의 세포당 DNA양을 측정하여 DNA 양에 따른 세포 수를 그래프로 나타낸 결과가 그림과 같다.

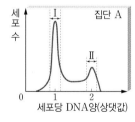

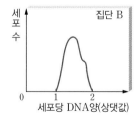

● 세포당 DNA 상대량은 G_1기 세포가 1이고, S기 세포는 1~2 범위에 있으며, G_2기 세포와 M기가 진행 중인 세포는 2이다.

이에 대한 설명으로 옳은 것은?

① 집단 A의 세포 주기에서 G_2기가 G_1기보다 길다.
② 집단 B의 세포는 모두 핵막이 사라져 핵이 관찰되지 않는다.
③ 물질 X는 세포 주기가 G_1기에서 S기로 전환되는 것을 억제한다.
④ 방추사가 관찰되는 세포의 수는 구간 Ⅱ에서가 구간 I 에서보다 많다.
⑤ 배양 시간을 늘린다면 총 세포 수는 집단 B가 집단 A보다 더 많을 것이다.

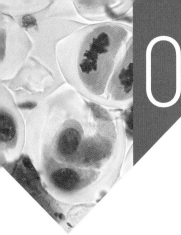

02 생식세포 형성과 유전적 다양성

학습 Point 〉 감수 1분열과 감수 2분열의 특징 〉 체세포 분열과 감수 분열의 비교 〉 자손의 유전적 다양성 증가 요인 〉 감수 분열의 의의

1 생식

생물은 자신과 닮은 자손을 남겨 종을 유지하는데, 이러한 현상을 생식이라고 한다. 자손은 부모의 유전자를 물려받아 생물종으로서의 독특한 특성을 나타내고 부모를 닮게 된다. 생물의 생식 방법은 다양하지만, 크게 무성 생식과 유성 생식으로 구분한다.

1. 생식 방법

(1) **무성 생식:** 암수 생식세포의 결합 없이 한 개체의 세포 1개 또는 몸의 일부가 분리되어 새로운 개체를 만드는 방법을 무성 생식이라고 한다. 무성 생식에는 분열법, 출아법, 포자 생식, 영양 생식 등이 있다. 무성 생식 과정에서 하나의 개체는 자신이 가진 모든 유전자를 자손에게 그대로 전달하므로 모체와 유전적으로 동일한 자손이 만들어진다.

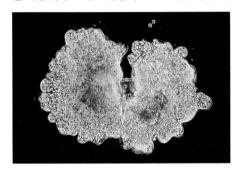

분열법으로 번식하는 아메바

출아법으로 번식하는 히드라

▲ **무성 생식** 아메바, 히드라와 같은 생물은 체세포 분열을 통해 새로운 개체를 만든다.

(2) **유성 생식:** 암수 개체에서 각각 만들어진 생식세포가 결합하여 새로운 개체를 만드는 방법을 유성 생식이라고 한다. 유성 생식을 하는 대부분의 생물은 감수 분열을 통해 생식세포를 만든다. 유성 생식으로 생겨난 자손은 부모 양쪽에서 유전자를 전달받으므로 새로운 유전자 조합을 가지게 된다. 그 결과 자손의 유전자 구성은 부모와 다르고, 형제자매들과도 다르다. 즉, 유성 생식을 통해 유전자 구성이 다양한 자손이 생긴다.

▲ **유성 생식** 다세포 생물인 사자는 암수 생식세포가 결합한 수정란이 새로운 개체로 된다.

무성 생식

- **분열법:** 아메바, 짚신벌레와 같은 단세포 생물의 몸이 둘로 나뉘어 각각 새로운 개체로 되는 방법으로, 체세포 분열이 곧 생식이다.
- **출아법:** 히드라, 효모와 같은 생물에서 체세포 분열로 생긴 작은 덩어리가 떨어져 나와 새로운 개체로 되는 방법이다.
- **포자 생식:** 곰팡이, 버섯, 고사리 등의 포자낭에서 만들어진 포자가 싹이 터서 새로운 개체로 되는 방법이다.
- **영양 생식:** 식물의 영양 기관인 잎, 줄기, 뿌리 등에서 새로운 개체가 자라 나오는 방법이다.

▲ **영양 생식**

2. 생식 방법과 자손의 염색체 구성

(1) 무성 생식과 자손의 염색체 구성: 무성 생식을 할 때에는 일반적으로 체세포 분열이 일어난다. 따라서 모체와 자손의 염색체 구성이 같고, 유전적으로 동일하다.

(2) 유성 생식과 자손의 염색체 구성: 유성 생식을 하는 생물은 생식세포를 만드는 과정에서 감수 분열이 일어나고, 암수 생식세포의 수정을 통해 자손을 만든다. 이 과정에서 자손의 염색체 구성은 매우 다양해진다.

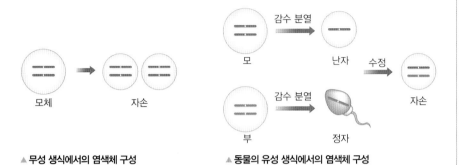

▲ **무성 생식에서의 염색체 구성**　　　▲ **동물의 유성 생식에서의 염색체 구성**

> **시야 확장** ➕ **유성 생식을 하는 생물의 체세포 염색체 구성**
>
> ❶ 체세포에는 여러 개의 상동 염색체 쌍(오른쪽 그림에서는 3개의 상동 염색체 쌍)이 있으며, 각 상동 염색체 쌍 중 하나는 부계로부터, 다른 하나는 모계로부터 물려받은 것이다.
> → 체세포에는 부계로부터 물려받은 염색체 한 세트(파란색, n)와 모계로부터 물려받은 염색체 한 세트(붉은색, n), 총 2세트($2n$)의 염색체가 있다.
>
>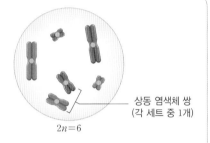
>
> 상동 염색체 쌍 (각 세트 중 1개)
>
> $2n=6$
>
> ❷ 유성 생식으로 태어난 자손의 염색체 구성은 부모 중 어느 쪽과도 같지 않다.

3. 생식 방법과 진화

(1) 무성 생식과 진화: 무성 생식은 하나의 개체로부터 자손이 만들어지는 방식이므로 생식 방법이 간단하고, 번식 속도가 빠르다. 그러나 집단 내 구성원의 유전 형질이 단순하므로 환경이 급격하게 변하여 생존에 불리해지면 멸종할 가능성이 높다. 무성 생식을 하는 생물은 유성 생식을 하는 생물에 비해 환경 변화에 대한 적응력은 낮지만, 자손의 수를 빠르게 늘려 일부 개체가 살아남는 방식으로 진화해 왔다.

(2) 유성 생식과 진화: 유성 생식은 생식세포의 형성과 수정 과정을 거쳐 자손이 만들어지는 방식이므로 생식 방법이 복잡하고, 무성 생식에 비해 번식 속도가 느리다. 그러나 집단 내 구성원의 유전 형질이 다양하므로 환경이 급격하게 변하더라도 구성원 중 일부는 변화된 환경에 적응하여 생존하고 번식할 가능성이 높다. 생물이 살아가는 온도, 수분 등의 환경은 끊임없이 변하므로 유성 생식을 하는 생물은 유전적으로 다양한 자손을 만들어 환경의 변화에 적응하며 진화해 왔다.

② 생식세포의 형성

집중 분석 2권 36쪽

사람은 암수 생식세포가 결합하여 새로운 개체를 만드는 유성 생식을 하며, 암수 생식세포는 난자와 정자이다. 난자와 정자는 각각 여자와 남자의 생식 기관인 난소와 정소에서 만들어지는데, 이때에는 세포의 염색체 수가 반으로 줄어드는 감수 분열이 일어난다. 생식세포를 형성할 때 일어나는 감수 분열 과정에 대해 알아보자.

1. 감수 분열(생식세포 분열)

유성 생식을 하는 암수 개체에서 자신이 가진 염색체 수의 반을 가진 생식세포를 만드는 과정을 감수 분열(생식세포 분열)이라고 한다. 즉, 감수 분열은 유성 생식을 하는 생물에서 난자, 정자와 같은 생식세포를 형성하기 위해 일어나는 세포 분열이다. 감수 분열에서는 간기에 DNA가 복제된 후 연속 2회의 분열이 일어나 염색체 수와 DNA양이 모세포(G_1기 세포)의 반으로 줄어든 딸세포 4개를 형성한다.

⑴ **감수 1분열**: 간기에 DNA가 복제된 후 일어나며, 감수 1분열에 의해 상동 염색체가 분리되어 염색체 수가 반으로 줄어든다($2n \rightarrow n$).

① **전기**: 핵막과 인이 사라지고, 응축된 염색체가 나타난다. 각 염색체는 2개의 염색 분체로 이루어져 있으며, 체세포 분열과 달리 상동 염색체끼리 접합하여 2가 염색체를 형성한다. 방추사가 뻗어 나와 각 상동 염색체의 동원체에 붙는다.

② **중기**: 2가 염색체가 방추사에 이끌려 세포의 중앙에 배열된다.

③ **후기**: 상동 염색체가 분리되어 방추사에 의해 각각 세포의 양극으로 이동한다. 이때 각 염색체를 구성하는 2개의 염색 분체는 동원체에서 서로 붙어 있기 때문에 두 염색 분체가 하나의 단위로 같은 극으로 이동한다.

④ **말기**: 분리된 염색체가 양극에 도달하면 핵막이 다시 나타나고 세포질 분열이 일어난다. 대부분의 경우 감수 1분열 말기에는 체세포 분열과 달리 염색체가 풀어지지 않으며 거의 변화가 없다. 세포질 분열이 완료되면 반수(n)의 염색체를 가진 딸세포 2개가 형성되며, 두 딸세포의 유전자 구성은 서로 다르다.

2가 염색체

감수 1분열 전기에 상동 염색체가 접합한 형태를 2가 염색체라고 한다. 이때 각 염색체는 2개의 염색 분체로 이루어져 있으므로 2가 염색체는 총 4개의 염색 분체로 이루어져 있어 4분 염색체라고도 한다. 2가 염색체는 감수 1분열 중기까지 관찰된다.

감수 1분열 말기

일반적으로 세포질 분열은 감수 1분열 말기와 동시에 진행되어 2개의 딸세포를 형성한다. 일부 생물종에서는 감수 1분열 말기에 염색체가 풀어지고 인이 다시 형성되기도 한다.

▼ 감수 분열 과정

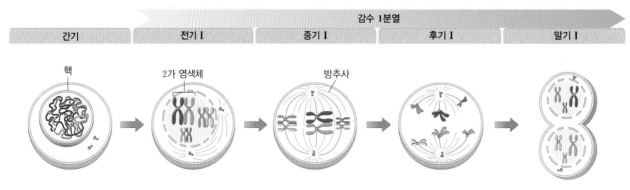

간기	전기 I	중기 I	후기 I	말기 I
DNA가 복제되고, 세포 분열에 필요한 물질이 합성된다.	응축된 염색체가 나타나며, 상동 염색체끼리 접합하여 2가 염색체를 형성한다.	2가 염색체가 세포의 중앙에 배열된다.	상동 염색체가 분리되어 방추사에 의해 각각 세포의 양극으로 이동한다.	핵막이 다시 나타나고, 세포질 분열이 일어나 딸세포 2개가 형성된다.

감수 1분열

(2) **감수 2분열:** 감수 1분열로 형성된 2개의 딸세포는 DNA 복제와 세포질의 증가 없이 곧바로 감수 2분열에 들어간다. 감수 2분열에서는 체세포 분열에서처럼 각 염색체를 구성하고 있던 염색 분체가 분리되므로 세포당 DNA양은 반으로 줄어들지만, 염색체 수에는 변화가 없다($n \rightarrow n$).

① 전기: 핵막이 사라지고, 양극에서 뻗어 나온 방추사가 2개의 염색 분체로 구성된 염색체의 동원체에 붙는다.

② 중기: 염색체가 방추사에 이끌려 세포의 중앙에 배열된다.

③ 후기: 동원체에서 서로 붙어 있던 염색 분체가 분리되어 방추사에 의해 각각 세포의 양극으로 이동한다.

④ 말기: 분리된 염색체가 양극에 도달하면 방추사는 사라지고 염색체가 풀어지며, 핵막이 다시 나타나고 세포질 분열이 일어난다. 세포질 분열이 완료되면 반수(n)의 염색체를 가진 딸세포 4개가 형성된다.

감수 분열과 세포 주기

감수 분열로 형성된 생식세포는 분화되어 다시 분열하지 않는다. 따라서 감수 분열은 체세포 분열과 달리 세포 주기가 반복되지 않는다.

- M: 감수 분열(Meiosis)
- M_1: 감수 1분열
- M_2: 감수 2분열

시야 확장 ➕ 염색체 수와 DNA양 계산 방법

❶ 염색체 수는 두 염색 분체가 붙어 있을 때는 1개의 염색체로 간주하고, 두 염색 분체가 분리되면 각각을 하나의 염색체로 간주한다. 세포의 염색체 수는 염색체 세트로 파악하여 상동 염색체의 존재 여부에 따라 $2n$ 또는 n으로 표현하는 것이 간편하다.

염색체 모양		
염색체 수	2개	2개
핵상	$2n$	$2n$
DNA 상대량	2	4

❷ DNA양은 염색 분체 수로 계산하는데, 흔히 핵 1개당 상대량으로 나타낸다. DNA양은 간기의 S기에 2배로 증가하고, 분열기(M기)의 말기에 딸핵이 형성되면서 반으로 감소한다. 체세포 분열에서는 S기 1회, 말기 1회를 거쳐 딸세포를 형성하므로, 딸세포의 DNA양은 모세포(G_1기 세포)와 같다. 감수 분열에서는 S기 1회, 말기 2회를 거쳐 딸세포를 형성하므로, 감수 분열이 완료되었을 때 딸세포의 DNA양은 모세포(G_1기 세포)의 반이 된다.

염색체 수의 변화

염색체 수는 염색체 세트를 의미하는 핵상으로 파악한다. 상동 염색체가 분리되면 염색체 수가 반감되지만($2n \rightarrow n$), 염색 분체가 분리되면 염색체 수는 변하지 않는다($2n \rightarrow 2n, n \rightarrow n$).

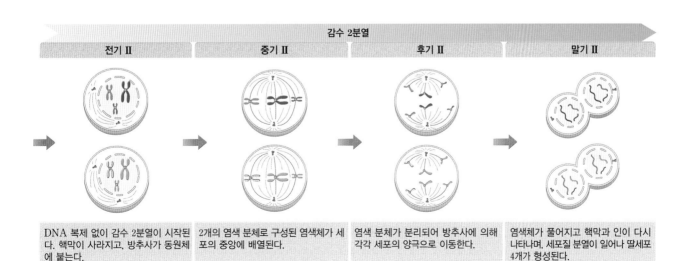

감수 2분열

전기 II	중기 II	후기 II	말기 II
DNA 복제 없이 감수 2분열이 시작된다. 핵막이 사라지고, 방추사가 동원체에 붙는다.	2개의 염색 분체로 구성된 염색체가 세포의 중앙에 배열된다.	염색 분체가 분리되어 방추사에 의해 각각 세포의 양극으로 이동한다.	염색체가 풀어지고 핵막과 인이 다시 나타나며, 세포질 분열이 일어나 딸세포 4개가 형성된다.

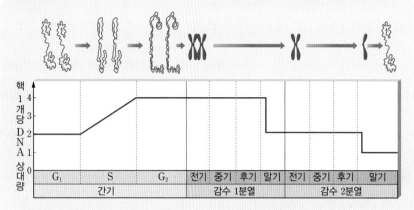

❶ 간기의 S기에 DNA가 복제되어 그 양이 2배가 된다. 이때 염색체 수는 변화 없다(핵상: $2n \rightarrow$ $2n$, DNA 상대량: $2 \rightarrow 4$).

❷ 감수 1분열에서 2가 염색체를 이루고 있던 상동 염색체가 분리되어 염색체 수와 DNA양이 반으로 줄어든다(핵상: $2n \rightarrow n$, DNA 상대량: $4 \rightarrow 2$).

❸ 감수 2분열에서 염색 분체가 분리되어 DNA양이 반으로 줄어들지만 염색체 수는 변화 없다 (핵상: $n \rightarrow n$, DNA 상대량: $2 \rightarrow 1$).

❹ 생식세포의 염색체 수와 DNA양은 체세포의 반이다. → 암수 생식세포가 수정하면 염색체 수 와 DNA양이 체세포와 같아진다(핵상: $n+n \rightarrow 2n$, DNA 상대량: $1+1 \rightarrow 2$).

2. 체세포 분열과 감수 분열의 비교

⑴ **체세포 분열:** 체세포 분열에서는 DNA가 복제되어 형성된 염색 분체가 분리되어 염색 체 수와 DNA양이 모세포(G_1기 세포)와 같은 딸세포 2개를 형성한다($2n \rightarrow 2n$). 체세포 분열은 생장할 때나 손상된 조직을 재생할 때 활발하게 일어난다.

⑵ **감수 분열:** 감수 분열에서는 DNA가 복제된 후 연속 2회 분열하여 염색체 수와 DNA 양이 모세포(G_1기 세포)의 반인 딸세포 4개를 형성한다($2n \rightarrow n$). 감수 1분열에서 상동 염색체가 분리되어 염색체 수가 반감되고($2n \rightarrow n$), 감수 2분열에서는 염색 분체가 분리 되어 염색체 수가 변하지 않는다($n \rightarrow n$). 감수 분열은 정소, 난소와 같은 생식 기관에서 생식세포를 만들 때 일어난다.

감수 분열이 일어나는 장소
감수 분열은 동물과 식물의 생식세포가 만 들어지는 생식 기관에서 일어난다. 동물의 생식 기관은 정소와 난소이고, 식물의 생식 기관은 꽃밥과 밑씨이다. 꽃이 피지 않는 식 물의 포자낭에서 포자가 형성될 때에도 감 수 분열이 일어난다.

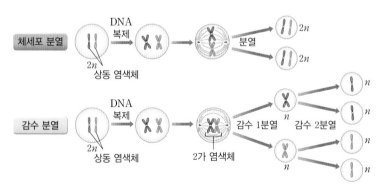

▲ 체세포 분열과 감수 분열에서의 염색체 변화

③ 감수 분열과 자손의 유전적 다양성 〔탐구〕 2권 35쪽

유성 생식을 하는 생물은 무성 생식을 하는 생물보다 자손의 유전자 구성이 다양하다. 자손의 유전적 다양성은 어떻게 획득되며, 이론적으로 얼마나 다양한 자손이 태어날 수 있을까?

1. 자손의 유전적 다양성 증가 요인

(1) **상동 염색체의 무작위 배열과 독립적 분리:** 상동 염색체는 부모에게서 1개씩 물려받은 것이므로 유전자 구성이 서로 다르다. 감수 1분열 과정에서 2가 염색체가 세포의 중앙에 배열되었다가 상동 염색체가 분리되는데, 이때 상동 염색체의 배열 방향은 무작위이며 한 상동 염색체의 분리는 다른 상동 염색체의 분리와 독립적으로 일어난다. 따라서 감수 분열로 생식세포를 형성할 때 생식세포의 염색체 조합은 이론적으로 2^n가지가 가능하다.

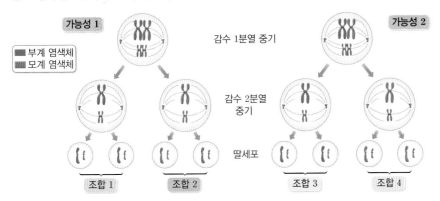

▲ **감수 분열과 유전적 다양성** 두 쌍의 상동 염색체를 가진 모세포($2n=4$)에서 만들어질 수 있는 생식세포의 염색체 조합은 최대 $4(=2^2)$가지이다. 생식세포에서 염색체 조합이 다르면 대립유전자 조합도 달라서 유전적으로 다르다.

(2) **무작위 수정:** 감수 분열로 만들어진 암수 생식세포는 무작위로 수정하며, 실제로는 염색체의 다양한 조합 외에도 유전적 다양성을 증가시키는 다른 요인들(돌연변이, 교차 등)이 추가로 작용하므로 자손에서 가능한 염색체 조합은 $2^n \times 2^n$가지 이상이다.

시야 확장 ➕ 유전적 다양성을 증가시키는 요인

생물 집단 내 유전적 다양성을 증가시키는 요인에는 감수 분열 시 상동 염색체의 무작위 배열과 독립적 분리, 생식세포의 무작위 수정 외에 돌연변이와 교차 등이 있다. 돌연변이는 DNA 염기 서열이 변하는 것으로, 돌연변이가 집단 내에서 성공적으로 정착하여 일정 비율 이상으로 높아지면 새로운 대립유전자가 된다. 교차는 감수 1분열 전기에 상동 염색체가 접합할 때 상동 염색체의 일부가 교환되는 것이다. 교차가 일어나면 부계와 모계 유전자의 새로운 조합을 가진 염색체가 만들어진다. 이러한 요인으로 유성 생식을 하는 생물에서 자손의 염색체 조합은 $2^n \times 2^n$가지 이상이 된다.

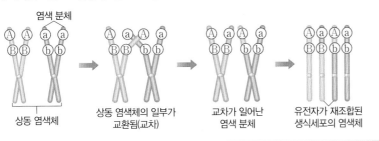

사람의 유전적 다양성

- 사람의 상동 염색체는 23쌍이다($n=23$).
- 한 사람에게서 만들어질 수 있는 생식세포의 염색체 조합은 2^{23}(약 840만)가지이다.
- 부모의 정자와 난자의 수정으로 만들어질 수 있는 자손의 염색체 조합은 $2^{23} \times 2^{23}$(약 70조)가지이다.
- 감수 분열 과정에서 돌연변이나 교차가 일어날 경우 만들어질 수 있는 자손의 염색체 조합은 $2^{23} \times 2^{23}$가지 이상이다.
→ 1란성 쌍둥이를 제외하고 돌연변이와 교차가 일어나지 않더라도 같은 부모에게서 태어난 형제자매의 유전자 구성이 같을 확률은 이론적으로 $\dfrac{1}{2^{23} \times 2^{23}}$로, 0에 가깝다.

2. 감수 분열의 의의

(1) 자손의 염색체 수 유지: 유성 생식을 하는 생물(2n)은 감수 분열을 통해 반수체(n)인 생식세포를 형성하고, 암수 생식세포의 수정으로 자손(2n)이 만들어진다. 그 결과 자손의 염색체 수는 부모와 같게 유지되며, 세대를 거듭해도 염색체 수가 변하지 않는다. 염색체에는 유전 물질인 DNA가 들어 있으므로 세대를 거듭해도 염색체 수가 일정하게 유지된다는 것은 유전 물질의 양이 일정하게 유지된다는 것을 의미한다.

(2) 자손의 유전적 다양성 증가: 유성 생식을 하는 생물은 감수 분열 과정에서 상동 염색체의 무작위 배열과 독립적 분리가 일어나고, 감수 분열로 만들어진 암수 생식세포가 무작위로 수정함으로써 유전적으로 다양한 자손을 만든다. 자손의 유전적 다양성이 높으면 환경이 급격하게 변하더라도 멸종하지 않고 살아남는 개체가 있을 가능성이 높다.

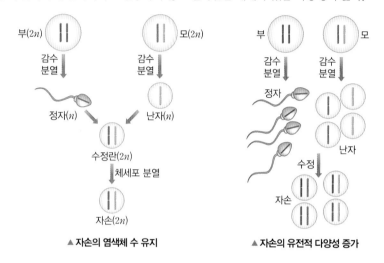

▲ 자손의 염색체 수 유지   ▲ 자손의 유전적 다양성 증가

2배체(2n)와 반수체(n)

두 세트의 염색체를 가진 세포를 2배체(2n)라 하고, 한 세트의 염색체만을 가진 세포를 반수체(n)라고 한다. 상동 염색체가 있는 체세포는 2배체이고, 감수 분열로 형성된 정자와 난자는 반수체이다.

사람의 생활사

사람의 생활사에서 성인 남자와 여자는 각각 감수 분열로 정자와 난자를 형성하고, 정자와 난자가 수정한 이후에는 체세포 분열로 세포의 수가 증가하면서 발생과 생장이 일어난다.

시야 확장 ➕ 무성 생식을 하는 생물의 유전적 다양성

무성 생식을 하는 생물은 유성 생식을 하는 생물만큼 유전자 교환과 재조합이 활발하지는 않지만, 유전적 다양성을 높이는 방식이 있다. 짚신벌레는 두 개체가 접합하여 소핵을 교환함으로써 서로의 유전자를 교환한다. 세균도 두 개체가 접합한 후 한 개체가 다른 개체에게서 유전자를 전달받음으로써 새로운 형질을 가지기도 한다. 세균에 있는 고리 모양의 DNA를 플라스미드라고 하는데, 이 플라스미드가 다른 세균에게 전달될 수도 있다. 이와 같은 방식으로 항생제 내성 유전자가 있는 플라스미드가 세균 사이에 전달되면 항생제 내성 세균이 증가할 수 있다.

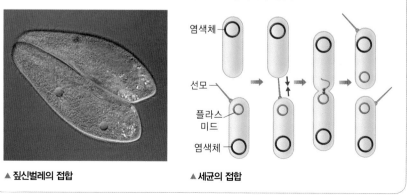

▲ 짚신벌레의 접합   ▲ 세균의 접합

염색체 모형으로 생식세포의 유전적 다양성 확인하기

염색체 모형을 이용한 모의 활동으로 감수 분열 시 유전적 다양성이 획득되는 과정을 설명할 수 있다.

과정

1 그림과 같은 염색체 모형을 오린 후 상동 염색체끼리 짝을 짓는다.

2 A4 용지 위에 원을 2개 그리고, 각 원의 아래에 생식세포 ㉠, 생식세포 ㉡이라고 쓴다.

3 두 원 사이에 3쌍의 염색체 모형을 유전자가 보이지 않게 뒤집어 배열한 후 배열된 염색체 쌍 각각을 양방향으로 분리하여 두 원 안에 놓이게 한다.

4 각 원 안에 놓인 염색체를 뒤집어 생식세포 ㉠과 ㉡의 유전자형을 확인한다.

5 과정 3~4를 10회 반복하여 생식세포 ㉠과 ㉡의 유전자형을 기록한다.

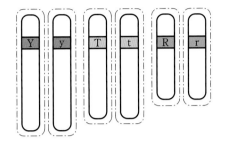

유의점
- 염색체 모형을 가위로 오릴 때 손을 다치지 않도록 주의한다.
- 생식세포의 유전자형을 쓸 때에는 염색체 길이가 긴 것에 있는 유전자부터 순서대로 쓴다.

결과 예시

생식세포의 유전자형

횟수	1	2	3	4	5	6	7	8	9	10
생식세포 ㉠	YtR	YTr	ytr	ytR	YTR	ytR	ytr	yTr	Ytr	yTR
생식세포 ㉡	yTr	ytR	YTR	YTr	ytr	YTr	YTR	YtR	yTR	Ytr

해석

1 나타날 수 있는 생식세포의 유전자형은 YTR, YTr, YtR, Ytr, yTR, yTr, ytR, ytr로, 모두 $8(=2^3)$ 가지이다. ➡ 감수 분열 과정에서 상동 염색체가 접합하여 2가 염색체를 형성했다가 분리되어 서로 다른 딸세포로 나뉘어 들어간다. 이때 상동 염색체의 배열 방향은 무작위이고, 각 상동 염색체 쌍은 독립적으로 분리되므로 만들어질 수 있는 생식세포의 유전자형은 2^n가지이다. n은 상동 염색체 쌍의 수이다.

2 감수 분열 과정에서 상동 염색체 쌍이 무작위로 배열되었다가 분리되는 과정을 통해 생식세포의 유전적 다양성이 증가한다.

탐구 확인 문제

> 정답과 해설 **56**쪽

01 위 탐구에 대한 설명으로 옳은 것을 모두 고르면?

(정답 2개)

① Y와 y는 대립유전자이다.
② T와 t는 서로 다른 형질을 결정하는 유전자이다.
③ R와 r는 모두 부모 중 한쪽에게서 물려받은 것이다.
④ 상동 염색체의 배열 방향은 항상 일정하다.
⑤ 상동 염색체의 배열과 분리는 감수 1분열에서 일어난다.

02 사람의 체세포 1개에는 23쌍의 상동 염색체가 들어 있다.

(1) 한 사람이 감수 분열을 통해 형성할 수 있는 생식세포의 염색체 조합은 최대 몇 가지인지 쓰시오. (단, 돌연변이와 교차는 고려하지 않는다.)

(2) 한 부모에게서 태어날 수 있는 자손의 염색체 조합은 최대 몇 가지인지 쓰시오. (단, 돌연변이와 교차는 고려하지 않는다.)

체세포 분열과 감수 분열의 비교

생식세포 형성 과정에서 일어나는 감수 분열과 체세포 분열의 차이점을 묻는 문제는 시험에서 빠짐없이 출제된다. 분열 횟수, 딸세포 수, 핵상과 DNA양의 변화, 분열 장소 등을 비교하여 알아둔다. 체세포 분열, 감수 1분열, 감수 2분열 결과 형성되는 딸세포의 염색체 구성도 설명할 수 있어야 한다.

❶ 체세포 분열과 감수 분열의 비교

구분	체세포 분열	감수 분열
분열 모습	모세포($2n$) → 복제 → 염색 분체 분리 → 딸세포 ($2n$, $2n$)	모세포($2n$) → 복제 → 2가 염색체 → 감수 1분열 / 상동 염색체 분리 (n, n) → 감수 2분열 / 염색 분체 분리 → 딸세포 (n, n, n, n)
DNA 복제	체세포 분열이 시작되기 전 간기에 일어난다.	감수 1분열이 시작되기 전 간기에 일어난다.
분열 횟수	1회	2회
딸세포 수	2개	4개
2가 염색체	형성되지 않는다.	감수 1분열 전기에 상동 염색체가 접합하여 형성된다.
염색체 수 변화	염색 분체가 분리되므로 딸세포의 염색체 수는 모세포와 같다($2n \rightarrow 2n$).	감수 1분열에서 상동 염색체가, 2분열에서 염색 분체가 분리되므로 딸세포의 염색체 수는 모세포의 반이다($2n \rightarrow n$).
DNA양 변화	핵 1개당 상대량 그래프 (가로축: G_1, S, G_2(간기) / 전기, 중기, 후기, 말기(분열기))	핵 1개당 상대량 그래프 (가로축: G_1, S, G_2(간기) / 전기, 중기, 후기, 말기(감수 1분열) / 전기, 중기, 후기, 말기(감수 2분열))
딸세포의 유전자 구성	딸세포는 모세포와 유전적으로 동일하다.	딸세포는 반수체(n)로, 모세포($2n$)와 유전적으로 다르다. 또, 상동 염색체가 분리되어 만들어진 딸세포도 유전적으로 서로 다르다. 딸세포의 염색체 조합은 2^n가지가 가능하다.
분열 장소	동물: 일부를 제외한 몸 전체 / 식물: 생장점, 형성층	동물: 정소, 난소 / 식물: 꽃밥, 밑씨
의의	• 단세포 생물: 생식 • 다세포 생물: 유전적으로 동일한 세포의 수를 늘려 생장하고, 손상된 조직을 재생한다. → 개체 유지	• 유성 생식을 하는 생물에서 염색체 수가 반감된 생식세포를 형성함으로써 암수 생식세포가 수정하여 만들어진 자손의 염색체 수가 부모와 같게 유지된다. • 감수 분열 과정에서 상동 염색체 쌍의 무작위 배열과 분리에 의해 생식세포의 유전적 다양성이 증가한다.

② 체세포 분열과 감수 분열에서 딸세포의 염색체 구성

그림 (가)~(다)는 어떤 동물(2n=4)에서 관찰되는 세포 분열을 나타낸 것이다.

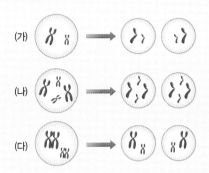

(1) (가)에서는 모세포와 딸세포에 모두 상동 염색체가 없어 모세포와 딸세포의 핵상이 각각 n이고, 염색 분체가 분리되었다. ➡ 감수 2분열($n \rightarrow n$)이다.

(2) (나)에서는 모세포와 딸세포에 모두 상동 염색체가 있어 모세포와 딸세포의 핵상이 각각 2n이고, 염색 분체가 분리되었다. ➡ 체세포 분열($2n \rightarrow 2n$)이다.

(3) (다)에서는 상동 염색체가 분리되어 딸세포의 염색체 수가 모세포의 반으로 감소했다. ➡ 감수 1분열($2n \rightarrow n$)이다.

③ DNA양 변화 그래프와 세포의 염색체 구성

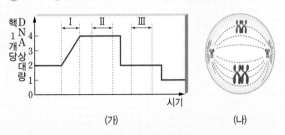

(1) (가)에서는 2회 연속 분열로 딸세포의 DNA양이 모세포의 반으로 감소했으므로 (가)는 감수 분열 과정에서의 DNA양 변화를 나타낸 것이다.

(2) (가)의 Ⅰ에서 DNA양이 증가하고 있으므로 Ⅰ은 간기의 S기이고, Ⅱ는 감수 1분열의 전기~후기, Ⅲ은 감수 2분열의 전기~후기이다.

(3) (나)는 상동 염색체가 접합한 2가 염색체가 세포의 중앙에 배열되어 있으므로 감수 1분열 중기의 세포이다. ➡ (나)는 Ⅱ 시기에 관찰할 수 있다.

(4) (가)의 Ⅰ은 간기에 속하므로 세포에서 핵이 관찰되고, Ⅲ은 감수 2분열 과정의 일부이므로 세포에서 상동 염색체가 관찰되지 않는다.

＞정답과 해설 **56**쪽

 유제

그림은 어떤 동물(2n=4)에서 관찰되는 두 종류의 세포 (가)와 (나)를 나타낸 것이다.

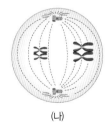

(가)　　　　　　　(나)

이에 대한 설명으로 옳은 것을 모두 고르면? (정답 2개)

① 세포당 DNA양은 (가)와 (나)에서 같다.

② (나)는 감수 2분열 중기의 세포이다.

③ 염색체 수는 (가)가 (나)의 2배이다.

④ 상처 부위가 재생될 때 (나)와 같은 분열이 활발하게 일어난다.

⑤ 분열이 모두 끝나 형성된 딸세포의 염색체 수는 (가)가 (나)의 2배이다.

사람의 생식세포 형성

사람의 생식세포인 정자와 난자는 감수 분열에 의해 만들어진다. 사람의 생식세포 형성 과정을 이해하는 것은 사람의 유전과 염색체 이상에 의한 유전병을 이해하는 기초가 된다. 감수 분열을 사람의 생식세포 형성 과정과 관련지어 이해하고, 생식세포를 형성하는 과정에서의 특징을 알아보자.

❶ 정자의 형성

남자의 경우 사춘기가 될 때까지는 감수 분열이 억제되다가 사춘기에 접어들면 정소의 세정관에 있는 정원세포가 DNA를 복제하여 제1 정모세포로 된다. 제1 정모세포 1개가 감수 분열을 완료하면 정세포 4개가 형성된다. 정세포는 변태 과정을 거쳐 꼬리(편모)가 생기고 운동성이 있는 정자가 되며, 이 과정에서 염색체 수와 DNA양은 변하지 않는다. 건강한 성인 남자

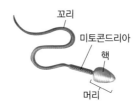

꼬리
미토콘드리아
핵
머리
▲ **정자의 구조**

의 경우 하루에 약 1억 개에 이르는 정자를 형성하는데도 정원세포가 고갈되지 않는 것은 체세포 분열에 의해 정원세포가 계속 생성되어 일정 수로 유지되기 때문이다.

❷ 난자의 형성

여자의 경우 태아의 발달 과정에서 감수 분열이 진행되어 감수 1분열 전기에서 분열을 멈춘 상태로 태어난다. 사춘기에 접어들면 약 28일을 주기로 제1 난모세포 1개가 감수 분열을 계속 진행한다. 감수 1분열이 완료되면 제2 난모세포가 되는데, 이 시기에 배란이 일어난다. 난자 형성 과정에서는 세포질이 불균등하게 분열하여 크기

핵
세포질
▲ **난자의 구조**

가 큰 난자 1개와 크기가 작은 극체 3개가 형성되며, 후에 극체는 퇴화한다. 또, 난자의 감수 2분열은 정자가 침입하는 자극에 의해 진행되어 완료되므로 난자의 감수 분열이 완료되는 데는 몇십 년의 시간이 걸리는 셈이다. 여자는 출생 시 100만~200만 개의 제1 난모세포를 가지고 있으며, 사춘기에서 폐경 사이에 400개 정도가 성숙하여 배란된다.

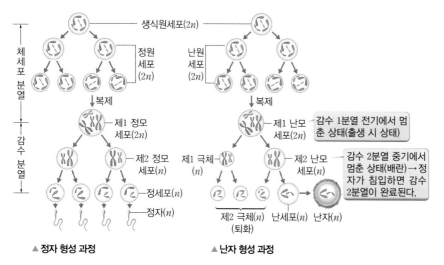

▲ **정자 형성 과정**   ▲ **난자 형성 과정**

생식원세포(2n)
정원세포(2n)
난원세포(2n)
체세포 분열
감수 분열
복제
복제
제1 정모세포(2n)
제1 난모세포(2n) — 감수 1분열 전기에서 멈춘 상태(출생 시 상태)
제2 정모세포(n)
제1 극체(n)
제2 난모세포(n) — 감수 2분열 중기에서 멈춘 상태(배란) → 정자가 침입하면 감수 2분열이 완료된다.
정세포(n)
정자(n)
제2 극체(n)(퇴화)
난세포(n)
난자(n)

세정관

정소 안에 있는 가늘고 긴 관으로, 지름이 0.2 mm, 길이가 30 cm~70 cm 정도이다. 세정관의 벽 안쪽에는 생식원세포가 있는데, 이 세포들이 체세포 분열을 반복하여 정자를 형성할 정원세포를 끊임없이 공급한다.

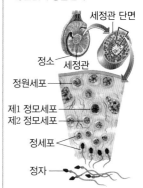

세정관 단면
정소 세정관
정원세포
제1 정모세포
제2 정모세포
정세포
정자

배란

제2 난모세포가 난소 밖으로 배출되는 현상이다. 사람의 경우 난자가 될 세포는 난소 안에 있고, 수정은 수란관에서 이루어진다. 따라서 정자와 난자의 수정이 이루어지려면 난소에서 제2 난모세포가 수란관 쪽으로 배출(배란)되어야 한다. 성숙한 여자의 경우 배란은 약 28일을 주기로 일어난다.

개념 모아
정리하기

02 생식세포 형성과 유전적 다양성

① 생식

1. 생식 방법
- (❶　　　) 생식: 암수 생식세포의 결합 없이 한 개체의 세포 1개 또는 몸의 일부가 분리되어 새로운 개체를 만든다. → 모체와 유전적으로 동일한 자손이 생긴다.
- (❷　　　) 생식: 암수 생식세포가 결합하여 새로운 개체를 만든다. → 유전적으로 다양한 자손이 생긴다.

2. 생식 방법과 진화
유성 생식을 하는 생물은 유전적 다양성이 높아 환경 변화에 적응하는 데 유리하다.

② 생식세포의 형성

1. 감수 분열
- 감수 1분열: 전기에 (❸　　　)가 접합하였다가 후기에 분리되므로 염색체 수와 DNA양이 반감된다.
- 감수 2분열: 간기 없이 진행되며, (❹　　　)가 분리되므로 염색체 수는 변하지 않고 DNA양만 반감된다.

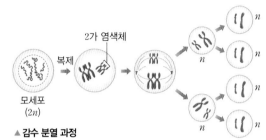

▲ 감수 분열 과정

2. 체세포 분열과 감수 분열의 비교

구분	체세포 분열	감수 분열
DNA 복제	1회	1회
분열 횟수	1회	(❺　　　)회
딸세포 수	2개	(❻　　　)개
2가 염색체	형성되지 않는다.	(❼　　　)
핵상 변화	$2n \rightarrow 2n$	$2n \rightarrow n$
DNA양 변화	변화 없다.	반감된다.
딸세포의 유전자 구성	모세포와 동일하다.	유전적으로 다양하다.
분열 장소	동물: 몸 전체 / 식물: 생장점, 형성층	동물: 정소, 난소 / 식물: 꽃밥, 밑씨

③ 감수 분열과 자손의 유전적 다양성

1. 자손의 유전적 다양성 증가 요인
- 상동 염색체의 무작위 배열과 독립적 분리: (❽　　　) 과정에서 상동 염색체의 배열 방향은 무작위이며, 각 상동 염색체 쌍은 독립적으로 분리된다. → 만들어질 수 있는 생식세포의 염색체 조합은 (❾　　　)가지이다.
- 무작위 수정: 암수 생식세포가 무작위로 수정한다. → 만들어질 수 있는 자손의 염색체 조합은 (❿　　　)가지이다.

2. 감수 분열의 의의
- 자손의 (⓫　　　) 유지: 감수 분열로 반수체(n)인 생식세포를 형성하고, 암수 생식세포의 결합으로 자손($2n$)이 만들어진다. → 세대를 거듭해도 개체의 염색체 수가 일정하게 유지된다.
- 자손의 (⓬　　　) 증가: 감수 분열 과정에서 유전자 조합이 다양한 생식세포가 형성되고, 암수 생식세포의 무작위 수정으로 자손의 유전적 다양성은 더욱 증가한다.

01 무성 생식의 특징으로 옳은 것만을 〈보기〉에서 있는 대로 고르시오.

> 보기
> ㄱ. 암수 생식세포가 결합한다.
> ㄴ. 생식 방법이 간단하고 번식 속도가 빠르다.
> ㄷ. 모체와 유전적으로 동일한 자손이 만들어진다.

02 그림은 무성 생식과 유성 생식을 통해 만들어지는 자손의 염색체 구성을 모식적으로 나타낸 것이다.

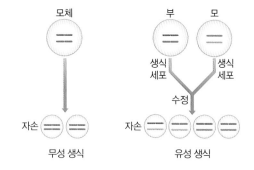

(1) 체세포 분열과 관련 깊은 생식 방법은 무엇인지 쓰시오.

(2) 일반적으로 유성 생식을 하는 생물이 무성 생식을 하는 생물보다 급격한 환경 변화에 적응하여 살아남는 데 유리한데, 그 까닭을 간단히 쓰시오.

03 그림은 크기와 모양이 같은 한 쌍의 염색체를 나타낸 것이다. 빈칸에 알맞은 말을 쓰시오.

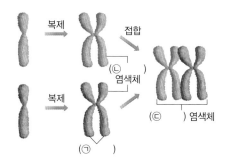

04 감수 분열 과정에서 다음과 같은 염색체의 행동이 나타나는 시기를 각각 쓰시오.

(1) 염색 분체가 분리되어 양극으로 이동한다.

(2) 상동 염색체가 분리되어 양극으로 이동한다.

(3) 상동 염색체가 접합하여 2가 염색체를 형성한다.

(4) 2가 염색체가 세포의 중앙에 배열된다.

05 그림은 호밀의 수술에서 일어나는 감수 분열 과정을 관찰한 결과를 나타낸 것이다.

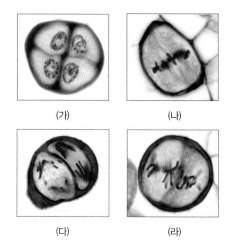

(가)   (나)

(다)   (라)

(1) (가)~(라)는 각각 어느 시기에 해당하는지 쓰고, 분열이 진행되는 순서대로 나열하시오.

(2) 2가 염색체가 관찰되는 시기의 기호를 쓰시오.

(3) (나) 시기의 세포 하나에 들어 있는 DNA양은 (가) 시기의 세포 하나에 들어 있는 DNA양의 몇 배인지 쓰시오.

(4) 호밀의 핵상과 염색체 수는 $2n=14$이다. (가) 시기의 세포 하나에 들어 있는 염색체 수는 몇 개인지 쓰시오.

(5) 사람에서 위 그림과 같은 세포 분열이 일어나는 장소를 쓰시오.

06 그림은 감수 분열이 일어날 때 핵 1개당 DNA 상대량의 변화를 나타낸 것이다.

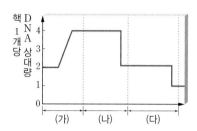

(1) 세포당 염색체 수와 DNA양이 반으로 감소하는 시기의 기호를 쓰시오.

(2) 세포가 생장하고 세포 소기관의 수가 증가하는 시기의 기호를 쓰시오.

(3) 세포당 염색체 수는 변하지 않고 DNA양만 반으로 감소하는 시기의 기호를 쓰시오.

(4) 생식세포의 유전적 다양성이 증가하는 것과 가장 관련이 깊은 시기의 기호를 쓰시오.

07 표는 체세포 분열과 감수 분열을 비교한 것이다. 빈칸에 알맞은 말을 쓰시오.

구분	체세포 분열	감수 분열
분열 횟수	1회	(㉠)회
딸세포 수	(㉡)개	(㉢)개
핵상 변화	$2n \rightarrow 2n$	$2n \rightarrow$ (㉣)
DNA양 변화	변화 없다.	(㉤)
2가 염색체의 형성	형성되지 않는다.	(㉥)에 형성된다.
염색 분체 분리	일어난다.	(㉦)에 일어난다.
분열 장소(사람)	몸 전체	(㉧), 난소
역할	생장, 재생	생식세포 형성

08 그림은 어떤 동물($2n = 4$)에서 분열 중인 세포를 나타낸 것이다. 이 세포의 분열 시기를 쓰시오.

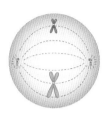

09 어떤 수컷 개의 체세포 염색체 수는 78개이고, 성염색체 구성은 XY이다.

(1) 이 개의 정자에는 상염색체가 몇 개 들어 있는지 쓰시오.

(2) 이 개에게서 형성될 수 있는 정자의 염색체 조합은 최대 몇 가지인지 쓰시오. (단, 돌연변이와 교차는 고려하지 않는다.)

10 유성 생식을 하는 생물에서 자손의 유전적 다양성을 증가시키는 요인으로 옳은 것만을 〈보기〉에서 있는 대로 고르시오.

보기
ㄱ. 암수 생식세포의 무작위 수정
ㄴ. 체세포 분열 시 상동 염색체의 무작위 배열과 분리
ㄷ. 감수 1분열 시 상동 염색체의 무작위 배열과 분리
ㄹ. 감수 2분열 시 염색 분체의 무작위 배열과 분리

11 유성 생식을 하는 생물에서 생식세포가 형성될 때 감수 분열이 일어나는 의의로 옳은 것만을 〈보기〉에서 있는 대로 고르시오.

보기
ㄱ. 세대를 거듭해도 유전자가 그대로 보존된다.
ㄴ. 세대를 거듭해도 염색체 수가 변하지 않고 유지된다.
ㄷ. 유전적으로 다양한 자손이 만들어질 수 있다.

01 › 감수 분열과 DNA양 변화

그림 (가)는 어떤 동물의 정상적인 세포 분열 과정에서 핵 1개당 DNA 상대량 변화를, 그림 (나)는 이 세포 분열 과정의 어느 한 시기에서 관찰되는 세포를 나타낸 것이다.

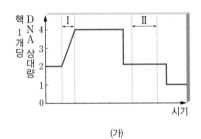

(가)

(나)

이에 대한 설명으로 옳은 것만을 〈보기〉에서 있는 대로 고른 것은?

보기
ㄱ. (가)의 구간 Ⅰ에서 방추사가 형성된다.
ㄴ. 염색체 수는 (나)가 (가)의 구간 Ⅱ에서 관찰되는 세포의 2배이다.
ㄷ. DNA양은 (나)가 생식세포 1개의 2배이다.

① ㄱ   ② ㄴ   ③ ㄱ, ㄴ   ④ ㄱ, ㄷ   ⑤ ㄴ, ㄷ

• (가)에서 구간 Ⅰ은 간기의 S기이고, 구간 Ⅱ는 감수 2분열 과정의 일부이다. (나)에서는 상동 염색체가 접합한 상태로 세포의 중앙에 배열되어 있다.

02 › 감수 분열과 유전자

그림은 어떤 식물의 정상적인 감수 분열 과정에서 관찰되는 세포들을 나타낸 것이다. 이 식물의 특정 형질에 대한 유전자형은 Tt이며, T와 t는 대립유전자이다.

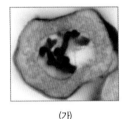

(가)

(나)

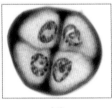

(다)

이에 대한 설명으로 옳은 것만을 〈보기〉에서 있는 대로 고른 것은?

보기
ㄱ. (가)에서 DNA 복제가 일어난다.
ㄴ. (나)에서 각 염색체는 2개의 염색 분체로 이루어져 있다.
ㄷ. (다)의 세포 1개에는 T와 t가 1개씩 들어 있다.

① ㄱ   ② ㄴ   ③ ㄷ   ④ ㄱ, ㄷ   ⑤ ㄴ, ㄷ

• (가)는 감수 1분열 전기, (나)는 감수 1분열 후기, (다)는 감수 2분열이 완료되어 4개의 딸세포가 형성된 상태이다.

03 ▶ 감수 분열 과정에서의 변화

그림 (가)는 어떤 동물에서 G_1기의 세포 ㉠으로부터 정자가 형성되는 과정을, 그림 (나)는 세포 ⓐ ~ⓒ의 핵 1개당 DNA양과 세포 1개당 염색체 수를 나타낸 것이다. 세포 ⓐ~ⓒ는 각각 세포 ㉡~㉣ 중 하나이며, ㉡과 ㉢은 중기의 세포이다.

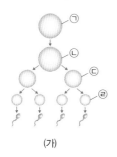

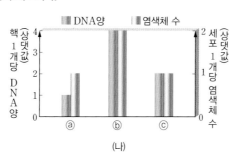

(가) (나)

이에 대한 설명으로 옳은 것만을 〈보기〉에서 있는 대로 고른 것은? (단, 돌연변이는 고려하지 않는다.)

보기
ㄱ. 세포 1개당 염색체 수는 ㉠이 ㉢의 2배이다.
ㄴ. ㉢이 ㉣로 되는 과정에서 염색 분체가 분리된다.
ㄷ. $\dfrac{\text{핵 1개당 DNA양}}{\text{세포 1개당 염색체 수}}$ 의 값은 ㉢과 ⓑ가 같다.

① ㄱ   ② ㄴ   ③ ㄱ, ㄷ   ④ ㄴ, ㄷ   ⑤ ㄱ, ㄴ, ㄷ

간기에 DNA가 복제된 후 감수 1분열에서 상동 염색체가 분리되어 염색체 수와 DNA양이 반감된다. 그 후 간기 없이 감수 2분열이 진행되며, 이때에는 염색 분체가 분리되어 염색체 수는 변하지 않고 DNA양만 반감된다.

04 ▶ 체세포 분열과 감수 분열의 구분

그림은 세포 (가)와 (나) 각각에 들어 있는 모든 염색체를 나타낸 것이다. (가)와 (나)는 각각 동물 A(2n=4)와 동물 B(2n=?)의 세포 중 하나이다.

이에 대한 설명으로 옳은 것만을 〈보기〉에서 있는 대로 고른 것은? (단, 돌연변이는 고려하지 않는다.)

(가) (나)

보기
ㄱ. (가)는 A의 세포이다.
ㄴ. (나)의 핵상은 n이다.
ㄷ. B의 감수 1분열 중기 세포 1개당 염색 분체 수는 16개이다.

① ㄱ   ② ㄴ   ③ ㄷ   ④ ㄱ, ㄴ   ⑤ ㄴ, ㄷ

(가)에는 상동 염색체가 없으며, (나)에는 상동 염색체가 있다.

05 > 감수 분열과 성염색체

그림 (가)는 같은 종인 동물(2n=6) Ⅰ과 Ⅱ의 세포 ㉠~㉢이 가진 유전자 A, a, B, b의 DNA 상대량을, 그림 (나)는 이 종의 동물에서 형성될 수 있는 어떤 세포의 모든 염색체를 나타낸 것이다. A와 a, B와 b는 각각 서로 대립유전자이며, ㉠은 Ⅰ, ㉡은 Ⅱ의 세포이고, ㉢은 Ⅰ과 Ⅱ의 세포 중 하나이다. 이 종의 동물에서 성염색체 구성은 암컷이 XX, 수컷이 XY이다.

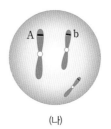

(가)　　　　　　　(나)

> 성염색체 구성이 XY인 수컷에서는 감수 1분열에서 X 염색체와 Y 염색체가 접합하였다가 분리되어 서로 다른 세포로 이동한다.

이에 대한 설명으로 옳은 것만을 〈보기〉에서 있는 대로 고른 것은? (단, 돌연변이는 고려하지 않으며, A, a, B, b 각각의 1개당 DNA 상대량은 같다.)

보기
ㄱ. A는 성염색체에 있다.
ㄴ. (나)와 같은 염색체 구성을 가진 세포는 Ⅱ에서만 형성될 수 있다.
ㄷ. ㉢으로부터 형성된 생식세포가 다른 생식세포와 수정하여 태어난 자손은 항상 수컷이다.

① ㄱ　　　② ㄴ　　　③ ㄱ, ㄴ　　　④ ㄱ, ㄷ　　　⑤ ㄴ, ㄷ

06 > 감수 분열과 유전적 다양성

그림은 유전자형이 AaBbDd인 어떤 동물에서 정자가 형성되는 두 가지 과정을, 표는 세포 ㉠~㉣이 가진 유전자 A, b, d의 DNA 상대량을 나타낸 것이다. A와 a, B와 b, D와 d는 각각 서로 대립유전자이다.

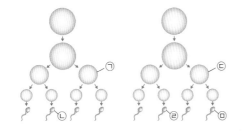

세포	A	b	d
㉠	0	2	ⓐ
㉡	ⓑ	0	1
㉢	ⓒ	ⓓ	ⓔ
㉣	0	0	1

> 한 개체에서 형성되는 생식세포라 하더라도 감수 1분열 중기에 각 상동 염색체 쌍의 배열 방향은 무작위이며, 각 상동 염색체 쌍은 독립적으로 분리되므로 유전적으로 다양한 생식세포가 형성된다.

이에 대한 설명으로 옳은 것만을 〈보기〉에서 있는 대로 고른 것은? (단, 돌연변이는 고려하지 않으며, A, a, B, b, D, d 각각의 1개당 DNA 상대량은 같다.)

보기
ㄱ. ⓐ+ⓑ+ⓒ-ⓓ+ⓔ=1이다.
ㄴ. ㉤의 유전자형은 AbD이다.
ㄷ. 감수 분열 시 A가 있는 염색체와 D가 있는 염색체는 독립적으로 행동한다.

① ㄴ　　　② ㄷ　　　③ ㄱ, ㄷ　　　④ ㄴ, ㄷ　　　⑤ ㄱ, ㄴ, ㄷ

일부 생물종은 한 개체에 암컷과 수컷의 생식 기관을 모두 가지고 있어서 두 성이 공존하는데, 이를 암수한몸이라고 한다. 반면에, 한 개체가 수컷 또는 암컷의 생식 기관 중 하나만 가지는 것은 암수딴몸이라고 한다. 이때 암수 개체의 성이 결정되는 방식을 성 결정이라고 하는데, 성은 염색체적, 유전적 또는 환경적으로 결정된다.

염색체적 성 결정 방식은 성염색체 구성에 따라 암수가 결정되는 것이다.

- XX-XY 성 결정: 암수의 성염색체 수는 같지만, 수컷의 성염색체 구성이 이형이다. 즉, 암컷은 2개의 X 염색체를 가지고, 수컷은 1개의 X 염색체와 1개의 Y 염색체를 가진다. 사람을 비롯한 포유류, 일부 식물, 곤충류, 파충류 등 많은 생물에서 이와 같은 방식으로 성이 결정된다.
- XX-XO 성 결정: 수컷이 성염색체를 1개만 가지는 경우이다. 즉, 암컷은 2개의 X 염색체를 가지고, 수컷은 1개의 X 염색체만 가진다. 이와 같은 성 결정 방식은 메뚜기를 연구하는 과정에서 알려졌다.
- ZZ-ZW 성 결정: 암수의 성염색체 수는 같지만, 암컷의 성염색체 구성이 이형이다. 즉, 수컷은 2개의 Z 염색체를 가지고, 암컷은 1개의 Z 염색체와 1개의 W 염색체를 가진다. 조류, 뱀, 나비, 일부 양서류와 어류 등에서 이와 같은 방식으로 성이 결정된다.
- 반수 배수성: 세포의 핵에 들어 있는 염색체 세트의 수에 의해 성이 결정되는 방식으로, 그 예로는 꿀벌, 말벌, 개미류와 같은 일부 곤충이 있다. 모계로부터 물려받은 한 세트의 염색체(n)를 가지면 수컷이 되고, 부계와 모계로부터 각각 염색체를 한 세트씩 물려받아 두 세트의 염색체($2n$)를 가지면 암컷이 된다.

염색체적 성 결정은 성염색체 구성에 의해 성이 결정된다고 하지만, 실제로는 성염색체에 존재하는 각각의 유전자가 성적 표현형을 결정한다. 즉, 성을 결정하는 데 관여하는 유전자가 성염색체에 있기 때문에 성염색체 구성에 의해 성이 결정되는 것처럼 보이는 것이다. 그런데 일부 식물과 원생생물에서는 성을 결정하는 유전자들이 있는 염색체가 성에 따라 특화되어 있지 않아 암수 개체 사이에 염색체 차이가 없다. 이런 경우를 유전적 성 결정 방식이라고 한다. 그러나 염색체적 성 결정 방식과 유전적 성 결정 방식 모두 성 결정에 관여하는 유전자의 발현에 의해 성이 결정되는 것이며, 이 유전자들이 어떤 염색체에 있는가에 의해 결정된다고 생각하면 된다.

환경적 성 결정 방식은 성 결정에 환경적인 요인이 영향을 주는 것이다. 예를 들어, 거북은 알 속에서 배아가 발생하는 특정 기간 동안 온도가 높으면 암컷으로, 온도가 낮으면 수컷으로 발생한다.

환경이 변하면 성 전환이 일어나기도 한다. 청소놀래기는 평소에 수컷 한 마리가 대장 노릇을 하며 암컷 여러 마리와 무리를 이루는데, 수컷이 죽으면 암컷 중 몸집이 가장 큰 개체가 수컷으로 성 전환해 그 역할을 이어받는다. 반대로, 말미잘과 공생하며 살아가는 흰동가리는 모계 중심의 무리를 이루고 살다가 암컷이 죽으면 수컷 중 한 마리가 암컷으로 성 전환한다.

이와 같이 생물의 성은 다양한 방식으로 결정된다. 그러나 다양한 성 결정 방식은 결국 성 결정에 관여하는 유전자가 존재하는 염색체의 종류와, 유전자의 발현에 환경이 영향을 주는지의 여부에 따라 다양하게 나타나는 것일 뿐이다.

01 ❯ 염색체의 구조

그림은 어떤 사람의 체세포에 있는 염색체의 구조를 나타낸 것이다. 이 사람의 어떤 형질에 대한 유전자형은 **Aa**이다.

이에 대한 설명으로 옳은 것만을 〈보기〉에서 있는 대로 고른 것은?

> 보기
> ㄱ. ㉠에는 대립유전자 a가 있다.
> ㄴ. ㉡은 단위체가 펩타이드 결합으로 연결되어 형성된다.
> ㄷ. ㉢은 이중 나선 안쪽의 염기 서열에 유전 정보를 저장한다.

① ㄱ   ② ㄷ   ③ ㄱ, ㄴ   ④ ㄴ, ㄷ   ⑤ ㄱ, ㄴ, ㄷ

* 염색체는 유전 물질인 DNA와 단백질로 구성되어 있으며, 복제된 DNA가 응축되어 염색 분체가 형성된다.

02 ❯ 세포의 염색체 구성과 핵형

그림은 동물 개체 A, B, C의 세포 (가), (나), (다) 각각에 들어 있는 모든 염색체를 나타낸 것이다. A, B, C는 두 가지 종으로 구분되며, 성염색체 구성이 암컷은 XX, 수컷은 XY이고, C는 A, B와 성이 다르다.

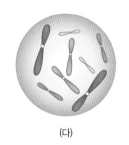

(가)   (나)   (다)

이에 대한 설명으로 옳은 것만을 〈보기〉에서 있는 대로 고른 것은?

> 보기
> ㄱ. A와 B는 같은 종이다.
> ㄴ. X 염색체의 수는 (다)가 (나)의 2배이다.
> ㄷ. (나)가 분열을 완료한 후 정자가 형성된다.

① ㄱ   ② ㄴ   ③ ㄱ, ㄴ   ④ ㄴ, ㄷ   ⑤ ㄱ, ㄴ, ㄷ

* 같은 종의 생물은 성별이 같으면 핵형이 같다.

03 ⟩핵형 분석

그림은 어떤 사람의 체세포에 있는 2쌍의 상염색체와 1쌍의 성염색체를 나타낸 것이다. A, a, B, b는 유전자이다.

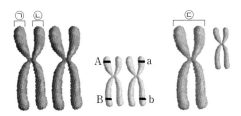

이에 대한 설명으로 옳은 것만을 〈보기〉에서 있는 대로 고른 것은?

보기
ㄱ. G_1기 세포의 핵에는 ㉠과 ㉡을 구성하는 DNA가 모두 있다.
ㄴ. A와 B는 모두 부모 중 한쪽에게서 물려받은 것이다.
ㄷ. ㉢은 남자와 여자가 공통으로 가지고 있는 성염색체이다.

① ㄱ   ② ㄴ   ③ ㄷ   ④ ㄱ, ㄴ   ⑤ ㄴ, ㄷ

• ㉠과 ㉡은 하나의 염색체를 구성하는 염색 분체이고, ㉢은 X 염색체이다.

04 ⟩세포 주기

그림 (가)는 어떤 동물의 체세포 Q를 배양한 후 세포당 DNA양에 따른 세포 수를 측정한 결과를, 그림 (나)는 Q의 세포 주기를 나타낸 것이다. A~C는 각각 G_1기, G_2기, S기 중 하나이다.

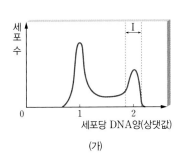 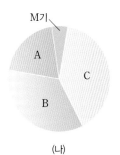

(가)   (나)

이에 대한 설명으로 옳은 것만을 〈보기〉에서 있는 대로 고른 것은?

보기
ㄱ. 세포당 DNA양은 A 시기가 C 시기의 2배이다.
ㄴ. B 시기에 DNA는 히스톤 단백질과 결합한 상태로 존재한다.
ㄷ. 구간 Ⅰ에는 상동 염색체의 분리가 일어나는 세포가 있다.

① ㄱ   ② ㄴ   ③ ㄱ, ㄴ   ④ ㄱ, ㄷ   ⑤ ㄴ, ㄷ

• 세포 주기의 각 시기별 세포 수는 소요 시간에 비례한다. 즉, 소요 시간이 긴 시기일수록 해당하는 세포의 수가 많다.

05 ❭ 감수 분열과 유전자 구성

그림은 유전자형이 AaBb인 G₁기의 어떤 세포 P로부터 생식세포가 형성되는 과정에서 관찰되는 세포 ㉠~㉢의 세포 1개당 대립유전자 A와 B의 DNA 상대량을 나타낸 것이다. A와 a, B와 b는 각각 서로 대립유전자이다. ㉠~㉢의 순서는 세포 분열의 순서와 관계없으며, ㉢은 중기의 세포이다.

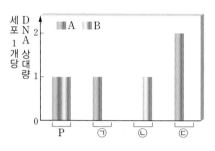

이에 대한 설명으로 옳은 것만을 〈보기〉에서 있는 대로 고른 것은? (단, 돌연변이는 고려하지 않으며, A, a, B, b 각각의 1개당 DNA 상대량은 같다.)

┌─ 보기 ──────────────────────────────────┐
│ ㄱ. 세포의 핵상은 ㉠과 ㉢이 같다.   │
│ ㄴ. ㉡은 감수 2분열 결과 형성된다.   │
│ ㄷ. ㉢에서는 상동 염색체가 접합한 상태로 세포의 중앙에 배열된다. │
└──┘

① ㄱ   ② ㄴ   ③ ㄱ, ㄴ   ④ ㄱ, ㄷ   ⑤ ㄴ, ㄷ

> 유전자 A와 B가 모두 있는 세포는 핵상이 2n이고, 유전자 A와 B 중 한 가지만 있는 세포는 핵상이 n이다.

06 ❭ 감수 분열과 유전자의 존재

그림 (가)는 어떤 동물의 체세포에 들어 있는 모든 염색체를, 그림 (나)는 이 동물의 감수 분열 과정을 나타낸 것이다. R와 r, T와 t, Y와 y는 각각 서로 대립유전자이며, (가)는 핵 속에 풀어진 상태로 존재하는 염색체를 응축된 형태로 가정하여 나타낸 것이다. 표는 세포 A~C가 가진 유전자 R, t, Y의 수의 합을 나타낸 것이며, A~C는 각각 Ⅰ~Ⅲ 중 하나이고, Ⅱ는 중기의 세포이다.

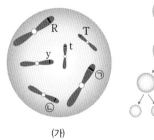

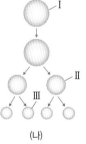

(가)   (나)

세포	R, t, Y의 수의 합
A	2
B	3
C	4

이에 대한 설명으로 옳은 것은? (단, 돌연변이는 고려하지 않는다.)

① ㉠은 r이다.
② B와 C의 핵상은 같다.
③ Ⅰ은 G₂기 세포이다.
④ Ⅱ에는 한 쌍의 대립유전자가 존재한다.
⑤ Ⅲ에는 R, t, Y가 모두 존재한다.

> DNA 복제가 일어나면 유전자의 수는 2배로 증가한다. 감수 1분열에서는 상동 염색체가 분리되어 이동하므로 대립유전자가 서로 다른 세포로 나뉘어 들어가고, 감수 2분열에서는 복제되어 형성된 염색 분체의 유전자가 서로 다른 세포로 나뉘어 들어간다.

07 ▸ 감수 분열과 염색체 구성

그림은 동물 **A**의 분열 중인 세포 **(가)**와 동물 **B**의 생식세포 **(나)**에 들어 있는 모든 염색체를 나타낸 것이다. **A**와 **B**는 같은 종이고 성이 다르며, 수컷의 성염색체 구성은 **XY**, 암컷의 성염색체 구성은 **XX**이다.

이에 대한 설명으로 옳은 것만을 〈보기〉에서 있는 대로 고른 것은? (단, 돌연변이는 고려하지 않는다.)

(가)

(나)

● (가)는 감수 2분열 중인 세포이고, (나)는 생식세포이다. (가)와 (나)에는 성염색체가 1개씩 있으며, 성염색체의 모양과 크기가 서로 다르다.

보기
ㄱ. A의 체세포에서 $\dfrac{상염색체\ 수}{성염색체\ 수}=4$이다.

ㄴ. B의 체세포 분열 중기 세포 1개당 염색 분체 수는 20개이다.

ㄷ. (가)로부터 형성된 생식세포와 (나)가 수정하여 자손이 태어날 때, 이 자손이 수컷일 확률은 $\dfrac{1}{2}$이다.

① ㄱ   ② ㄱ, ㄴ   ③ ㄱ, ㄷ   ④ ㄴ, ㄷ   ⑤ ㄱ, ㄴ, ㄷ

08 ▸ 감수 분열과 유전자 구성의 다양성

표는 유전자형이 **AaBbDd**인 어떤 동물의 서로 다른 감수 분열 과정에서 관찰되는 세포 Ⅰ~Ⅲ에서 네 가지 유전자 ㉠~㉣의 유무를, 그림은 이 동물에서 형성된 생식세포 중 하나에 들어 있는 모든 염색체를 나타낸 것이다. ㉠~㉣은 각각 A, a, B, b, D, d 중 하나이며, A와 a, B와 b, D와 d는 각각 서로 대립유전자이다. 핵 1개당 DNA양은 이 동물의 G_2기 세포가 Ⅱ의 4배이며, Ⅰ~Ⅲ 중 둘은 중기의 세포이다. 이 동물의 성염색체 구성은 **XX**이다.

● 감수 1분열 중기에는 상동 염색체가 접합한 2가 염색체가 세포의 중앙에 배열되며, 감수 2분열 중기에는 상동 염색체는 없고 2개의 염색 분체로 이루어진 염색체가 세포의 중앙에 배열된다.

구분	㉠	㉡	㉢	㉣
Ⅰ	○	×	○	○
Ⅱ	○	○	×	○
Ⅲ	○	○	○	○

(○: 있음, ×: 없음)

이에 대한 설명으로 옳은 것만을 〈보기〉에서 있는 대로 고른 것은? (단, 돌연변이는 고려하지 않는다.)

보기
ㄱ. ㉡과 ㉢은 대립유전자이다.

ㄴ. 세포 1개당 ㉠의 수는 Ⅰ이 Ⅱ의 2배이다.

ㄷ. Ⅲ에서 $\dfrac{염색체\ 수}{A의\ 수}=6$이다.

① ㄷ   ② ㄱ, ㄴ   ③ ㄱ, ㄷ   ④ ㄴ, ㄷ   ⑤ ㄱ, ㄴ, ㄷ

01

그림은 염색체가 응축되는 단계를 나타낸 것이다.

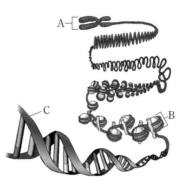

(1) A~C의 이름을 각각 쓰시오.

_____

(2) 염색체와 유전자의 관계를 서술하시오.

_____

(3) 세포 분열이 일어날 때 염색체가 응축되어 유리한 점은 무엇인지 서술하시오.

_____

KEY WORDS

(2) • 염색체
　　• DNA
　　• 유전자
(3) • 유전 정보
　　• 유전 물질
　　• 딸세포

02

그림은 정상인 남자와 여자의 핵형을 나타낸 것이다.

남자	여자
1 2 3 4 5	1 2 3 4 5
6 7 8 9 10 11 12	6 7 8 9 10 11 12
13 14 15 16 17 18	13 14 15 16 17 18
19 20 21 22 XY	19 20 21 22 XX

(1) 남자와 여자의 핵형에서 공통점과 차이점을 한 가지씩 서술하시오.

_____

(2) 정상인 남자와 여자의 핵형은 각각 위 그림과 같지만 사람마다 형질은 다르게 나타난다. 핵형이 같더라도 사람마다 형질이 다르게 나타나는 까닭을 서술하시오.

_____

KEY WORDS

(1) • 염색체 수
　　• 상염색체
　　• 성염색체
(2) • 염색체
　　• 형질
　　• 유전자(유전 정보)
　　• DNA 염기 서열

03 그림은 세포 주기를, 표는 배양 중인 어떤 동물 세포에 물질 A와 B를 각각 처리하여 얻은 결과를 나타낸 것이다.

KEY WORDS
· DNA양
· 염색체
· 중심체
· S기
· G₂기
· M기

구분	분열하지 않는 정상 세포	물질 A를 처리한 세포	물질 B를 처리한 세포
세포당 DNA양 (상댓값)	1	2	2
염색체	관찰되지 않음	관찰되지 않음	관찰됨
중심체	1개	1개	2개

세포 주기에서 물질 A와 B가 각각 억제하는 시기를 쓰고, 그렇게 판단한 근거를 서술하시오. (단, 물질 A와 B는 각각 세포 분열의 특정 시기를 억제하여 그 단계에서 세포 분열을 멈추게 한다.)

04 그림은 체세포 분열 과정의 일부를 나타낸 것이다.

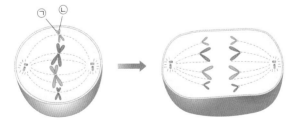

KEY WORDS
(1) · 염색 분체
    · 복제
    · 유전자 구성
(2) · 후기
    · 염색 분체
    · 유전자 구성

(1) ㉠과 ㉡의 유전자 구성이 같을지 다를지 판단해 보고, 그렇게 판단한 까닭을 서술하시오.

(2) 체세포 분열 결과 모세포와 유전적으로 동일한 딸세포 2개가 형성되는 원리를 염색체의 행동과 관련지어 서술하시오.

05 그림은 감수 분열 중인 세포를 나타낸 것이다.

⑴ 이 세포는 감수 분열의 어느 단계에 있는지 쓰시오.

_____

⑵ 이 세포가 체세포 분열이 아니라 감수 분열 중이라는 것을 판단할 수 있는 근거를 서술하시오.

_____

KEY WORDS
⑵ • 상동 염색체
   • 접합
   • 2가 염색체
   • 감수 분열

06 그림은 정상적인 감수 분열 과정의 일부를 나타낸 것이다.

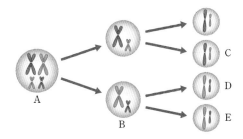

KEY WORDS
⑵ • 감수 1분열
   • 상동 염색체 분리
   • 감수 2분열
   • 염색 분체 분리

⑴ 표의 빈칸에 B와 C의 핵상과 핵 1개당 DNA 상대량을 각각 쓰시오.

구분	핵상	핵 1개당 DNA 상대량
A	$2n$	4
B	(㉠　)	(㉡　)
C	(㉢　)	(㉣　)

⑵ 세포 C와 D, D와 E의 유전자 구성이 각각 같을지 다를지 판단해 보고, 그렇게 판단한 까닭을 서술하시오.

_____

07 다음은 진딧물의 생식에 대한 설명이다.

KEY WORDS
(1) • 무성 생식
    • 유성 생식
    • 감수 분열
    • 유전적 다양성
(2) • 유전적 다양성
    • 환경 변화
    • 적응

> 진딧물은 기온이 따뜻하고 먹이가 풍부한 봄과 여름에는 무성 생식으로 빠르게 개체 수를 늘려 번식한다. 이 시기에 진딧물은 암컷만 있으며, 암컷 단독으로 알을 낳는다. 그러나 기온이 낮아지고 건조해지는 늦가을이 되면 수컷이 생겨 유성 생식을 한다. 암컷과 수컷에서 각각 형성된 생식세포가 결합하여 수정란이 되고, 이것이 이듬해 봄에 발생하여 암컷이 된다. 이와 같이 진딧물은 번식하기에 적합한 계절에는 무성 생식을 하고, 환경이 나빠지면 유성 생식을 하는 방식으로 적응하고 진화하였다.

(1) 무성 생식으로 생기는 자손과 유성 생식으로 생기는 자손의 차이점을 유전적인 관점에서 서술하시오.

(2) 자연 환경이 생존에 불리해질 때 진딧물이 무성 생식에서 유성 생식으로 전환하는 것은 진화적으로 어떤 의미가 있는지 서술하시오.

08 현재 전 세계적으로 가장 널리 재배되고 있는 바나나는 캐번디시라는 품종이다. 이 바나나는 3배체($3n$)로, 씨를 만들지 않으므로 뿌리를 잘라 옮겨 심어 번식시킨다.

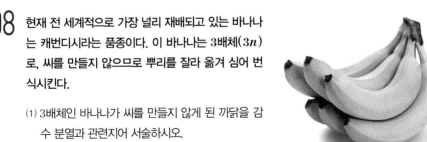

KEY WORDS
(1) • 상동 염색체
    • 감수 분열
    • 생식세포
(2) • 무성 생식
    • 유전적 다양성
    • 환경 변화
    • 멸종

(1) 3배체인 바나나가 씨를 만들지 않게 된 까닭을 감수 분열과 관련지어 서술하시오.

(2) 최근 캐번디시 바나나가 특정 곰팡이의 감염에 의한 질병에 취약하여 멸종 위기에 놓일 수 있다는 경고가 나오고 있다. 유성 생식이 아닌 무성 생식으로 재배하는 식물이 특정 질병에 취약할 때 멸종 위기에 처하게 되는 까닭을 서술하시오.

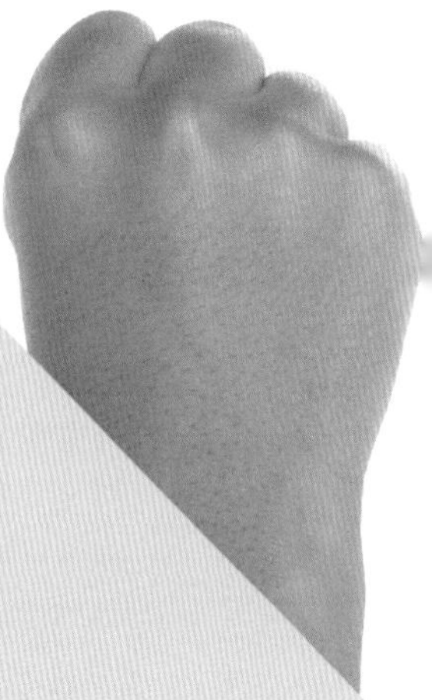

2

사람의 유전

01 사람의 유전 현상

02 사람의 유전병

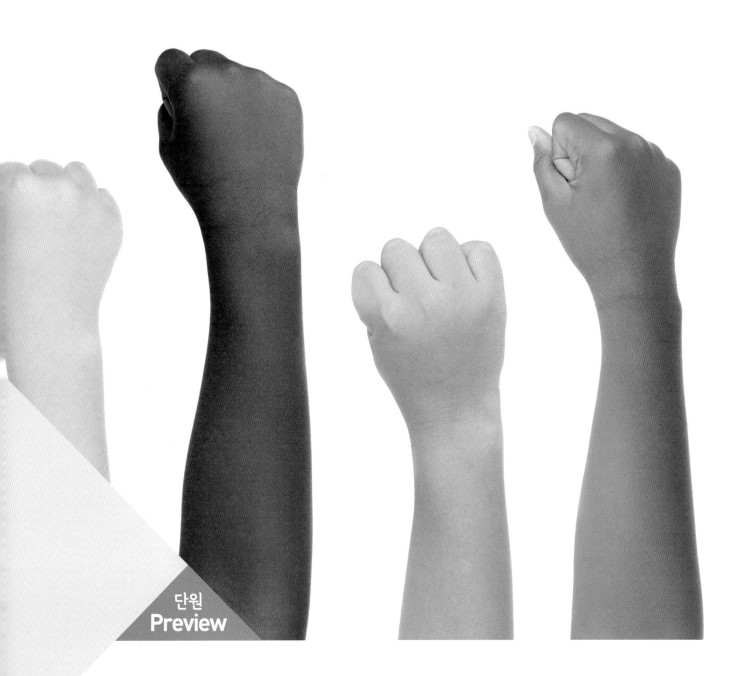

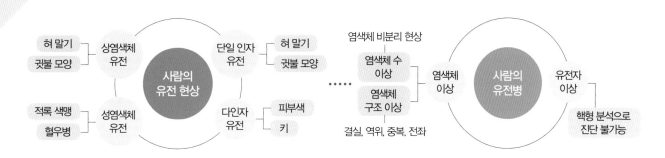

사람의 유전 현상

사람의 유전병

01 사람의 유전 현상

학습 Point   상염색체 유전 형질과   복대립 유전과 ABO식   반성유전의 특징과   단일 인자 유전과 다인자
가계도 분석   혈액형의 유전 방식   적록 색맹 유전   유전의 차이점

1 사람의 유전 연구

멘델은 대립 형질이 뚜렷한 완두의 교배 실험을 통해 유전의 기본 원리를 알아냈다. 멘델이 알아낸 유전 원리를 사람의 유전에도 적용할 수 있을까?

1. 사람 유전 연구의 어려운 점

(1) **한 세대가 길다:** 사람의 한 세대는 30년 정도로 길어서 유전 연구의 결과를 빨리 확인할 수 없고, 한 연구자가 몇 세대에 걸친 유전 현상을 연구하기도 어렵다.

(2) **자손의 수가 적다:** 사람은 한 부모에게서 태어난 자손의 수가 많지 않아 통계 처리를 하기 어렵고, 통계 처리를 하더라도 신뢰성이 낮아 일반화하기 어렵다.

(3) **자유로운 교배가 불가능하다:** 사람은 연구자 마음대로 실험 대상을 선택하거나 배우자를 임의로 정해서 결혼시킬 수 없다.

(4) **형질이 복잡하고 유전자 수가 많다:** 사람은 형질의 대립 관계가 불분명하거나 유전 현상이 환경의 영향을 받아 개인차가 심하게 나타나는 경우도 많아 결과를 분석하기 어렵다.

2. 사람의 유전 연구 방법

(1) **가계도 조사:** 특정 유전 형질을 가진 집안의 가계도를 조사하여 유전 형질이 어떻게 유전되는지를 알아본다.

유전 용어
- 형질: 생물이 지니는 고유한 특징
  예 눈꺼풀
- 대립 형질: 하나의 형질에 대해 서로 대립 관계에 있는 형질
  예 쌍꺼풀 ↔ 외까풀
- 표현형: 겉으로 드러나는 형질
  예 쌍꺼풀, 외까풀
- 유전자형: 형질을 나타내는 대립유전자 구성을 기호로 나타낸 것
  ┌ 동형 접합성: 대립유전자 쌍이 같은 경우 예 AA, aa
  └ 이형 접합성: 대립유전자 쌍이 다른 경우 예 Aa
- 우성과 열성: 유전자형이 이형 접합성일 때 겉으로 표현되는 형질이 우성이고, 표현되지 않는 형질이 열성이다. 일반적으로 우성 대립유전자를 대문자(A)로, 열성 대립유전자를 소문자(a)로 나타낸다.

시선 집중 ★ 가계도 작성에 이용되는 기호와 가계도의 예

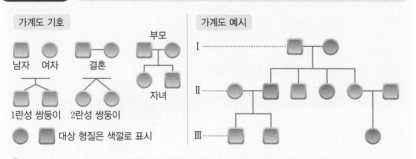

가계도 기호
남자   여자   결혼   부모   자녀
1란성 쌍둥이   2란성 쌍둥이
● ■ 대상 형질은 색깔로 표시

가계도 예시
Ⅰ   Ⅱ   Ⅲ

❶ 가계도는 성별, 혈연 및 결혼 관계, 형질의 발현 여부 등을 도표로 나타낸 것이다.
❷ 부모 자식 관계는 수직으로 나타내며, 가계도에서 로마자 Ⅰ~Ⅲ은 세대를 나타낸다.
❸ 대립 형질이 뚜렷한 유전 형질에서 표현형이 다른 것은 색깔이나 무늬를 다르게 하여 나타낸다.
❹ 가계도를 통해 대립 형질의 우열 관계를 알아내고, 앞으로 태어날 자손의 형질을 예측할 수 있다.

(2) **쌍둥이 연구:** 1란성 쌍둥이와 2란성 쌍둥이를 대상으로 성장 환경과 형질의 일치율을 조사하여 형질 발현에 유전자와 환경이 미치는 영향을 연구한다.

(3) **집단 조사:** 특정 지역이나 인종 집단을 대상으로 유전 형질을 조사한 자료를 통계 처리하여 유전자 빈도, 유전자 변이 등 집단 전체의 유전 현상을 연구한다.

(4) **염색체 및 유전자 연구:** 최근에는 핵형을 분석하여 염색체의 외형적 특징을 알아내거나, DNA의 염기 서열을 직접 분석하여 유전자 이상 등을 알아낸다.

3. 사람의 유전 현상 구분

(1) 형질을 결정하는 유전자의 위치에 따른 구분

① **상염색체 유전:** 형질을 결정하는 유전자가 상염색체에 있다. **예** 혀 말기, 귓불 모양

② **성염색체 유전:** 형질을 결정하는 유전자가 성염색체에 있다. **예** 적록 색맹, 혈우병

(2) 형질을 결정하는 유전자의 수에 따른 구분

① **단일 인자 유전:** 형질이 한 쌍의 대립유전자에 의해 결정된다. **예** 혀 말기, 귓불 모양

② **다인자 유전:** 형질이 여러 쌍의 대립유전자에 의해 결정된다. **예** 피부색, 키

시야 확장 ➕ 형질이 유전되는 원리

특정 형질은 상동 염색체의 같은 위치에 있는 대립유전자 쌍에 의해 결정되며, 부모의 유전자는 감수 분열로 형성된 생식세포의 염색체를 통해 자손에게 전달된다.

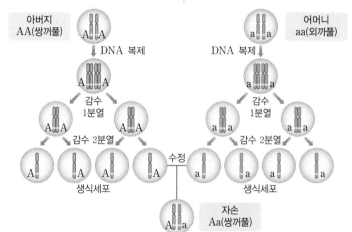

형질이 유전되는 원리	예(눈꺼풀)
한 개체에는 특정 형질을 결정하는 한 쌍의 대립유전자가 있다.	아버지의 유전자형은 AA, 어머니의 유전자형은 aa이다. A는 쌍꺼풀 대립유전자, a는 외까풀 대립유전자이다.
쌍을 이룬 대립유전자는 생식세포가 형성될 때 분리되어 서로 다른 생식세포로 들어간다.	아버지에게서 A를 가진 생식세포가, 어머니에게서 a를 가진 생식세포가 형성된다.
암수 생식세포의 수정에 의해 대립유전자는 다시 쌍을 이룬다.	아버지의 정자와 어머니의 난자가 수정하여 자손이 태어나며, 자손의 유전자형은 Aa이다.
쌍을 이룬 대립유전자가 서로 다를 경우 우성 형질만 표현되고, 열성 형질은 표현되지 않는다.	유전자형이 이형 접합성(Aa)인 자손은 쌍꺼풀을 가진다. → 쌍꺼풀이 우성 형질이고, 외까풀이 열성 형질이다.

1란성 쌍둥이와 2란성 쌍둥이

1란성 쌍둥이   2란성 쌍둥이

• 1란성 쌍둥이: 수정란 1개가 발생 초기에 나뉜 후 각각 발생하여 태어나며, 유전적으로 동일하다. 따라서 1란성 쌍둥이의 형질 차이는 환경의 영향으로 나타난다.

• 2란성 쌍둥이: 각각 다른 정자와 난자가 수정한 후 발생하여 태어나며, 유전적으로 서로 다르다. 2란성 쌍둥이의 형질 차이는 유전자의 영향이 크고, 환경의 영향도 일부 받아서 나타난다.

분리의 법칙

생식세포 형성 시 한 쌍의 대립유전자가 분리되어 서로 다른 생식세포로 들어가는 것을 말한다. 감수 분열 과정에서 상동 염색체가 분리되어 서로 다른 생식세포로 들어감으로써 대립유전자가 분리되어 이동한다.

② 상염색체 유전

탐구 2권 63쪽 집중 분석 2권 64쪽

　보조개는 남자와 여자에서 비슷한 비율로 나타난다. 이것은 보조개를 결정하는 유전자가 상염색체에 있기 때문이다. 상염색체 유전의 특징은 무엇이며, 사람의 상염색체 유전 형질에는 어떤 것이 있을까?

1. 상염색체 유전의 특징
형질을 결정하는 유전자가 상염색체에 있는 경우 성에 따라 형질이 나타나는 빈도에 차이가 없다. 즉, 특정 형질이 유전되고 나타나는 빈도는 이론적으로 남녀에서 같다.

2. 상염색체 유전 형질
⑴ **대립유전자의 종류가 두 가지인 경우**: 상염색체에 있는 한 쌍의 대립유전자에 의해 형질이 결정되는 단일 인자 유전 형질은 대립 형질이 뚜렷하고, 우성과 열성이 명확하게 구별된다. 눈꺼풀, 귓불 모양, 혀 말기, 보조개, 이마선, 엄지손가락의 젖혀짐 등이 있다.

구분	눈꺼풀	귓불 모양	혀 말기	보조개	이마선	엄지손가락의 젖혀짐
우성	쌍꺼풀	분리형	가능	있다.	M자형	젖혀진다.
열성	외까풀	부착형	불가능	없다.	일자형	젖혀지지 않는다.

자손의 유전자형
아버지와 어머니의 유전자형이 각각 Aa일 때 자손의 유전자형은 다음과 같은 과정으로 구할 수 있다.
① 사각형을 그리고 칸을 4개 만든 후, 사각형의 위쪽과 왼쪽에 부모의 생식세포 유전자를 하나씩 쓴다.

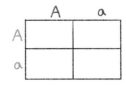

② 각 칸에 부모의 생식세포가 수정하여 생길 수 있는 자손의 유전자형을 쓴다.

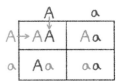

시선 집중 ★ 가계도 분석

[가계도 분석 방법]
❶ **형질의 우열 관계 파악하기**: 형질이 같은 부모 사이에서 부모와 형질이 다른 자손이 태어난 경우 부모의 형질이 우성이고, 자손의 형질이 열성이다.
❷ **대립유전자 기호 결정하기**: 우성 대립유전자는 대문자(A)로, 열성 대립유전자는 소문자(a)로 나타낸다.
❸ **열성 형질인 사람의 유전자형 쓰기**: 열성 형질을 가진 사람의 유전자형은 열성 동형 접합성(aa)이다.
❹ **부모와 자녀의 관계를 통해 우성 형질인 사람의 유전자형 구하기**
　• 열성 형질을 가진 자손(aa)이 태어난 경우: 부모에게서 열성 대립유전자(a)를 하나씩 물려받았으므로, 표현형이 우성인 부모의 유전자형은 이형 접합성(Aa)이다.
　• 부모 중 한 명이라도 열성(aa) 형질을 가진 경우: 자손은 열성 대립유전자(a)를 물려받으므로 표현형이 우성인 자손의 유전자형은 이형 접합성(Aa)이다.

[이마선 유전 가계도 분석]

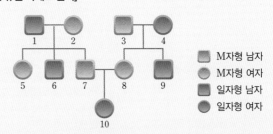

　■ M자형 남자
　● M자형 여자
　■ 일자형 남자
　● 일자형 여자

❶ M자형 부모 7과 8 사이에서 일자형 자녀 10이 태어났으므로 M자형이 우성 형질이고, 일자형이 열성 형질이다.
❷ 우성인 M자형 대립유전자를 M, 열성인 일자형 대립유전자를 m으로 나타낸다.
❸ 일자형인 1, 4, 6, 9, 10의 이마선 유전자형은 mm이다.
❹ 열성인 자녀가 있으면 우성인 부모의 유전자형은 이형 접합성이므로 2, 3, 7, 8의 이마선 유전자형은 Mm이다. 또, 부모 중 한 사람이 열성이면 우성인 자녀의 유전자형은 이형 접합성이므로 5의 이마선 유전자형은 Mm이다.

(2) 대립유전자의 종류가 세 가지 이상인 경우(복대립 유전)

① 복대립 유전: 하나의 형질을 결정하는 데 세 가지 이상의 대립유전자가 관여하는 유전 현상을 복대립 유전이라고 한다. 이 경우에도 한 사람의 형질은 한 쌍의 대립유전자에 의해 결정된다.

② ABO식 혈액형: 복대립 유전 형질의 대표적인 예로, 상염색체에 있는 한 쌍의 대립유전자에 의해 혈액형이 결정된다.

- 혈액형의 종류: 적혈구 표면에 있는 응집원의 종류에 따라 A형, B형, AB형, O형으로 구분한다. 응집원 A만 있으면 A형, 응집원 B만 있으면 B형, 응집원 A와 B가 모두 있으면 AB형, 응집원 A와 B가 모두 없으면 O형이다.

- 대립유전자의 종류: I^A, I^B, i의 세 가지가 있다. I^A는 적혈구 표면에 응집원 A를 만들고, I^B는 응집원 B를 만들며, i는 응집원을 만들지 못한다. 대립유전자 I^A와 I^B는 각각 i에 대해 우성이며, I^A와 I^B 사이에는 우열 관계가 없다($I^A = I^B > i$).

- 유전자형과 표현형: ABO식 혈액형의 유전자형은 $I^A I^A$, $I^A i$, $I^B I^B$, $I^B i$, $I^A I^B$, ii의 6가지이고, 표현형은 A형, B형, AB형, O형의 4가지이다.

유전자형	적혈구 표면 응집원	표현형
$I^A I^A$, $I^A i$	A	A형
$I^B I^B$, $I^B i$	B	B형
$I^A I^B$	A, B	AB형
ii		O형

▲ ABO식 혈액형의 유전자형과 표현형

정자 / 난자	I^A	I^B	i
I^A	$I^A I^A$ A형	$I^A I^B$ AB형	$I^A i$ A형
I^B	$I^B I^A$ AB형	$I^B I^B$ B형	$I^B i$ B형
i	$i I^A$ A형	$i I^B$ B형	$i i$ O형

▲ ABO식 혈액형의 유전자 구성

사선 집중 ★ ABO식 혈액형 유전 가계도 분석

1 — A형, 2 — B형
3 — AB형, 4 — O형, 5 — A형
■ 남자 ● 여자

❶ AB형인 3의 ABO식 혈액형 유전자형은 $I^A I^B$이고, O형인 4의 유전자형은 ii이다.

❷ 4의 열성 대립유전자 i는 부모에게서 하나씩 물려받은 것이므로 1과 2의 유전자형은 각각 $I^A i$와 $I^B i$이다.

❸ 5는 A형이므로 A형인 1에게서 대립유전자 I^A를 물려받고, B형인 2에게서 대립유전자 i를 물려받아 유전자형이 $I^A i$이다.

❹ 5의 동생이 태어날 때, $I^A i \times I^B i \rightarrow I^A I^B$, $I^A i$, $I^B i$, ii이므로 이 아이의 혈액형이 AB형, A형, B형, O형일 확률은 각각 $\frac{1}{4}$이다.

❺ 5의 동생이 태어날 때, 이 아이가 A형 남자일 확률은 $\frac{1}{4} \times \frac{1}{2} = \frac{1}{8}$이다.

복대립 유전과 단일 인자 유전
대립유전자의 종류가 세 가지 이상인 복대립 유전 형질은 대립유전자의 종류가 두 가지인 형질에 비해 표현형이 다양하다. 그러나 복대립 유전 형질도 한 사람이 가진 대립유전자의 수는 2개이므로 단일 인자 유전에 해당한다.

응집원
혈액의 응집에 관여하는 적혈구 표면의 항원 물질이다. 혈액의 응집은 혈액형이 서로 다른 두 사람의 혈액을 섞었을 때 적혈구들이 서로 엉겨 크고 작은 혈구 덩어리가 형성되는 현상으로, 적혈구 표면의 응집원과 혈장의 응집소 사이에서 일어나는 항원 항체 반응이 원인이다.

ABO식 혈액형의 유전자 표시
교과서에 따라 ABO식 혈액형의 대립유전자를 I^A, I^B, i 대신 간단히 A, B, O로 나타내기도 한다.

AB형과 공동 우성
두 대립유전자에 의한 형질이 동시에 완전한 형태로 나타나는 것을 공동 우성이라고 한다. ABO식 혈액형의 유전자형이 $I^A I^B$일 때 I^A가 응집원 A를 만들고, I^B가 응집원 B를 만들어 AB형이 되므로 AB형은 공동 우성의 예이다.

③ 성염색체 유전

사람의 성은 성염색체에 의해 결정된다. 성염색체에는 성 결정과 관련된 유전자뿐만 아니라 일반 형질을 결정하는 유전자도 있다. 남자와 여자는 성염색체 구성이 다르므로 형질을 결정하는 유전자가 성염색체에 있을 경우 남녀에 따라 형질이 나타나는 빈도가 달라질 수 있다.

1. 사람의 성 결정

성염색체 구성이 남자는 XY이고, 여자는 XX이다. 남자에서 감수 분열로 형성되는 정자는 X 염색체 또는 Y 염색체를 갖지만, 여자에서 감수 분열로 형성되는 난자는 모두 X 염색체를 가진다. 그러므로 자손의 성은 난자와 수정하는 정자에 들어 있는 성염색체의 종류에 의해 결정된다. 난자가 X 염색체를 가진 정자와 수정하면 딸이 태어나고, Y 염색체를 가진 정자와 수정하면 아들이 태어난다.

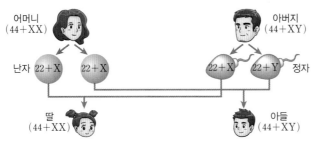

▲ **사람의 성 결정** 아들은 어머니에게서 X 염색체를, 아버지에게서 Y 염색체를 물려받는다. 딸은 어머니와 아버지에게서 각각 X 염색체를 1개씩 물려받는다.

2. 성염색체 유전의 특징

형질을 결정하는 유전자가 X 염색체에 있을 경우에는 남녀 모두에게 형질이 나타나지만 남자와 여자에서 형질이 나타나는 빈도가 다르고, 유전자가 Y 염색체에 있을 경우에는 형질이 남자에게만 나타난다.

3. 반성유전

형질을 결정하는 유전자가 성염색체에 있어 성에 따라 형질이 나타나는 빈도가 다른 유전 현상을 반성유전이라고 한다. 사람의 반성유전 형질에는 적록 색맹, 혈우병 등이 있다.

(1) **적록 색맹의 유전:** 적록 색맹은 망막의 원뿔세포에 이상이 있어서 적색과 녹색을 잘 구별하지 못하는 유전 형질로, 유전자는 X 염색체에 있다.

① 대립유전자: 정상 대립유전자(X^R)와 적록 색맹 대립유전자(X^r)가 있으며, 정상 대립유전자(X^R)가 우성, 적록 색맹 대립유전자(X^r)가 열성이다.

② 유전자형과 표현형: 남자는 X 염색체가 1개이므로 1개의 대립유전자를 가지고, 여자는 X 염색체가 2개이므로 2개의 대립유전자를 가진다. 남자는 X 염색체에 적록 색맹 대립유전자가 있으면 적록 색맹이 되지만, 여자는 2개의 X 염색체에 모두 적록 색맹 대립유전자가 있어야 적록 색맹이 된다. 따라서 적록 색맹은 여자보다 남자에서 더 많이 나타난다.

성별	남자		여자		
유전자형	X^RY	X^rY	X^RX^R	X^RX^r	X^rX^r
표현형	정상	적록 색맹	정상	정상(보인자)	적록 색맹

사람의 성염색체
사람의 성염색체에는 X 염색체와 Y 염색체가 있으며, X 염색체가 Y 염색체보다 크다.

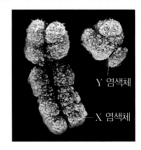

반성유전(sex−linked inheritance)
성염색체에 있는 유전자에 의해 형질이 나타나는 유전 현상이다. X 염색체 연관(X−linked)과 Y 염색체 연관(Y−linked)으로 구분한다. 흔히 반성유전 형질이라고 하면 X 염색체에 유전자가 있는 형질을 뜻하는데, 이것은 Y 염색체에는 남자의 성 결정에 관여하는 유전자 외에 일반적으로 알려진 유전 형질이나 질환이 많지 않기 때문이다.

보인자
형질이 겉으로 드러나지는 않지만, 형질을 나타내는 유전자를 가지고 있는 사람을 보인자라고 한다. 적록 색맹 보인자는 표현형은 정상이지만 적록 색맹 대립유전자를 가지고 있어 유전자형이 이형 접합성(X^RX^r)이다.

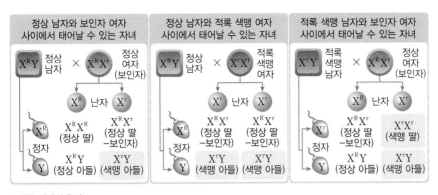

<table>
<thead>
<tr><th>정상 남자와 보인자 여자
사이에서 태어날 수 있는 자녀</th><th>정상 남자와 적록 색맹 여자
사이에서 태어날 수 있는 자녀</th><th>적록 색맹 남자와 보인자 여자
사이에서 태어날 수 있는 자녀</th></tr>
</thead>
</table>

▲ 적록 색맹의 유전

시선 집중 ★ 적록 색맹 유전 가계도 분석

범례:
■ 정상 남자
● 정상 여자
■ 적록 색맹 남자
● 적록 색맹 여자

❶ 정상인 부모 6과 7 사이에서 적록 색맹인 아들 철수가 태어났으므로, 정상이 우성 형질이고 적록 색맹이 열성 형질이다.

❷ 남자는 X 염색체를 어머니에게서 물려받으므로, 철수의 적록 색맹 대립유전자 X^r는 7에게서 물려받은 것이다.

❸ 정상 여자 중에서 적록 색맹 대립유전자를 가진 보인자(X^RX^r)임이 확실한 사람은 2, 7, 8, 10이다. → 정상인 2에게서 적록 색맹인 딸(X^rX^r) 4가 태어났으므로 2는 적록 색맹 대립유전자(X^r)를 가지고 있고, 8과 10은 적록 색맹인 어머니 4에게서 적록 색맹 대립유전자(X^r)를 물려받았다. 또, 철수가 적록 색맹이므로 7은 적록 색맹 대립유전자(X^r)를 가지고 있다.

❹ 아버지(3, 6)가 정상이면 딸(8, 10, 11)은 아버지의 정상 대립유전자(X^R)를 물려받아 정상이다. 어머니(4)가 적록 색맹이면 아들(9)은 어머니의 적록 색맹 대립유전자(X^r)를 물려받아 적록 색맹이다.

❺ 11은 표현형은 정상이지만 유전자형이 동형 접합성(X^RX^R)인지, 이형 접합성(X^RX^r)인지는 알 수 없다.

(2) **혈우병의 유전**: 혈우병은 혈액 응고에 관여하는 단백질을 만드는 유전자에 이상이 생겨 출혈 시 혈액이 잘 응고되지 않는 유전병이다. 적록 색맹과 마찬가지로 유전자는 X 염색체에 있으며, 정상 대립유전자(X^A)가 우성, 혈우병 대립유전자(X^a)가 열성이다. 혈우병이 유전되는 방식은 적록 색맹과 같지만 혈우병 환자는 대부분 남자이다. 이것은 혈우병 유전자형이 열성 동형 접합성(X^aX^a)인 태아의 경우 발생 과정에서 대부분 유산되어 여자 혈우병 환자는 매우 적기 때문이다.

성별	남자		여자		
유전자형	X^AY	X^aY	X^AX^A	X^AX^a	X^aX^a
표현형	정상	혈우병	정상	정상(보인자)	혈우병(치사)

X 염색체에 유전자가 있는 반성유전의 특징

• 어머니의 열성 형질은 아들에게 유전된다.
  예 어머니가 적록 색맹이면 아들은 반드시 적록 색맹이다.
• 아버지의 우성 형질은 딸에게 유전된다.
  예 아버지가 적록 색맹이 아니면 딸은 반드시 적록 색맹이 아니다.

우성 반성유전

피부 얼룩증은 피부 일부분에 멜라닌 색소가 결핍되어 피부가 얼룩덜룩하게 되는 유전병이다. 피부 얼룩증 유전자는 X 염색체에 있으며, 피부 얼룩증 대립유전자(X^A)가 우성, 정상 대립유전자(X^a)가 열성이다. 따라서 어머니가 정상(X^aX^a)이면 아들은 반드시 정상이며, 아버지가 피부 얼룩증(X^AY)이면 딸은 반드시 피부 얼룩증이 나타난다.

■ 정상 남자
● 정상 여자
■ 피부 얼룩증 남자
● 피부 얼룩증 여자

이와 같이 우성 반성유전 형질은 우성 대립유전자가 하나만 있어도 형질이 발현되므로 남자보다 여자에서 더 많이 나타난다. 피부 얼룩증 외에 비타민 D 저항성 구루병(저인산염혈증 구루병)도 우성 반성유전 형질로 알려져 있다.

치사
죽음에 이르는 것을 뜻한다.

4 다인자 유전

사람의 귓불 모양은 분리형과 부착형으로 뚜렷하게 구분되지만, 키는 매우 다양하게 나타난다. 이것은 귓불 모양은 단일 인자 유전 형질이지만, 키는 다인자 유전 형질이기 때문이다.

사람의 키, 몸무게, 피부색, 눈 색깔 등과 같이 하나의 형질이 여러 쌍의 대립유전자에 의해 결정되는 유전 현상을 다인자 유전이라고 한다. 다인자 유전 형질의 경우 표현형이 다양하게 나타나므로 대립 형질의 우열 관계가 뚜렷하게 구분되지 않으며, 환경의 영향을 받기도 한다. 이 때문에 각 표현형을 나타내는 개체 수를 조사하여 그래프로 나타내면 정상 분포 곡선 형태의 연속적인 변이를 나타낸다.

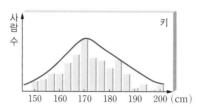
▲ 다인자 유전 형질의 표현형 분포

시선 집중 ★ 사람의 피부색 유전

- 피부색은 서로 다른 상동 염색체에 있는 3쌍의 대립유전자에 의해 결정되며, A, B, C는 피부색을 검게 만드는 대립유전자, a, b, c는 피부색을 희게 만드는 대립유전자라고 가정한다.
- 피부색을 검게 만드는 대립유전자의 수가 많을수록 피부색이 검다. → 유전자형이 AABBCC일 때 피부색이 가장 검고, aabbcc일 때 피부색이 가장 희다.
- 유전자형이 AaBbCc인 남자와 여자 사이에서 태어날 수 있는 자손의 피부색 분포는 다음과 같다.

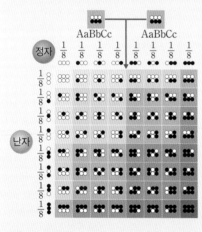
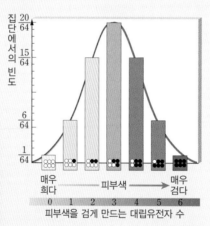

❶ 유전자형이 AaBbCc인 사람에서 만들어질 수 있는 생식세포의 유전자형은 ABC, ABc, AbC, Abc, aBC, aBc, abC, abc의 8가지이다. → 두 사람 사이에서 태어날 수 있는 자손에서 피부색을 검게 만드는 대립유전자의 수는 0개~6개로, 표현형은 7가지가 나타난다.

❷ 자손의 표현형에 따른 빈도를 그래프로 나타내면 중간값이 가장 크고 양 극단의 값은 작은 형태로 나타난다. → 피부색을 검게 만드는 대립유전자의 수가 0개 또는 6개인 자손이 나올 확률은 각각 $\frac{1}{64}$로 가장 낮고, 피부색을 검게 만드는 대립유전자의 수가 3개인 자손이 나올 확률은 $\frac{20}{64}$으로 가장 높다.

❸ 만일 피부색을 결정하는 대립유전자가 3쌍보다 많거나 피부색이 환경 요인의 영향을 받는다면 피부색의 표현형은 7가지보다 훨씬 많아진다.

단일 인자 유전 형질의 표현형 분포

귓불 모양, 혀 말기, ABO식 혈액형 등과 같은 단일 인자 유전 형질의 경우 대립 형질이 뚜렷하게 구분되므로 표현형이 불연속적인 변이를 나타낸다.

정상 분포 곡선

평균값을 중앙으로 하여 좌우 대칭인 종 모양을 이루는 분포 곡선이다.

연속 변이

한 집단에서 개체 사이의 형질 차이가 작은 점진적인 변이로, 키, 몸무게 등이 연속적인 변이를 나타낸다. 반면에, 한 집단에서 개체 사이의 형질 차이가 크면 불연속적인 변이를 나타낸다.

피부색의 유전자형과 확률

- AaBbCc × AaBbCc일 때
  Aa × Aa → AA, 2Aa, aa
  Bb × Bb → BB, 2Bb, bb
  Cc × Cc → CC, 2Cc, cc
  → 유전자형이 우성 동형 접합성(AA, BB, CC)일 확률이 $\frac{1}{4}$, 열성 동형 접합성(aa, bb, cc)일 확률이 $\frac{1}{4}$, 이형 접합성(Aa, Bb, Cc)일 확률이 $\frac{1}{2}$이다.
- 피부색을 검게 만드는 대립유전자의 수가 0개(aabbcc)인 자손이 나올 확률:
  $\frac{1}{4} \times \frac{1}{4} \times \frac{1}{4} = \frac{1}{64}$
- 피부색을 검게 만드는 대립유전자의 수가 3개(AABbcc, AAbbCc, AaBBcc, AabbCC, aaBBCc, aaBbCC, AaBbCc)인 자손이 나올 확률:
  $\left(\frac{1}{4} \times \frac{1}{2} \times \frac{1}{4}\right) \times 6 + \left(\frac{1}{2} \times \frac{1}{2} \times \frac{1}{2}\right)$
  $= \frac{20}{64}$

사람의 유전 현상 모의 활동하기

부모의 유전 형질이 자손에게 전달되는 과정을 모의 활동을 통해 설명할 수 있다.

과정

1 부모 역할을 맡은 두 사람이 5가지 색깔의 나무 막대를 각각 2개씩 갖는다.

2 아버지 역할을 맡은 사람은 한 가지 색깔의 나무 막대 2개 중 하나에는 X^r(적록 색맹 대립유전자), 다른 하나에는 Y라고 쓴다. 어머니 역할을 맡은 사람은 아버지와 같은 색깔의 나무 막대 2개 중 하나에는 X^R(정상 대립유전자), 다른 하나에는 X^r라고 쓴다. 다른 색깔의 나무 막대에도 같은 방법으로 각각의 형질을 결정하는 대립유전자를 쓴다. → 눈꺼풀(쌍꺼풀 A, 외꺼풀 a), 보조개(있음 B, 없음 b), 귓불 모양(분리형 E, 부착형 e), 이마선(M자형 M, 일자형 m)

3 '부' 또는 '모'라고 쓴 컵에 각각 나무 막대를 모두 넣고, 부모의 유전자형과 표현형을 기록한다.

4 부모는 각자 자신의 컵에서 나무 막대를 색깔별로 하나씩 뽑아 첫째 아이의 유전자형과 표현형을 기록한다.

5 나무 막대를 다시 원래의 컵에 넣고 과정 **4**를 반복하여 둘째 아이의 유전자형과 표현형을 기록한다.

결과 및 해석

1 결과 예시

구분		눈꺼풀	보조개	귓불 모양	이마선	적록 색맹	성별
아버지	유전자형	Aa	Bb	Ee	Mm	X^rY	남자
	표현형	쌍꺼풀	있음	분리형	M자형	적록 색맹	
어머니	유전자형	Aa	Bb	Ee	Mm	X^RX^r	여자
	표현형	쌍꺼풀	있음	분리형	M자형	정상	
첫째 아이	유전자형	AA	Bb	ee	Mm	X^RX^r	여자
	표현형	쌍꺼풀	있음	부착형	M자형	정상	
둘째 아이	유전자형	aa	Bb	EE	mm	X^RY	남자
	표현형	외꺼풀	있음	분리형	일자형	정상	

2 첫째 아이와 둘째 아이는 표현형이 같은 형질도 있고 다른 형질도 있으므로 전체 형질은 같지 않다. 이것은 부모에게서 생식세포가 형성될 때 상동 염색체가 무작위로 배열되었다가 분리되어 유전자 구성이 다양한 정자와 난자가 형성된 후 무작위로 수정한 결과 유전적으로 다양한 자손이 생기기 때문이다.

3 부모의 유전자는 감수 분열로 만들어진 생식세포를 통해 자손에게 전달되며, 자손은 부모에게서 물려받은 대립유전자 쌍의 조합에 의해 표현형을 나타낸다.

● 유의점

• 부모에서 하나의 형질에 대한 대립유전자는 같은 색깔의 나무 막대에 쓴다.

• 컵에 나무 막대를 넣을 때에는 대립유전자를 써 넣은 부분이 아래로 가도록 하여 대립유전자가 보이지 않게 한다.

• 나무 막대를 뽑기 전에 고루 섞고, 뽑을 때 임의로 뽑는다.

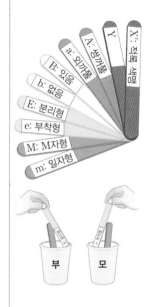

A: 쌍꺼풀
a: 외꺼풀
Y
X^r: 적록 색맹
B: 있음
b: 없음
E: 분리형
e: 부착형
M: M자형
m: 일자형

부   모

탐구 확인 문제

〉 정답과 해설 **62**쪽

01 위 탐구에 대한 설명으로 옳은 것을 모두 고르면? (정답 2개)

① X와 Y는 상염색체를 의미한다.

② 귓불 모양의 대립유전자는 성염색체에 있다.

③ A와 B는 하나의 형질을 결정하는 대립유전자이다.

④ 같은 색깔의 나무 막대 2개는 상동 염색체를 나타낸다.

⑤ 부모가 나무 막대를 색깔별로 하나씩 뽑는 것은 감수 분열을 통해 생식세포가 형성되는 것을 의미한다.

02 위 탐구에 대한 물음에 답하시오.

⑴ 위 모의 활동의 부모에게서 각각 형성될 수 있는 생식세포의 염색체 조합은 최대 몇 가지인지 쓰시오.

⑵ 셋째 아이가 태어날 때, 이 아이가 눈꺼풀이 외꺼풀이고 보조개가 없으며, 귓불이 분리형이고 이마선이 일자형인 남자일 확률을 쓰시오.

가계도 분석

가계도를 분석하면 형질의 우열 관계와 유전자가 상염색체와 성염색체 중 어디에 있는지 알아낼 수 있으며, 구성원의 유전자형을 알아낸 후 자손에서 특정 형질이 나타날 확률을 구할 수 있다. 사람의 유전에서는 가계도를 분석하는 문제가 빠짐없이 출제되며, 한 가지 형질뿐만 아니라 두 가지 형질을 동시에 고려하여 가계도를 분석하는 문제가 자주 출제된다.

❶ 한 가지 형질에 대한 가계도 분석

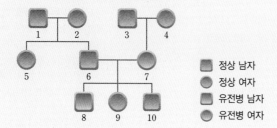

■ 정상 남자
● 정상 여자
■ 유전병 남자
● 유전병 여자

(1) **우성 형질과 열성 형질 판별**: 정상인 3과 4 사이에서 유전병을 가진 7이 태어났으므로, 정상이 우성 형질이고 유전병이 열성 형질이다.

(2) **유전자의 염색체상 위치 판별**: 우성 형질을 가진 부모 사이에서 열성 형질을 가진 딸이 태어났으므로 유전병 유전자는 상염색체에 있다.

(3) **구성원의 유전자형 판별**: 우성인 정상 대립유전자를 A, 열성인 유전병 대립유전자를 a로 표시하자.

- 유전병인 7과 8의 유전자형은 aa이다.
- 유전병인 자녀를 둔 3, 4, 6의 유전자형은 모두 Aa이다. 또, 유전병인 어머니를 둔 9, 10의 유전자형도 모두 Aa이다.
- 1, 2, 5는 유전자형이 AA인지 Aa인지 확실하지 않다.

❷ 두 가지 형질에 대한 가계도 분석

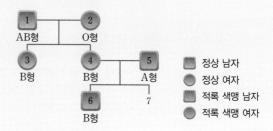

■ 정상 남자
● 정상 여자
■ 적록 색맹 남자
● 적록 색맹 여자

(1) ABO식 혈액형의 유전자는 상염색체에 있고, 적록 색맹의 유전자는 X 염색체에 있다.

(2) ABO식 혈액형 유전자형: 1은 $I^A I^B$, 2는 ii이다. 3과 4는 2에게서 i를 물려받아 $I^B i$이고, 5는 아들 6이 B형이므로 $I^A i$이다. 6은 5에게서 i를 물려받아 $I^B i$이다.

(3) 적록 색맹 유전자형: 1은 $X^R Y$, 5와 6은 $X^r Y$이다. 2는 $X^r X^r$이고, 3과 4는 2에게서 X^r를 물려받아 $X^R X^r$이다.

(4) 7이 A형이고 적록 색맹 여자일 확률

- A형일 확률: $I^B i \times I^A i \rightarrow I^A I^B$, $I^B i$, $\underline{I^A i}$, ii로 $\frac{1}{4}$
- 적록 색맹 여자일 확률: $X^R X^r \times X^r Y \rightarrow X^R X^r$, $\underline{X^r X^r}$, $X^R Y$, $X^r Y$로 $\frac{1}{4}$
- → A형이고 적록 색맹 여자일 확률: $\frac{1}{4} \times \frac{1}{4} = \frac{1}{16}$

> 정답과 해설 **62**쪽

유제

그림은 어떤 집안의 ABO식 혈액형과 유전병에 대한 가계도를 나타낸 것이다. 유전병 유전자는 성염색체에 있으며, 1과 2는 ABO식 혈액형의 유전자형이 동일하다.
이에 대한 설명으로 옳은 것을 모두 고르면? (정답 2개)

① 유전병은 정상에 대해 우성 형질이다.

② 1의 ABO식 혈액형의 유전자형은 동형 접합성이다.

③ 2는 유전병 대립유전자를 가지고 있다.

④ 3의 X 염색체에는 ABO식 혈액형의 열성 대립유전자가 있다.

⑤ 4가 AB형이고 유전병이 아닌 여자일 확률은 $\frac{1}{16}$이다.

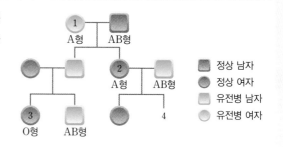

■ 정상 남자
● 정상 여자
□ 유전병 남자
○ 유전병 여자

심화

멘델의 유전 원리에 대한 깊은 이해

멘델은 완두의 교배 실험을 통해 유전의 원리를 알아냈다. 멘델의 가설의 의미를 염색체와 유전자의 관계로 해석하고, 멘델의 유전 원리는 확률의 법칙을 적용하여 이해해 보자. 또, 멘델 이후에 멘델 법칙이 적용되지 않는 여러 가지 유전 현상이 밝혀졌으므로 이를 멘델 법칙과 관련지어 이해하는 것이 필요하다.

❶ 멘델의 가설과 그에 대한 해석

(1) 한 개체는 특정 형질을 결정하는 한 쌍의 유전 인자를 가지며, 이는 부모에게서 하나씩 물려받은 것이다. ➡ 한 개체는 특정 형질을 결정하는 한 쌍의 대립유전자를 가지며, 대립유전자는 상동 염색체를 통해 부모에게서 하나씩 물려받은 것이다.

(2) 각 유전 인자는 자손에게 전달되는 과정에서 성질이 변하지 않는다. ➡ 입자설

(3) 쌍을 이룬 유전 인자가 서로 다를 경우, 그중 한 유전 인자가 다른 유전 인자를 억제하여 하나의 유전 인자만 표현되며, 나머지 유전 인자는 표현되지 않는다. ➡ 우열의 원리: 유전자형이 이형 접합성일 때 우성 형질만 표현되고, 열성 형질은 표현되지 않는다.

(4) 쌍을 이룬 유전 인자는 생식세포를 형성할 때 분리되어 서로 다른 생식세포로 들어간다. ➡ 분리의 법칙: 감수 분열 과정에서 대립유전자가 분리되어 서로 다른 생식세포로 이동한다.

(5) 두 쌍 이상의 형질이 동시에 유전될 때 각각의 형질을 나타내는 유전 인자는 서로 영향을 주지 않고 독립적으로 유전된다. ➡ 독립의 법칙

❷ 멘델의 유전 원리와 확률의 법칙

(1) 유전 현상과 확률의 법칙 적용: 그림 (가)는 멘델이 완두를 대상으로 단성 잡종 교배 실험을 하여 얻은 결과를 나타낸 것이다. 멘델은 이 실험 결과를 해석하기 위해 위의 (1)~(4)의 가설을 제안하였다. 그림 (나)는 F_1에서 F_2가 얻어지는 것을 확률로 계산한 것이다.

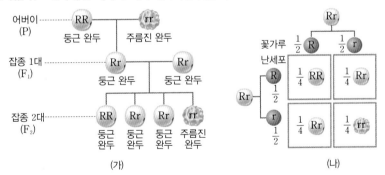

① 확률의 곱셈: 사건 A가 일어날 확률이 a이고, 사건 B가 일어날 확률이 b일 때, 사건 A와 B가 동시에 일어날 확률은 $a \times b$이다. ➡ F_1의 유전자형은 Rr이므로 F_1에서 만들어진 꽃가루와 난세포가 각각 우성 대립유전자 R를 가질 확률은 $\frac{1}{2}$이고, 열성 대립유전자 r를 가질 확률도 $\frac{1}{2}$이다. 따라서 F_2의 유전자형이 RR일 확률은 (꽃가루가 R를 가지고 있을 확률)×(난세포가 R를 가지고 있을 확률)=$\frac{1}{2} \times \frac{1}{2} = \frac{1}{4}$이다.

유전의 혼합설과 입자설

• 혼합설: 부모의 형질이 용액과 같아서 서로 잘 혼합되어 유전된다는 학설이다. 멘델이 살았던 시대까지는 대부분의 사람이 혼합설을 믿었다.

• 입자설: 유전자가 분리된 입자 형태로 자손에게 전달된다는 학설이다. 멘델이 입자설을 제안함으로써 유전자가 어디에 어떤 형태로 존재하는지에 대한 연구가 활발하게 이루어지기 시작했다.

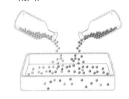

단성 잡종 교배
한 쌍의 대립유전자에 대해 이형 접합성인 개체들 사이의 교배 $(\text{Rr} \times \text{Rr})$이다.

② 확률의 덧셈: 사건 A가 일어날 확률이 a이고, 사건 B가 일어날 확률이 b일 때, 사건 A 또는 B가 일어날 확률은 a+b이다. ➡ F_2의 유전자형이 Rr일 확률은 (꽃가루가 R를 가지고 있을 확률)×(난세포가 r를 가지고 있을 확률)+(꽃가루가 r를 가지고 있을 확률)×(난세포가 R를 가지고 있을 확률)$=\left(\frac{1}{2}\times\frac{1}{2}\right)+\left(\frac{1}{2}\times\frac{1}{2}\right)=\frac{1}{4}+\frac{1}{4}=\frac{1}{2}$이다.

(2) 확률의 법칙을 이용하여 복잡한 유전 확률 계산하기: 멘델은 양성 잡종 교배 실험을 통해 서로 다른 두 가지 형질은 독립적으로 유전된다고 설명하였다. 이를 확률의 법칙을 적용하면 F_2에서 특정 유전자형을 가진 자손이 나올 확률을 간단히 계산할 수 있다.

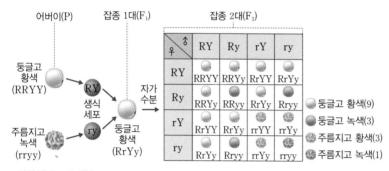

▲ 양성 잡종 교배 실험

위 실험의 F_2에서 유전자형이 RRYy인 완두가 나올 확률은 (RR가 나올 확률)×(Yy가 나올 확률)$=\frac{1}{4}\times\frac{1}{2}=\frac{1}{8}$이다. 또, F_2에서 주름지고 황색(rrYY 또는 rrYy)인 완두가 나올 확률은 다음과 같이 계산할 수 있다.

 i) rrYY가 나올 확률=(rr가 나올 확률)×(YY가 나올 확률)$=\frac{1}{4}\times\frac{1}{4}=\frac{1}{16}$

 ii) rrYy가 나올 확률=(rr가 나올 확률)×(Yy가 나올 확률)$=\frac{1}{4}\times\frac{1}{2}=\frac{1}{8}$

➡ F_2에서 주름지고 황색인 완두가 나올 확률$=\frac{1}{16}+\frac{1}{8}=\frac{3}{16}$

❸ 멘델 법칙만으로 설명되지 않는 유전 현상

(1) 공동 우성과 중간 유전: 우열의 원리로 설명할 수 없다.

① 공동 우성: 유전자형이 이형 접합성일 때, 두 대립유전자에 의한 형질이 동시에 완전한 형태로 나타나는 유전 현상이다. 예 ABO식 혈액형 유전에서 유전자형이 $I^A I^B$일 때 표현형이 AB형으로 나타나는 것

② 중간 유전: 두 대립유전자 사이의 우열 관계가 불완전하여 유전자형이 이형 접합성일 때 중간 형질이 나타나는 유전 현상이다. 예 분꽃의 꽃 색깔 유전

(2) 연관 유전: 세포 1개에 있는 유전자 수는 염색체 수보다 훨씬 많아서 하나의 염색체에는 여러 개의 유전자가 함께 존재한다. 이를 연관이라고 하며, 연관되어 있는 유전자들을 연관군이라고 한다. 연관군은 감수 분열 과정에서 서로 분리되지 않고 함께 행동하므로 멘델의 독립의 법칙이 성립하지 않는다. 즉, 멘델의 독립의 법칙은 서로 다른 형질을 결정하는 유전자가 서로 다른 염색체에 존재할 때에만 성립하며, 연관된 유전자 사이에는 성립하지 않는다.

양성 잡종 교배

두 쌍의 대립유전자에 대해 이형 접합성인 개체들 사이의 교배 (RrYy×RrYy)이다.

중간 유전 – 분꽃의 꽃 색깔 유전

분꽃은 붉은색 꽃 대립유전자 R와 흰색 꽃 대립유전자 W 사이의 우열 관계가 불완전하여 유전자형이 이형 접합성(RW)일 때 중간 형질인 분홍색을 나타낸다.

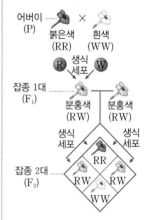

연관 유전

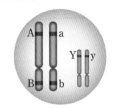

• 유전자 A와 Y는 서로 다른 염색체에 존재하므로 감수 분열 과정에서 독립적으로 행동한다. 따라서 생식세포의 유전자형은 AY, Ay, aY, ay의 4가지가 가능하다. ➡ 독립의 법칙 성립

• 유전자 A와 B는 같은 염색체에 연관되어 있으므로 감수 분열 과정에서 함께 행동한다. 따라서 생식세포의 유전자형은 AB와 ab만 가능하다. ➡ 독립의 법칙이 성립하지 않음

01 사람의 유전 현상

① 사람의 유전 연구

1. **사람의 유전 연구의 어려움** 한 (❶   )가 길고, 자손의 수가 적으며, 자유로운 교배가 불가능하다.

2. **사람의 유전 연구 방법** (❷   ) 조사, 쌍둥이 연구, 집단 조사, 염색체 및 유전자 연구 등이 있다.

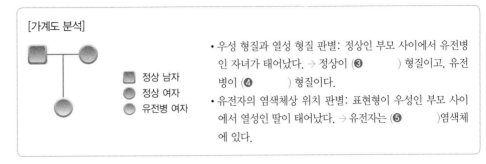

[가계도 분석]

■ 정상 남자
● 정상 여자
◐ 유전병 여자

• 우성 형질과 열성 형질 판별: 정상인 부모 사이에서 유전병인 자녀가 태어났다. → 정상이 (❸   ) 형질이고, 유전병이 (❹   ) 형질이다.

• 유전자의 염색체상 위치 판별: 표현형이 우성인 부모 사이에서 열성인 딸이 태어났다. → 유전자는 (❺   )염색체에 있다.

② 상염색체 유전

1. **상염색체 유전의 특징** 형질을 결정하는 유전자가 상염색체에 있으므로 성에 따라 형질이 나타나는 빈도에 차이가 없다.

2. **상염색체 유전 형질**

• 대립유전자의 종류가 두 가지인 경우: 우성과 열성이 뚜렷하게 구별된다. ⑩ 눈꺼풀, 귓불 모양, 혀 말기

• (❻   ): 대립유전자의 종류가 세 가지 이상인 경우이다. ⑩ 사람의 ABO식 혈액형

• ABO식 혈액형의 유전: 대립유전자가 I^A, I^B, i의 세 가지이다($I^A = I^B > i$).

표현형	A형	B형	AB형	O형
유전자형	$I^A I^A$, $I^A i$	$I^B I^B$, $I^B i$	$I^A I^B$	ii

③ 성염색체 유전

1. **사람의 성 결정 방식** 난자와 수정하는 정자에 들어 있는 성염색체의 종류에 의해 성이 결정된다.

• 난자(22+X)+정자(22+X) → 딸(44+XX)   • 난자(22+X)+정자(22+Y) → 아들(44+XY)

2. **반성유전** 형질을 결정하는 유전자가 성염색체에 있어 성에 따라 형질이 나타나는 빈도가 다른 유전 현상이다. ⑩ 적록 색맹, 혈우병

3. **적록 색맹의 유전**

• 유전자는 (❼   )에 있으며, 적록 색맹 대립유전자(X^r)가 정상 대립유전자(X^R)에 대해 열성이다.

구분	남자		여자		
유전자형	$X^R Y$	$X^r Y$	$X^R X^R$	$X^R X^r$	$X^r X^r$
표현형	정상	적록 색맹	정상	정상(보인자)	적록 색맹

• 적록 색맹은 여자보다 남자에서 더 많이 나타난다.

• 아버지가 정상이면 (❽   )은 반드시 정상이고, 어머니가 적록 색맹이면 (❾   )은 반드시 적록 색맹이다.

④ 다인자 유전

1. (❿   ) 쌍의 대립유전자에 의해 형질이 결정되는 유전 현상이다. ⑩ 키, 몸무게, 피부색

2. 표현형이 다양하게 나타나며 환경의 영향을 받기도 하므로 연속적인 변이를 나타낸다.

01 사람의 유전 연구가 어려운 까닭으로 옳은 것만을 〈보기〉에서 있는 대로 고르시오.

보기
ㄱ. 한 세대가 짧다.
ㄴ. 자손의 수가 적다.
ㄷ. 자유로운 교배 실험이 가능하다.

02 사람의 유전을 연구할 때 다음과 같은 목적에 적합한 연구 방법을 〈보기〉에서 골라 쓰시오.

보기
가계도 조사   집단 조사   쌍둥이 연구   핵형 분석

(1) 특정 형질의 우열 관계와 유전 방식을 알아본다.

(2) 염색체에 이상이 있는지 알아본다.

(3) 특정 형질의 발현에 유전자와 환경이 미치는 영향을 알아본다.

03 그림은 어떤 집안의 유전병 유전 가계도를 나타낸 것이다.

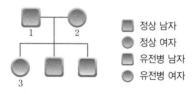

■ 정상 남자
● 정상 여자
■ 유전병 남자
● 유전병 여자

(1) 이 유전병은 우성 형질인지, 열성 형질인지 쓰시오.

(2) 이 유전병의 유전자는 상염색체에 있는지, 성염색체에 있는지 쓰시오.

(3) 가계도의 구성원 1~3에 대한 설명으로 옳은 것만을 〈보기〉에서 있는 대로 고르시오.

보기
ㄱ. 1은 유전병 대립유전자를 가지고 있다.
ㄴ. 1과 2는 유전병 유전자형이 같다.
ㄷ. 3은 유전병 유전자형이 이형 접합성이다.

04 다음은 사람의 유전 형질 A의 특성이다.

• A는 남녀에서 비슷한 비율로 나타난다.
• 자녀는 A를 나타내지만 부모는 모두 A를 나타내지 않을 수 있다.

이에 대한 설명으로 옳은 것만을 〈보기〉에서 있는 대로 고르시오.

보기
ㄱ. A는 열성 형질이다.
ㄴ. A의 유전자는 성염색체에 있다.
ㄷ. 부모가 모두 A를 나타내더라도 A를 나타내지 않는 자녀가 태어날 수 있다.

05 다음은 ABO식 혈액형 유전에 대한 자료이다.

• ABO식 혈액형은 9번 염색체에 있는 한 쌍의 대립 유전자에 의해 결정된다.
• 대립유전자의 종류는 I^A, I^B, i의 세 가지이다.
• I^A와 I^B는 각각 i에 대해 우성이며, I^A와 I^B 사이에는 우열 관계가 없다.

(1) ABO식 혈액형의 유전자형과 표현형은 각각 몇 가지인지 쓰시오.

(2) ABO식 혈액형에 대한 설명으로 옳은 것만을 〈보기〉에서 있는 대로 고르시오.

보기
ㄱ. 복대립 유전 형질이다.
ㄴ. 유전자는 성염색체에 있다.
ㄷ. O형인 사람의 ABO식 혈액형 유전자형은 이형 접합성이다.
ㄹ. AB형인 남자와 O형인 여자 사이에서 A형인 아들이 태어날 확률은 $\frac{1}{4}$이다.

06 표는 세 명의 아이와 그 부모의 ABO식 혈액형을 순서 없이 나타낸 것이다.

아이	혈액형	부모	혈액형
Ⅰ	O형	(가)	A형, B형
Ⅱ	A형	(나)	AB형, O형
Ⅲ	AB형	(다)	A형, AB형

아이 Ⅰ~Ⅲ의 부모를 옳게 짝 지으시오.

07 그림은 사람의 성 결정 방식을 나타낸 것이다.

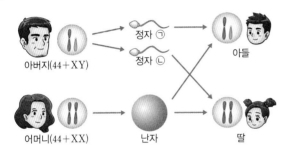

정자 ㉠, ㉡ 및 난자의 염색체 구성을 각각 쓰시오.

08 그림은 어떤 집안의 적록 색맹 유전 가계도를 나타낸 것이다.

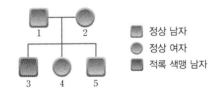

정상 남자
정상 여자
적록 색맹 남자

(1) 3의 적록 색맹 대립유전자는 1과 2 중 누구에게서 물려받은 것인지 쓰시오.

(2) (1)과 같이 생각한 까닭을 간단히 쓰시오.

(3) 1~5 중 적록 색맹 대립유전자를 가진 것이 확실한 사람의 번호를 모두 쓰시오.

(4) 5가 적록 색맹인 여자와 결혼하여 아이가 태어날 때, 이 아이가 적록 색맹인 아들일 확률을 쓰시오.

09 다음은 사람의 유전 형질 A의 특성이다.

> • A는 여자보다 남자에서 나타나는 빈도가 높다.
> • A를 나타내는 여자와 A를 나타내지 않는 남자 사이에서 태어난 아들은 모두 A를 나타낸다.

이에 대한 설명으로 옳은 것만을 〈보기〉에서 있는 대로 고르시오.

보기
ㄱ. A는 우성 형질이다.
ㄴ. A의 유전자는 X 염색체에 있다.
ㄷ. A를 나타내는 여자의 아버지는 A를 나타낸다.

10 다음 설명에 해당하는 용어를 쓰시오.

(1) 형질을 결정하는 유전자가 성염색체에 있어 성에 따라 형질 발현 빈도가 다른 유전 현상이다.

(2) 하나의 형질을 결정하는 데 여러 쌍의 대립유전자가 관여하는 유전 현상이다.

11 그림은 한 학급의 학생들을 대상으로 귓불 모양과 키를 조사하여 표현형에 따른 학생 수의 분포를 나타낸 것이다.

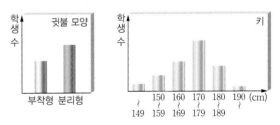

이에 대한 설명으로 옳은 것만을 〈보기〉에서 있는 대로 고르시오.

보기
ㄱ. 귓불 모양은 우성과 열성이 뚜렷하게 구분되는 형질이다.
ㄴ. 키는 귓불 모양보다 형질을 결정하는 데 관여하는 대립유전자의 수가 많다.
ㄷ. 키는 환경의 영향을 받지 않는 형질이다.

01 ⟩ 사람의 유전 연구

그림은 쌍둥이의 발생 과정을 나타낸 것이다.

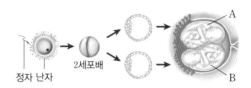

이에 대한 설명으로 옳은 것만을 〈보기〉에서 있는 대로 고른 것은?

> 보기
> ㄱ. A와 B는 성별이 다를 수 있다.
> ㄴ. A와 B는 따로 자라더라도 ABO식 혈액형이 같다.
> ㄷ. A와 B의 형질 차이는 유전자의 차이와 환경의 영향으로 나타난다.

① ㄱ 　　② ㄴ 　　③ ㄷ 　　④ ㄱ, ㄴ 　　⑤ ㄴ, ㄷ

· 형질 발현에 유전자와 환경이 미치는 영향을 알아볼 때 쌍둥이를 조사한다.

02 ⟩ 가계도 분석

그림은 영희네 집안의 유전병 A에 대한 가계도를 나타낸 것이다.

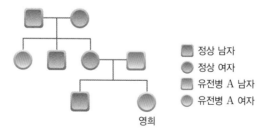

정상 남자
정상 여자
유전병 A 남자
유전병 A 여자

영희

이에 대한 설명으로 옳은 것만을 〈보기〉에서 있는 대로 고른 것은?

> 보기
> ㄱ. 유전병 A 유전자는 상염색체에 있다.
> ㄴ. 영희는 어머니에게서 유전병 A 대립유전자를 물려받았다.
> ㄷ. 영희의 동생이 태어날 때, 이 아이가 유전병 A를 나타내는 남자일 확률은 $\frac{1}{4}$이다.

① ㄱ 　　② ㄴ 　　③ ㄱ, ㄴ 　　④ ㄱ, ㄷ 　　⑤ ㄱ, ㄴ, ㄷ

· 정상인 부모에게서 유전병인 딸이 태어나면 유전병은 열성 형질이며, 유전병 유전자는 상염색체에 있다.

03 ❯ 상염색체 유전과 성염색체 유전의 특징

표는 여러 가계를 조사하여 알아낸 사람의 유전병 A ~ C의 특성을 나타낸 것이다.

유전병	특성
A	부모는 모두 A를 나타내더라도 정상인 아들과 딸이 태어날 수 있다.
B	어머니가 B를 나타내면 아들은 모두 B를 나타낸다.
C	부모는 모두 정상이지만 C를 나타내는 딸이 태어날 수 있다.

이에 대한 설명으로 옳은 것만을 〈보기〉에서 있는 대로 고른 것은? (단, 돌연변이는 고려하지 않는다.)

보기
ㄱ. 유전병 A는 다인자 유전 형질이다.
ㄴ. 유전병 B의 유전자는 성염색체에 있다.
ㄷ. 유전병 C는 정상에 대해 우성 형질이다.

① ㄴ   ② ㄷ   ③ ㄱ, ㄴ   ④ ㄱ, ㄷ   ⑤ ㄴ, ㄷ

> 상염색체 유전은 성에 따라 형질이 나타나는 빈도에 차이가 없고, 성염색체 유전은 성에 따라 형질이 나타나는 빈도가 다르다.

04 ❯ ABO식 혈액형의 판정과 유전

그림은 어떤 집안의 ABO식 혈액형 유전 가계도와 이 가계도의 구성원 4와 5의 혈액 응집 반응 결과를 나타낸 것이다. 5의 ABO식 혈액형 유전자형은 1과 같다.

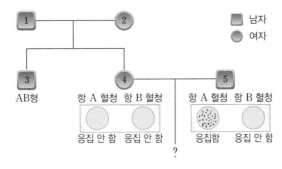

이에 대한 설명으로 옳은 것만을 〈보기〉에서 있는 대로 고른 것은?

보기
ㄱ. 1의 ABO식 혈액형은 A형이다.
ㄴ. 2의 ABO식 혈액형 유전자형은 이형 접합성이다.
ㄷ. 4와 5 사이에서 아이가 태어날 때, 이 아이의 ABO식 혈액형이 4와 같을 확률은 $\frac{1}{4}$이다.

① ㄱ   ② ㄴ   ③ ㄱ, ㄴ   ④ ㄴ, ㄷ   ⑤ ㄱ, ㄴ, ㄷ

> ABO식 혈액형의 대립유전자는 세 가지이고, 한 사람은 한 쌍의 대립유전자를 가진다. 또, 항 A 혈청에 응집하면 혈액에 응집원 A가 있는 것이고, 항 B 혈청에 응집하면 혈액에 응집원 B가 있는 것이다.

05 ❯ 적록 색맹 유전 가계도 분석

그림은 어떤 집안의 적록 색맹 유전 가계도를 나타낸 것이다.

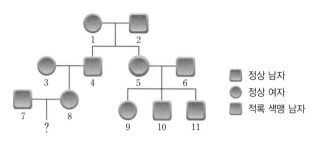

■	정상 남자
●	정상 여자
■	적록 색맹 남자

> 적록 색맹은 유전자가 X 염색체에 있어 반성유전을 한다.

이에 대한 설명으로 옳은 것만을 〈보기〉에서 있는 대로 고른 것은?

보기
ㄱ. 5와 9의 적록 색맹 유전자형은 같다.
ㄴ. 10의 적록 색맹 대립유전자는 6에게서 물려받은 것이다.
ㄷ. 7과 8 사이에서 아이가 태어날 때, 이 아이가 적록 색맹인 아들일 확률은 $\frac{1}{8}$이다.

① ㄱ   ② ㄴ   ③ ㄱ, ㄴ   ④ ㄱ, ㄷ   ⑤ ㄴ, ㄷ

06 ❯ 반성유전의 특징

그림은 어떤 집안의 유전병 A에 대한 가계도를 나타낸 것이다. 유전병 A의 유전자는 X 염색체에 있다.

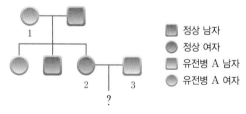

■	정상 남자
●	정상 여자
■	유전병 A 남자
●	유전병 A 여자

> 유전자가 X 염색체에 있어 반성유전을 하는 형질의 경우 어머니의 열성 형질은 아들에게, 아버지의 우성 형질은 딸에게 나타난다.

이에 대한 설명으로 옳은 것만을 〈보기〉에서 있는 대로 고른 것은?

보기
ㄱ. 유전병 A는 우성 형질이다.
ㄴ. 1의 유전병 A 유전자형은 이형 접합성이다.
ㄷ. 2와 3 사이에서 딸이 태어날 때, 이 아이가 유전병 A를 나타낼 확률은 1이다.

① ㄱ   ② ㄷ   ③ ㄱ, ㄴ   ④ ㄴ, ㄷ   ⑤ ㄱ, ㄴ, ㄷ

07 ❯ 두 가지 형질의 유전 가계도 분석

그림은 어떤 집안의 ABO식 혈액형과 유전병 ㉠에 대한 가계도를 나타낸 것이다. 유전병 ㉠의 유전자는 성염색체에 있다.

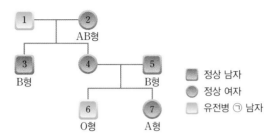

정상 남자
정상 여자
유전병 ㉠ 남자

이에 대한 설명으로 옳은 것만을 〈보기〉에서 있는 대로 고른 것은?

> 보기
>
> ㄱ. 4와 7은 ABO식 혈액형 유전자형이 같다.
> ㄴ. 6의 유전병 ㉠ 대립유전자는 2에게서 유래한 것이다.
> ㄷ. 7의 동생이 태어날 때, 이 아이가 B형이고 유전병 ㉠을 나타낼 확률은 $\frac{1}{16}$이다.

① ㄱ   ② ㄷ   ③ ㄱ, ㄴ   ④ ㄱ, ㄷ   ⑤ ㄴ, ㄷ

ABO식 혈액형은 유전자가 상염색체에 있는 복대립 유전 형질이고, 유전병 ㉠은 유전자가 성염색체인 X 염색체에 있어 반성유전을 하는 형질이다.

08 ❯ 다인자 유전 형질

다음은 사람의 유전 형질 ㉠에 대한 자료이다.

> • ㉠은 서로 다른 상염색체에 존재하는 3쌍의 대립유전자 A와 a, B와 b, C와 c에 의해 결정된다.
> • ㉠의 표현형은 유전자형에서 A, B, C 개수의 합에 의해서만 결정되며, 환경의 영향은 고려하지 않는다.
> • 어떤 사람 (가)의 ㉠에 대한 유전자형은 AaBbCc이다.

이에 대한 설명으로 옳지 않은 것은?

① ㉠은 다인자 유전 형질이다.

② 성에 따른 ㉠의 발현 빈도 차이는 없다.

③ (가)의 표현형은 ㉠에 대한 유전자형이 AABbcc인 사람과 같다.

④ ㉠에 대해 (가)에서 형성될 수 있는 생식세포의 유전자형은 8가지이다.

⑤ (가)가 ㉠에 대한 유전자형이 자신과 같은 사람과 결혼하여 아이를 낳을 때, 이 아이에게서 나타날 수 있는 표현형은 최대 16가지이다.

여러 쌍의 대립유전자에 의해 하나의 형질이 결정되는 유전 현상을 다인자 유전이라고 한다. 다인자 유전 형질은 단일 인자 유전 형질에 비해 표현형이 다양하게 나타난다.

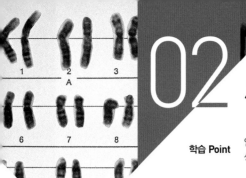

02 사람의 유전병

학습 Point　염색체 비분리 현상과 　　염색체 수 이상에 의한 유전병의 　　염색체 구조 　　유전자 이상에 의한
　　　　　　　생식세포의 염색체 구성　　종류와 환자의 핵형　　　　　　 이상의 종류　　유전병의 종류와 특징

1 돌연변이와 유전병

현대 의학에서는 질병이 유전적인 요인과 환경적인 요인의 상호 작용에 의해 나타난다고
여기는데, 거의 100 % 유전적인 요인에 의해 나타나는 질병을 유전병이라고 한다. 유전병은 왜 생
기는 것일까?

1. 돌연변이

(1) 돌연변이: 여러 가지 요인에 의해 생명체의 특징을 결정짓는 DNA의 유전 정보가 원래
와 달라지는 것을 돌연변이라고 한다. 생식세포 형성 과정에서 돌연변이가 일어나면 다음
세대에서 돌연변이 형질이 나타날 수 있다. 돌연변이는 염색체의 수나 구조가 달라지는 염
색체 돌연변이와 유전자를 구성하는 DNA의 염기 서열이 달라지는 유전자 돌연변이로
구분한다.

(2) 돌연변이의 원인: 돌연변이는 자연적·환경적 요인에 의해 일어난다.

① **자연적 요인:** DNA 복제가 일어날 때 염기가 잘못 짝지어져 유전 정보가 바뀌거나, 세
포 분열 과정에서 염색체가 정상적으로 분리되지 않으면 돌연변이가 일어날 수 있다.

② **환경적 요인:** 방사선, 화학 물질, 자외선 등은 DNA를 손상시키고 세포 분열 과정에
이상이 생기게 해 돌연변이를 일으킨다. 돌연변이를 일으키는 다양한 환경적 요인을 돌연
변이원(돌연변이 유발원)이라고 하며, 대부분의 돌연변이원은 암을 유발한다.

방사선　　　　　　　　담배 연기 등 여러 화학 물질　　　　　　자외선

▲ 돌연변이원

2. 유전병

유전자나 염색체에 있는 해로운 변이 때문에 나타나는 질병으로, 돌연변이는 유전병의 원
인이 될 수 있다. 체세포의 유전 물질에만 이상이 생긴 경우 유전병은 자손에게 유전되지
않는다. 그러나 부모의 생식세포 형성 과정이나 배 발생 과정에서 유전 물질에 이상이 생
긴 경우에는 유전병이 자손에게 유전되어 자손의 몸의 형태나 기능에 이상을 일으킨다.

돌연변이

모든 돌연변이가 유전병의 원인이 되는 것
은 아니다. 갈색 눈 유전자의 DNA 염기 서
열에 변이가 일어나 푸른색 눈 대립유전자
가 생긴 것처럼 돌연변이가 집단 내에서 성
공적으로 정착하면 새로운 대립유전자가 만
들어져 유전적 다양성을 높이기도 한다. 그
러나 생명 활동에 필수적인 유전자에 돌연
변이가 일어나 생물체의 구조와 기능이 손
상되는 경우에는 암을 유발하거나 유전병의
원인이 될 수 있다.

돌연변이와 암

암세포는 세포 주기 조절 유전자에 이상이
생긴 경우가 많다. 이것은 돌연변이원에 의
해 세포 주기 조절 유전자에 돌연변이가 일
어나면 유전자가 정상적인 기능을 하지 못
해 정상 세포가 암세포로 변할 수 있다는 것
을 의미한다.

유전병

유전병은 자손에게 유전되는 질병을 뜻하지
만, 넓은 의미로는 유전자나 염색체 등 유
전체의 이상이 원인이 되어 나타나는 질병
을 말한다. 따라서 체세포 분열 과정에서 생
긴 돌연변이에 의해 나타나는 유전병도 포
함되며, 이러한 유전병은 자손에게 유전되
지 않는다.

염색체 이상에 의한 유전병은 염색체 수에 이상이 생긴 것과 염색체 구조에 이상이 생긴 것으로 구분할 수 있다. 염색체의 수나 구조에 이상이 생긴 경우에는 정상인과 핵형을 비교하여 유전병 여부를 알아낼 수 있다.

1. 염색체 수 이상

(1) **원인:** 염색체 수 이상은 대부분 생식세포를 형성하는 감수 분열 과정에서 염색체 비분리 현상이 일어나 나타난다. 감수 1분열에서 일부 상동 염색체가 분리되지 않거나 감수 2분열에서 일부 염색 분체가 분리되지 않으면, 염색체 수가 정상보다 많거나 적은 생식세포가 만들어진다. 이와 같은 염색체 비분리 현상은 상염색체와 성염색체에서 모두 일어날 수 있다.

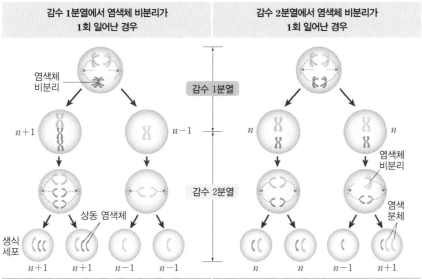

- 상동 염색체가 비분리되었다.
- 염색체 수가 정상(n)인 생식세포는 형성되지 않으며, 모든 생식세포의 염색체 수가 정상보다 많거나($n+1$) 적다($n-1$).

- 염색 분체가 비분리되었다.
- 염색체 수가 정상(n)인 생식세포와 비정상($n-1$, $n+1$)인 생식세포가 $1:1$의 비율로 형성된다.

염색체 수에 이상이 생긴 생식세포가 수정되어 태아로 발생하면 염색체 수가 정상보다 많거나 적은 아이가 태어난다. 하나의 염색체에는 많은 수의 유전자가 있어 염색체 수가 한두 개 달라지면 대부분 출생 전에 사망하며, 태어나더라도 심각한 유전병이 나타날 수 있다.

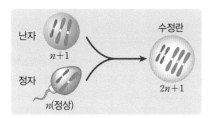
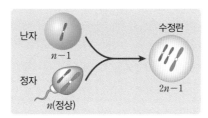

▲ **염색체 수에 이상이 있는 수정란의 형성** 염색체 수에 이상이 있는 난자 또는 정자가 정상 정자 또는 난자와 수정되면 염색체 수에 이상이 있는 수정란이 형성되고, 이 수정란이 발생하여 아이가 태어나면 염색체 수 이상에 의한 유전병이 나타날 수 있다.

염색체 비분리 현상
정상 세포에서는 세포 분열이 진행될 때 중기의 모든 염색체에 방추사가 결합하였는지를 확인한 후 후기가 진행된다. 그런데 방추사가 결합하지 않은 염색체가 있는데도 후기가 진행되면 염색체 비분리 현상이 나타날 수 있다.

성염색체의 비분리
정자 형성 과정에서 성염색체의 비분리가 1회 일어났다고 할 때, 형성된 정자의 성염색체 구성을 통해 감수 1분열과 감수 2분열 중 어느 시기에 염색체 비분리가 일어났는지를 추론할 수 있다. 정자의 염색체 구성이 $22+XY$, 22라면 감수 1분열에서 X 염색체와 Y 염색체가 비분리된 것이다. 또, 정자의 염색체 구성이 22, $22+X$, $22+YY$ 또는 22, $22+XX$, $22+Y$라면 감수 2분열에서 Y 염색체 또는 X 염색체의 염색 분체가 비분리된 것이다.

(2) **상염색체 수 이상에 의한 유전병:** 부모 중 어느 한쪽에서 생식세포를 형성할 때 상염색체가 비분리되어 나타나며, 남녀 모두에게 나타날 수 있다.

① 다운 증후군: 다운 증후군인 사람은 핵형이 정상인 사람보다 21번 염색체가 1개 더 있어 총 47개의 염색체를 가지며, 염색체 구성은 남자가 $2n+1=45+XY$, 여자가 $2n+1=45+XX$이다. 일반적으로 머리가 작고 둥글넓적한 얼굴에 눈 사이가 멀며, 혀가 두껍고 큰 전형적인 모습을 보인다. 또, 지적 장애와 선천성 심장 질환을 비롯한 다양한 증세가 나타난다.

시선 집중 ★ 다운 증후군인 사람의 핵형과 출생률

그림 (가)는 염색체 수에 이상이 있는 어떤 사람의 핵형을, 그림 (나)는 산모의 나이에 따른 다운 증후군 아이의 출생률을 나타낸 것이다.

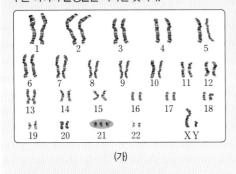

(가)

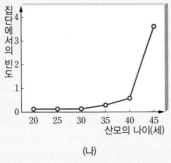

(나)

❶ (가)는 21번 염색체가 3개이므로 상염색체가 45개이고, 성염색체 구성은 XY이다. → (가)는 다운 증후군 남자($2n+1=45+XY$)의 핵형이다.

❷ (나)에서 산모의 나이가 많을수록 다운 증후군 아이가 태어나는 빈도가 높다. → 여자의 나이가 많을수록 난자 형성 과정에서 염색체 비분리 현상이 일어날 확률이 높다고 추론할 수 있다.

② 에드워드 증후군: 에드워드 증후군인 사람은 18번 염색체가 1개 더 있어 총 47개의 염색체를 가지며, 염색체 구성은 남자가 $2n+1=45+XY$, 여자가 $2n+1=45+XX$이다. 일반적으로 심한 지적 장애를 나타내며, 심장을 비롯한 여러 장기의 기형으로 유아기에 사망하는 경우가 많다.

▲ 에드워드 증후군인 사람(여자)의 핵형

(3) **성염색체 수 이상에 의한 유전병:** 부모 중 어느 한쪽에서 생식세포를 형성할 때 성염색체가 비분리되어 나타난다.

① 터너 증후군: 터너 증후군인 사람은 성염색체로 X 염색체를 1개만 가져 염색체 구성이 $2n-1=44+X$이다. 외관상 여자이지만, 여성 호르몬을 충분히 생성하지 못해 난소가 기능을 발휘하지 못하기 때문에 불임이다. 성장 과정에서 호르몬 치료를 받아야 여자의 2차 성징이 나타난다. 성인이 되어도 키가 작고, 목이 짧고 두꺼우며, 만성적인 중이염을 앓는 경우가 많다. 터너 증후군인 사람은 대부분 지능이 정상이다.

증후군

질병에 걸렸을 때 여러 가지 이상 증세를 함께 나타내면 증후군이라고 한다. 유전자 이상에 의한 유전병은 단일 증세를 나타내지만, 염색체에 이상이 생기면 여러 유전자에 이상이 생겨 여러 가지 증세를 함께 나타낸다.

다운 증후군의 원인

산모의 나이가 많으면 다운 증후군 아이를 출산할 확률이 높아지기는 하지만, 다운 증후군 아이가 태어나는 원인이 모두 난자 형성 과정에서의 염색체 비분리 현상 때문인 것은 아니다. 정자 형성 과정에서 염색체 비분리가 일어나 21번 염색체를 2개 가진 정자가 형성된 후 정상 난자와 수정된 경우에도 다운 증후군 아이가 태어날 수 있다.

성염색체 수 이상에 의한 유전병

성염색체 수 이상으로 나타나는 유전병에는 터너 증후군과 클라인펠터 증후군 외에도 삼중 X 증후군($44+XXX$), 야코프 증후군($44+XYY$) 등이 있다. 삼중 X 증후군과 야코프 증후군은 대부분 신체적 이상이나 의학적 문제는 거의 발생하지 않지만 학습 장애, 언어 지연 등의 증세가 나타나며, 야코프 증후군은 사회적 부적응 증세가 나타나기도 하는 것으로 알려져 있다.

② 클라인펠터 증후군: 클라인펠터 증후군인 사람은 성염색체로 X 염색체 2개와 Y 염색체 1개를 가져 염색체 구성이 $2n+1=44+XXY$이다. 외관상 남자이지만, 여성 호르몬의 영향으로 사춘기가 되면 유방이 발달하는 등 여자의 신체적 특징이 나타나며, 정소가 비정상적으로 작고 정자가 생성되지 않아 불임이다. 일반적으로 키가 크며, 정신 발달이 느리지만 심한 지적 장애를 보이지는 않는다.

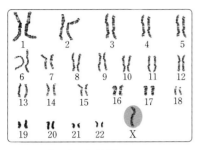

▲ 터너 증후군인 사람의 핵형

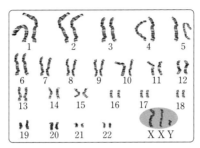

▲ 클라인펠터 증후군인 사람의 핵형

염색체 수 이상에 의한 유전병

구분	염색체 구성	특징
다운 증후군	45+XY, 45+XX	21번 염색체가 3개
에드워드 증후군	45+XY, 45+XX	18번 염색체가 3개
터너 증후군	44+X	성염색체가 X 1개, 외관상 여자
클라인펠터 증후군	44+XXY	성염색체가 XXY, 외관상 남자

시야 확장 ➕ 배수성 돌연변이

사람의 염색체 수 이상에 의한 유전병은 대부분 염색체 수가 정상보다 한두 개 많거나 적은 경우$(2n\pm1, 2n\pm2)$인데, 이를 이수성 돌연변이라고 한다. 이것은 생식세포를 형성하는 감수 분열 과정에서 염색체 한두 개가 분리되지 않은 것이 원인이다. 그런데 감수 분열 과정에서 모든 염색체가 분리되지 않으면 $3n, 4n$과 같이 염색체 세트의 수가 배로 증가하는데, 이를 배수성 돌연변이라고 한다. 이와 같은 배수성 돌연변이에 의해 염색체 한 세트(n) 전체가 많아진 생물을 배수체라고 하며, 핵상이 $3n$이면 3배체, $4n$이면 4배체라고 한다.

식물의 경우 배수성은 흔히 일어나는 현상이며, 작물의 품종을 개량하기 위해 인위적으로 만들기도 한다. 우리가 먹는 작물에는 자연적으로 또는 인위적으로 만들어진 배수체가 많은데, 씨 없는 수박($3n$), 감자($4n$), 토마토($4n$), 통밀($6n$) 등이 그 예이다. 일부 어류에서 배수체가 발견되지만, 동물의 경우 배수체는 거의 존재하지 않는다.

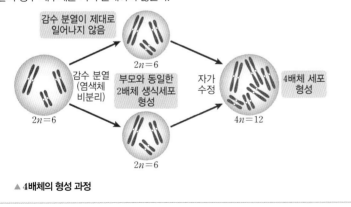

▲ 4배체의 형성 과정

식물의 배수성

식물에서의 배수성은 식물체나 열매, 꽃 등이 커지는 효과를 가져오기도 한다. 그래서 이러한 현상을 작물의 품종을 개량하는 데 이용하기도 한다. 일부 밀, 무, 배추 등의 작물이 배수성을 이용하여 개량되었다.

3배체

3배체가 되면 생식세포 형성 시 정상적인 감수 분열이 일어나지 않아 씨가 형성되지 않으므로 계속 증식할 수 없다. 씨 없는 수박, 씨 없는 바나나 등은 3배체($3n$)이다.

2. 염색체 구조 이상

(1) **원인**: 염색체의 일부분이 끊어진 후 염색체가 재배열되어 구조가 변경되는 돌연변이가 일어난 것이 원인이다. 염색체 수가 정상이라 하더라도 염색체 구조에 이상이 생기면 염색체 내 유전자의 구성과 배열이 달라지거나 일부 유전자가 사라지는 등의 변화가 생겨 유전병이 나타날 수 있다.

(2) 염색체 구조 이상의 종류

① 결실: 염색체의 일부가 끊어져 없어진 경우이다. 예 고양이 울음 증후군, 윌리엄스 증후군

② 역위: 염색체의 일부가 끊어진 후 거꾸로 붙은 경우이다.

③ 중복: 염색체에 이미 있던 것과 동일한 부분이 삽입되어 같은 부분이 반복되는 경우이다.

④ 전좌: 염색체의 일부가 끊어져 떨어져 나온 후 상동 염색체가 아닌 다른 염색체에 붙은 경우이다. 예 만성 골수성 백혈병

▲ 염색체 구조 이상

(3) 염색체 구조 이상에 의한 유전병

① 고양이 울음 증후군: 5번 염색체의 특정 부위가 결실되어 나타난다. 머리가 작고 지적 장애가 있으며, 어릴 때의 울음소리가 고양이 울음소리와 비슷하다.

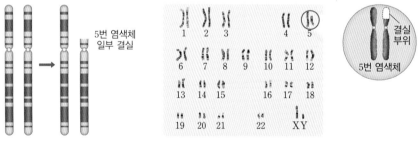

▲ 5번 염색체의 결실   ▲ 고양이 울음 증후군인 사람의 핵형

② 윌리엄스 증후군: 7번 염색체의 특정 부위가 결실되어 나타난다. 뇌 손상을 유발하고 심장 기형, 콩팥 손상, 근육 약화 등이 나타난다.

③ 만성 골수성 백혈병: 조혈 모세포에서 9번과 22번 염색체 사이에 전좌가 일어나 나타난다. 전좌가 일어난 조혈 모세포가 과도하게 증식함으로써 백혈병이 나타난다.

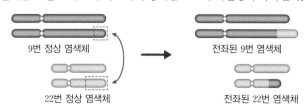

▲ 만성 골수성 백혈병과 관련된 전좌

③ 유전자 이상에 의한 유전병

탐구 2권 81쪽

사람의 유전 정보는 DNA의 염기 서열로 저장되어 있다. 따라서 유전자를 이루는 DNA의 염기 서열 중 단 1개라도 없어지거나 다른 염기로 바뀌면 심각한 질병이 나타날 수 있다. 사람의 유전병은 대부분 이러한 염기 서열의 변화에 의한 유전자 이상이 원인이 되어 나타난다.

1. 유전자 이상

유전자 이상은 유전자를 구성하는 DNA의 염기 서열에 이상이 생겨 나타나는 돌연변이이다. 유전자 이상은 염색체의 수, 모양, 크기에는 영향을 주지 않기 때문에 이러한 원인으로 나타나는 유전병은 핵형 분석으로 알아낼 수 없다.

2. 유전자 이상에 의한 유전병

유전자 이상에 의한 유전병은 멘델 법칙에 따라 유전되며, 우성과 열성을 구별할 수 있다. 열성 유전병에는 낫 모양 적혈구 빈혈증, 페닐케톤뇨증, 알비노증, 낭성 섬유증 등이 있으며, 우성 유전병에는 헌팅턴 무도병 등이 있다.

⑴ **낫 모양 적혈구 빈혈증**: 산소를 운반하는 헤모글로빈 단백질을 만드는 유전자의 염기 하나가 바뀐 것이 원인이다. 그 결과 아미노산 하나가 달라져 비정상 헤모글로빈이 만들어지고, 비정상 헤모글로빈이 서로 달라붙어 긴 바늘 모양의 구조를 형성하여 적혈구가 낫 모양으로 변형된다. 낫 모양의 적혈구는 정상 적혈구에 비해 수명이 짧고 산소 운반 능력이 떨어지며, 모세 혈관을 막아 혈액 순환을 방해한다. 이 때문에 조직으로 공급되는 산소의 양이 부족하여 심한 빈혈이 나타나고 신체 조직이 손상된다.

시선 집중 ★ 유전자 이상으로 낫 모양 적혈구가 형성되는 과정

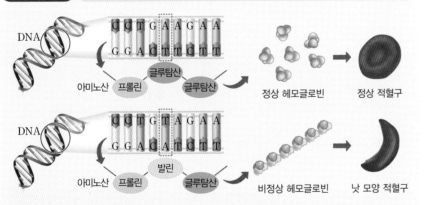

❶ 헤모글로빈은 α 사슬 2개와 β 사슬 2개로 이루어진 단백질이며, α 사슬과 β 사슬은 각각 DNA에 있는 유전자에 의해 합성된다.

❷ DNA의 헤모글로빈 β 사슬 유전자의 염기 하나가 바뀌는 유전자 이상이 일어난 결과 β 사슬의 6번째 아미노산이 글루탐산 대신 발린으로 바뀌어 β 사슬의 입체 구조가 변한다. 입체 구조가 바뀐 β 사슬이 α 사슬과 결합하여 비정상 헤모글로빈을 형성한다.

❸ 정상 헤모글로빈은 산소 결합 여부에 관계없이 서로 달라붙지 않아 적혈구가 원반 모양이다. 그러나 비정상 헤모글로빈은 산소와 결합한 상태에서는 서로 달라붙지 않지만, 산소와 분리된 상태에서는 서로 달라붙어 긴 바늘 모양의 구조를 형성하여 적혈구가 낫 모양으로 찌그러진다.

염색체 이상 유전병보다 유전자 이상 유전병이 많은 까닭

사람에게서 발견되는 유전병은 대부분 유전자 이상에 의해 나타나며, 알려진 종류만 수천 가지에 이른다. 그러나 염색체 이상 유전병은 많지 않다. 이것은 유전자 돌연변이는 사람의 생존에 치명적으로 작용하지 않는 경우가 많지만, 염색체 이상은 유전자의 결손이 매우 크기 때문에 정상적으로 발생하지 못하여 유산되기 쉽고, 출생하더라도 자손을 남기지 못하는 경우가 많기 때문이다.

DNA의 염기 서열과 유전자 이상

DNA의 유전자는 RNA로 전사된 후 단백질로 번역되어 형질이 발현된다. 유전 정보는 DNA의 연속된 염기 3개가 한 조가 되어 특정 아미노산을 지정하는 방식으로 저장되어 있는데, DNA의 염기 서열이 1개~2개만 변해도 지정하는 아미노산의 종류가 달라지거나 유전 암호를 읽는 틀이 달라지게 된다. 그 결과 정상적인 단백질이 합성되지 않거나, 단백질의 입체 구조가 달라져 정상적인 기능을 할 수 없게 됨으로써 이상 형질이 나타나게 된다.

낫 모양 적혈구 빈혈증과 자연 선택

낫 모양 적혈구는 정상 적혈구에 비해 수명이 짧지만, 말라리아에 대한 저항성이 있다. 이 때문에 말라리아가 자주 발생하는 지역에서는 낫 모양 적혈구 대립유전자를 1개 가지고 있어 유전자형이 이형 접합성인 사람이 생존에 유리하여 자연 선택된다.

(2) **페닐케톤뇨증:** 유전자 이상으로 페닐알라닌을 분해하는 효소가 결핍되어 나타나는 유전병이다. 페닐알라닌을 타이로신으로 전환하지 못해 체내에 페닐알라닌이 축적되고, 축적된 페닐알라닌이 페닐케톤으로 바뀌어 중추 신경계를 손상시킨다. 신생아 검사로 조기에 발견하여 지속적으로 식이 요법을 하면 병의 진행을 늦출 수 있다.

(3) **낭성 섬유증:** 유전자 이상으로 상피 세포의 물질 수송을 담당하는 단백질이 정상적으로 합성되지 않아 점액의 점성을 조절하지 못함으로써 비정상적으로 진하고 끈적끈적한 점액이 만들어지는 유전병이다. 폐, 간, 이자 등에서 과도한 점액이 분비되어 기도가 막히고 염증이 유발되며, 음식물의 소화와 흡수에 장애가 나타난다.

(4) **알비노증(백색증):** 유전자 이상으로 멜라닌 색소의 합성에 관여하는 효소가 결핍되어 나타나는 유전병이다. 멜라닌 색소가 합성되지 않아 눈, 피부, 머리카락 등이 하얗게 된다.

(5) **헌팅턴 무도병:** 유전자 이상으로 뇌 신경계가 퇴화하여 나타나는 유전병이다. 신경계가 서서히 파괴되면서 머리와 팔다리의 움직임을 통제할 수 없어 의도하지 않은 움직임이 나타나며, 기억력과 판단력이 없어지는 등 지적 장애가 나타난다. 헌팅턴 무도병은 우성으로 유전된다.

▲ **알비노증** 피부를 보호하는 멜라닌 색소가 결핍되어 자외선에 대한 방어 능력이 떨어진다.

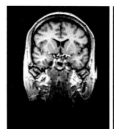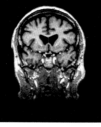

▲ **정상인의 뇌(왼쪽)와 헌팅턴 무도병 환자의 뇌(오른쪽)**
헌팅턴 무도병 환자의 뇌는 정상인에 비해 위축되어 있다.

시야 확장 ➕ 태아의 유전병 진단 방법

유전병은 염색체나 유전자에 이상이 생겨 나타나므로 근본적인 치료가 어렵다. 그러나 유전병을 조기에 진단하여 적절한 치료를 하면 증세가 나타나는 것을 늦추고, 악화되는 것을 막을 수도 있다. 태아의 유전병을 진단하는 방법에는 융모막 융모 검사와 양수 검사가 있다.

융모막 융모 검사는 태반의 바깥층인 융모막에서 태아에서 유래한 조직의 일부를 채취하여 검사하는 것으로, 임신 8주~10주에 실시할 수 있다. 양수 검사는 임신한 여성의 양수를 채취한 후 태아의 세포를 분리·배양하여 검사하는 것으로, 보통 임신 14주~16주에 실시할 수 있다. 두 검사모두 특정 유전병이 있을 때 생성되는 물질이 태아 세포에서 검출되는지를 알아보는 생화학적 검사를 실시하거나, 태아의 DNA나 염색체를 분석함으로써 태아의 유전적 결함 여부를 진단한다.

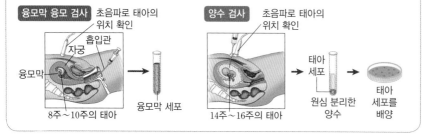

페닐알라닌
필수 아미노산의 하나로, 체내에 페닐알라닌 분해 효소가 없을 경우 페닐케톤뇨증이 나타난다.

페닐케톤뇨증의 조기 진단
페닐케톤뇨증은 조기에 발견하여 페닐알라닌이 포함된 단백질 섭취를 제한하면 페닐케톤 생성량을 낮추어 병의 진행을 크게 늦출 수 있다. 이 때문에 우리나라에서는 모든 신생아를 대상으로 혈액 검사를 통해 페닐케톤뇨증을 진단하고 있다.

알비노증
알비노증인 사람은 멜라닌 색소가 결핍되어 피부와 털이 하얗고, 눈의 홍채도 색소가 결핍되어 밝은 색깔을 나타내며, 혈관이 비쳐 보여 눈동자가 붉은색으로 나타나기도 한다.

헌팅턴 무도병의 유전
일반적으로 우성 유전병이 있는 사람은 일찍 사망하는 경우가 많아 자손에게 유전병을 물려주지 않지만, 헌팅턴 무도병은 중년에 이르러서야 증세가 나타나므로 유전자가 자손에게 전달될 수 있다.

융모막
태반 조직으로, 태아를 둘러싸고 있는 가장 바깥쪽의 혈관막이다. 융모막은 수정란에서 유래하기 때문에 태아와 거의 유사한 염색체 구성을 가진다.

양수
태아를 둘러싼 양막 안에 가득 차 있는 액체로, 건조나 외부 충격으로부터 태아를 보호한다. 양수에는 모체의 혈액에서 유래한 물질, 태아에서 떨어져 나온 세포, 태아에서 유래한 단백질, 탄수화물, 지방 등의 물질이 포함되어 있다.

낫 모양 적혈구의 막 변형 현상 모의 활동하기

정상 적혈구가 낫 모양 적혈구로 변형되는 현상을 모의 활동을 통해 설명할 수 있다.

과정

1 물 풍선 안에 공 모양의 비즈를 낱개로 10개 넣고, 공기를 약간 채워 넣은 후 실로 묶어 물 풍선 A를 만든다.

2 다른 10개의 비즈를 굵은 실에 꿰어 단단히 연결한다. 이것을 다른 물 풍선 안에 넣고 공기를 약간 채워 넣은 후 실로 묶어 물 풍선 B를 만든다.

3 책상 위에 책을 놓아 물 풍선 A의 지름보다 약간 넓은 길을 직선 구간과 갈라진 구간이 있게 만든 다음, 물 풍선 A와 B를 각각 넣고 펜으로 굴려 본다.

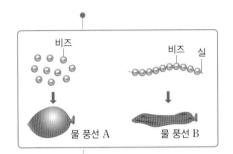

결과

1 물 풍선 A는 둥근 모양이고, 물 풍선 B는 길쭉한 모양이다.

2 물 풍선 A는 어떤 방향으로 굴려도 직선 구간과 갈라진 구간을 쉽게 지나가지만, 물 풍선 B는 굴리는 방향에 따라 길에 걸리기도 하고 갈라진 구간에서는 빠져나가기가 어렵다.

해석

1 낱개로 된 비즈는 정상 헤모글로빈, 굵은 실에 꿴 비즈는 비정상 헤모글로빈이 길쭉하게 결합한 상태, 물 풍선 A는 정상 적혈구, 물 풍선 B는 낫 모양 적혈구를 나타낸다.

2 정상 헤모글로빈과 유전자 이상으로 생긴 비정상 헤모글로빈의 비교

정상 헤모글로빈과 정상 적혈구	비정상 헤모글로빈과 낫 모양 적혈구
산소 결합 여부에 관계없이 헤모글로빈이 서로 달라붙지 않는다. → 적혈구가 항상 원반 모양이다.	산소와 결합한 상태에서는 적혈구가 원반 모양이지만, 산소와 분리된 상태에서는 헤모글로빈이 서로 달라붙어 적혈구가 낫 모양으로 변한다.

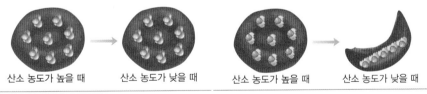

산소 농도가 높을 때   산소 농도가 낮을 때   산소 농도가 높을 때   산소 농도가 낮을 때

3 낫 모양 적혈구는 모세 혈관을 막아 혈액 순환을 방해하므로 조직으로 공급되는 산소가 부족하여 신체 조직이 손상될 수 있다. → 비정상 단백질이 만들어지면 세포의 모양이 바뀌어 신체 기능에 이상을 일으킬 수 있다.

탐구 확인 문제

> 정답과 해설 65쪽

01 위 탐구에 대한 설명으로 옳지 않은 것은?

① 낱개로 된 비즈는 정상 헤모글로빈을 나타낸다.

② 비즈를 실에 꿰는 것은 비정상 헤모글로빈의 결합을 나타낸다.

③ 물 풍선은 적혈구를 나타낸다.

④ 물 풍선 A는 갈라진 구간에 걸려 잘 이동하지 못한다.

⑤ 물 풍선 B는 산소 농도가 낮을 때 만들어지는 낫 모양 적혈구를 나타낸다.

02 유전자 이상으로 낫 모양 적혈구가 형성되는 과정을 다음 용어를 모두 사용하여 서술하시오.

염기 서열	아미노산	헤모글로빈
산소 농도	적혈구	

사람의 유전병과 가계도 분석

감수 분열 과정에서 염색체 비분리 현상이 일어나 형성된 생식세포의 염색체 구성과 이 생식세포가 수정되었을 때 나타날 수 있는 유전병에 대한 문제는 시험에서 빠짐없이 출제된다. 가계도와 핵형을 근거로 부모 중 어느 쪽에서, 감수 1분열과 감수 2분열 중 어느 시기에 염색체 비분리 현상이 일어났는지 파악할 수 있어야 하고, 유전자 이상에 의한 유전병이 유전되는 방식을 설명할 수 있어야 한다.

❶ 염색체 비분리 현상과 사람의 유전병

그림 (가)와 (나)는 사람의 정자 형성 과정에서 일어날 수 있는 염색체 비분리 현상을 나타낸 것이다. (가)와 (나)에서 염색체 비분리는 각각 1회 일어났고, 나머지 염색체는 모두 정상적으로 분리되었다.

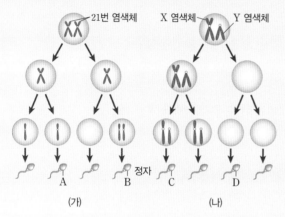

(1) (가)는 감수 2분열에서 상염색체인 21번 염색체의 염색 분체가 비분리되었다.

(2) (나)는 감수 1분열에서 성염색체가 비분리되었다.

(3) 정자 A~D의 염색체 구성은 다음과 같다.

A: 22+X 또는 22+Y(정상)

B: 23+X 또는 23+Y(21번 염색체가 2개)

C: 22+XY(성염색체가 2개)

D: 22(성염색체 없음)

(4) 정자 A~D가 각각 정상 난자(22+X)와 수정되어 형성된 수정란의 염색체 구성과 이 수정란이 발생하여 태어난 아이에게 나타날 수 있는 유전병은 다음과 같다.

수정	수정란의 염색체 구성	유전병
A+정상 난자	44+XX 또는 44+XY	정상
B+정상 난자	45+XX 또는 45+XY (21번 염색체가 3개)	다운 증후군
C+정상 난자	44+XXY	클라인펠터 증후군
D+정상 난자	44+X	터너 증후군

❷ 가계도와 핵형에 근거하여 유전병의 원인 파악하기

그림 (가)는 철수네 집안의 적록 색맹 유전 가계도를, 그림 (나)는 철수의 핵형을 나타낸 것이다. 철수네 집안의 구성원 A~I의 핵형은 모두 정상이다.

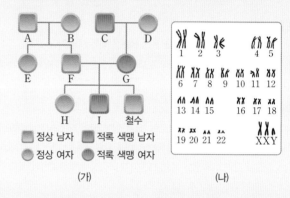

(1) 적록 색맹은 유전자가 X 염색체에 있으며, 정상에 대해 열성 형질이다.

(2) 정상 대립유전자를 X^R, 적록 색맹 대립유전자를 X^r라고 할 때, A~I의 적록 색맹 유전자형은 다음과 같다.

- 정상 남자인 A와 F는 $X^R Y$이고, 적록 색맹 남자인 C와 I는 $X^r Y$이다.

- 적록 색맹 여자인 G는 $X^r X^r$이고, D는 적록 색맹인 딸 G가 있으므로 $X^R X^r$(보인자)이며, H는 어머니인 G가 적록 색맹이므로 $X^R X^r$(보인자)이다.

- B와 E는 가계도만으로는 $X^R X^R$인지 $X^R X^r$인지 확실히 알 수 없다.

(3) 철수는 염색체 구성이 44+XXY이므로 클라인펠터 증후군을 나타낸다. 어머니인 G가 적록 색맹인데 철수는 정상이므로, 철수는 아버지에게서 정상 대립유전자(X^R)를 물려받아 유전자형이 $X^R X^r Y$이다. ➡ 철수 아버지인 F의 정자 형성 과정 중 감수 1분열에서 성염색체가 비분리되어 X 염색체와 Y 염색체가 함께 들어간 정자가 형성된 후 어머니의 정상 난자와 수정되어 철수가 태어났다.

> 감수 분열과 염색체 비분리

03 그림은 남자의 정소에서 감수 분열 중인 세포 (가)와 (나)를 나타낸 것이다. 그림에는 18번 염색체와 21번 염색체만 나타냈으며, 그림에 제시된 것 이외의 돌연변이는 고려하지 않는다.

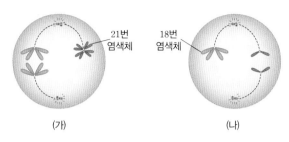

(가)   (나)

이에 대한 설명으로 옳은 것만을 〈보기〉에서 있는 대로 고른 것은?

보기

ㄱ. (가)가 감수 분열을 완료하면 핵상이 $n-1$, $n+1$인 정자가 각각 형성된다.

ㄴ. (가)에서 유전자 구성이 같은 21번 염색체 2개가 들어 있는 정자가 형성된다.

ㄷ. (나)가 분열되어 형성된 정자가 정상 난자와 수정되어 아이가 태어날 때, 이 아이가 에드워드 증후군을 나타낼 확률은 $\dfrac{1}{2}$이다.

① ㄱ   ② ㄴ   ③ ㄱ, ㄴ   ④ ㄱ, ㄷ   ⑤ ㄱ, ㄴ, ㄷ

• 감수 1분열에서는 상동 염색체가, 감수 2분열에서는 염색 분체가 분리된다. (가)에서는 감수 1분열에서 21번 염색체의 비분리가, (나)에서는 감수 2분열에서 18번 염색체의 비분리가 일어났다.

> 염색체 구조 이상

04 그림은 사람의 정자 ㉠과 ㉡이 형성되는 과정에서 일어난 돌연변이를 나타낸 것이다.

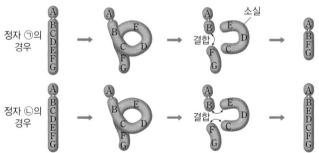

이에 대한 설명으로 옳은 것만을 〈보기〉에서 있는 대로 고른 것은? (단, 제시된 것 이외의 돌연변이는 고려하지 않는다.)

보기

ㄱ. 염색체 수는 ㉠과 ㉡에서 같다.

ㄴ. ㉠과 ㉡이 형성되는 과정에서 염색체의 절단과 결합이 일어났다.

ㄷ. ㉡이 형성되는 과정에서 일어난 것과 같은 돌연변이는 고양이 울음 증후군의 원인이 된다.

① ㄱ   ② ㄴ   ③ ㄱ, ㄴ   ④ ㄱ, ㄷ   ⑤ ㄴ, ㄷ

• ㉠이 형성될 때 염색체 일부의 결실이 일어났고, ㉡이 형성될 때 염색체의 역위가 일어났다.

고난도

05 ❯ 염색체 구조 이상

그림 (가)~(다)는 같은 종의 동물 개체의 세포에 들어 있는 상염색체와 성염색체를 한 쌍씩 나타낸 것이다. (가)는 핵형이 정상인 수컷, (나)는 염색체 구조 이상이 일어난 암컷, (다)는 이들 사이에서 태어난 자손의 세포이다. A와 a는 대립유전자이며, 수컷의 성염색체 구성은 XY, 암컷의 성염색체 구성은 XX이다.

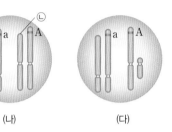

(가)   (나)   (다)

이에 대한 설명으로 옳은 것만을 〈보기〉에서 있는 대로 고른 것은? (단, 제시된 것 이외의 돌연변이는 고려하지 않는다.)

┌─ 보기 ───┐
│ ㄱ. ㉠과 ㉡은 상동 염색체이다.   │
│ ㄴ. (나)에는 성염색체 일부가 상염색체로 전좌된 염색체가 있다. │
│ ㄷ. (다)의 A는 (가)에게서, a는 (나)에게서 물려받은 것이다. │
└──┘

① ㄱ   ② ㄴ   ③ ㄱ, ㄴ   ④ ㄱ, ㄷ   ⑤ ㄴ, ㄷ

> 수컷과 암컷은 성염색체 구성이 다르며, 유전자가 X 염색체에 있을 경우 수컷은 Y 염색체에 대립유전자가 없다.

06 ❯ 사람의 유전병과 원인

표는 여러 유전병 환자의 특징을 나타낸 것이다.

환자	유전병	특징
(가)	터너 증후군	성염색체가 X 1개
(나)	알비노증	멜라닌 색소 결핍
(다)	윌리엄스 증후군	7번 염색체 결실
(라)	낫 모양 적혈구 빈혈증	비정상 헤모글로빈 형성
(마)	에드워드 증후군	18번 염색체가 3개

이에 대한 설명으로 옳은 것만을 〈보기〉에서 있는 대로 고른 것은?

┌─ 보기 ───┐
│ ㄱ. (나)와 (라)는 염색체 구조 이상에 의해 나타난다.   │
│ ㄴ. (다)의 핵형은 성별이 같은 정상인과 같다.   │
│ ㄷ. (마)는 (가)보다 체세포의 염색체 수가 2개 많다.   │
└──┘

① ㄴ   ② ㄷ   ③ ㄱ, ㄷ   ④ ㄴ, ㄷ   ⑤ ㄱ, ㄴ, ㄷ

> 염색체 구성이 터너 증후군인 사람은 44+X, 알비노증, 윌리엄스 증후군, 낫 모양 적혈구 빈혈증인 사람은 44+XX 또는 44+XY, 에드워드 증후군인 사람은 45+XX 또는 45+XY이다.

읽을거리 사람 유전체 다형성과 맞춤 의학

유전체는 한 개체의 유전 정보 전체를 의미한다. 사람 유전체 사업은 사람의 유전체를 구성하는 DNA의 염기 서열을 알아내는 프로젝트로, 10년 이상의 시간과 수조 원의 비용이 소요되었다. 사람 유전체 사업 이후 유전자로부터 만들어지는 단백질의 구조와 기능을 밝히고, 이들이 어떻게 상호 작용하는지를 연구하는 유전체 기능 연구가 활발하게 이루어지고 있다.

유전체 기능 연구의 핵심은 유전체 다형성이다. 외형적으로 매우 달라 보이는 사람들도 유전체의 염기 서열은 99.9 % 이상이 동일하고 나머지 0.1 % 정도만이 다른데, 이러한 개인 간 DNA 염기 서열의 차이를 유전체 다형성이라고 한다. 사람 유전체의 염기 서열 차이 때문에 개인마다 질병, 독극물, 병원체, 의약품 등에 대해 서로 다른 반응을 나타낼 수 있다. 서로 다른 DNA 염기 서열 중 대부분은 사람의 활동에 거의 영향을 미치지 않지만, 이들 중 일부는 유전자 산물의 양이나 기능에 미세한 변화를 일으켜 특정한 질병이나 약에 반응하는 정도가 달라지게 할 수 있다. 이 때문에 같은 약을 먹더라도 사람마다 약효가 다르고 부작용도 다르게 나타날 수 있다. 따라서 의약품을 특정 유전 형질과 연관시켜 개발한다면 약효를 높이고 부작용을 줄일 수 있다. 최근 차세대 DNA 염기 서열 분석기를 사용하여 하루 안에 한 사람의 유전체 염기 서열을 완전히 분석할 수 있게 되었다. 의사들은 환자의 유전 형질을 검사한 후 개인에게 적합한 맞춤형 약이나 치료 방법을 선택하고, 특정한 질병에 걸릴 가능성이 큰 사람은 그 질병에 걸리지 않도록 음식이나 생활 습관을 관리하며 정기적인 검진을 강화할 수 있게 될 것이다.

이전까지 의학은 경험에 의해 개인의 차이를 인지하고 있기는 했지만, 개인별 차이가 나타나는 원인과 접근 방법을 정확히 알지 못했다. 이 때문에 하나의 질병에 대해 하나의 표적을 대상으로 하는 획일적인 치료 방법을 모든 사람에게 적용해 왔다. 그러나 현대는 사람 유전체에 대한 이해를 바탕으로 개인 간 유전체 차이에 따른 개별적 치료 방법을 사용하는 소위 '맞춤 의학' 시대로 접어들었다고 할 수 있을 것이다.

01 ▷단일 인자 유전 가계도 분석

그림은 사람의 어떤 유전병에 대한 가계도를 나타낸 것이다. 이 유전병은 대립유전자 A와 a에 의해 결정되며, A는 a에 대해 우성이다.

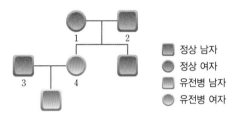

정상 남자
정상 여자
유전병 남자
유전병 여자

이에 대한 설명으로 옳은 것만을 〈보기〉에서 있는 대로 고른 것은? (단, 돌연변이는 고려하지 않는다.)

보기
ㄱ. 1의 유전병 유전자형은 Aa이다.
ㄴ. 체세포 1개당 유전병을 결정하는 대립유전자의 수는 1이 2의 2배이다.
ㄷ. 3과 4 사이에서 아이가 한 명 더 태어날 때, 이 아이가 정상일 확률은 $\frac{1}{2}$이다.

① ㄱ   ② ㄷ   ③ ㄱ, ㄴ   ④ ㄱ, ㄷ   ⑤ ㄴ, ㄷ

• 표현형이 같은 부모 사이에서 부모와 다른 표현형을 가진 딸이 태어나면 부모의 표현형이 우성이며, 유전자는 상염색체에 있다.

02 ▷가계도 분석과 대립유전자의 유전

그림 (가)는 철수네 집안의 유전병 ㉠에 대한 가계도를, 그림 (나)는 철수네 가족에서 체세포 1개당 유전병 ㉠의 발현에 관여하는 대립유전자 A와 A*의 DNA 상대량을 나타낸 것이다.

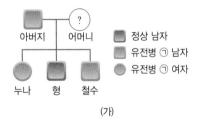

아버지   어머니

정상 남자
유전병 ㉠ 남자
유전병 ㉠ 여자

누나   형   철수

(가)

체세포 1개당 DNA 상대량

아버지   누나   형   철수

■ A
▥ A*

(나)

이에 대한 설명으로 옳은 것만을 〈보기〉에서 있는 대로 고른 것은? (단, 돌연변이는 고려하지 않으며, A와 A* 각각의 1개당 DNA 상대량은 같다.)

보기
ㄱ. A*는 A에 대해 우성이다.
ㄴ. 어머니는 ㉠을 나타낸다.
ㄷ. 철수가 ㉠을 나타내는 여자와 결혼하여 아이가 태어날 때, 이 아이는 반드시 ㉠을 나타낸다.

① ㄱ   ② ㄷ   ③ ㄱ, ㄴ   ④ ㄴ, ㄷ   ⑤ ㄱ, ㄴ, ㄷ

• A*가 1개 이상 있으면 유전병 ㉠이 나타나고, 유전자형이 AA일 때는 정상이므로 A*는 유전병 ㉠ 대립유전자이며 우성이다.

03

ABO식 혈액형의 유전과 혈액 응집 반응

그림 (가)는 어떤 집안의 ABO식 혈액형 유전 가계도를, 그림 (나)는 이 집안의 구성원 3과 4의 혈액에 들어 있는 응집원과 응집소를 나타낸 것이다.

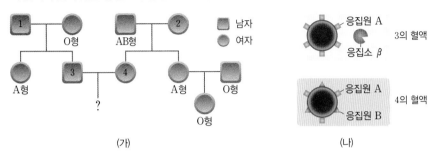

(가)   (나)

> 응집원 A와 응집소 β가 있으면 A형이고, 응집원 A와 B가 모두 있으면 AB형이다.

이에 대한 설명으로 옳지 **않은** 것은?

① 1의 혈액에는 응집원 A가 있다.

② 2는 ABO식 혈액형의 열성 대립유전자를 가진다.

③ 3은 ABO식 혈액형의 유전자형이 이형 접합성이다.

④ 4의 적혈구와 2의 혈장을 섞으면 응집하지 않는다.

⑤ 3과 4 사이에서 ABO식 혈액형이 B형인 딸이 태어날 확률은 $\frac{1}{8}$이다.

04

두 가지 형질의 유전 가계도 분석

유전병 ㉠은 대립유전자 A와 A*, ㉡은 B와 B*에 의해 결정된다. 그림 (가)는 ㉠과 ㉡에 대한 가계도를, (나)는 (가)의 1~4에서 체세포 1개당 A*와 B*의 DNA 상대량을 나타낸 것이다.

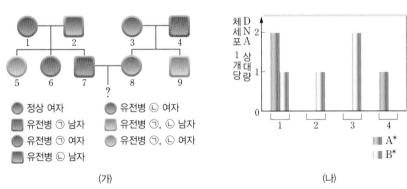

정상 여자
유전병 ㉠ 남자
유전병 ㉠ 여자
유전병 ㉡ 남자
유전병 ㉡ 여자
유전병 ㉠, ㉡ 남자
유전병 ㉠, ㉡ 여자

(가)   (나)

> 남녀 모두 A*가 1개만 있어도 유전병 ㉠이 나타나므로 A*는 우성 대립유전자이다. 여자는 B*가 2개 있을 때, 남자는 B*가 1개만 있어도 유전병 ㉡이 나타난다.

이에 대한 설명으로 옳은 것만을 〈보기〉에서 있는 대로 고른 것은? (단, 돌연변이는 고려하지 않으며, A, A*, B, B* 각각의 1개당 DNA 상대량은 같다.)

보기

ㄱ. ㉠은 우성 형질이다.

ㄴ. B*는 성염색체에 있다.

ㄷ. 7과 8 사이에서 아들이 태어날 때, 이 아이가 ㉠과 ㉡을 모두 나타낼 확률은 $\frac{1}{4}$이다.

① ㄱ   ② ㄷ   ③ ㄱ, ㄴ   ④ ㄴ, ㄷ   ⑤ ㄱ, ㄴ, ㄷ

05 〉 ABO식 혈액형과 유전병의 유전 현상 해석

다음은 어떤 집안의 ABO식 혈액형과 유전병 ㉠에 대한 자료이다.

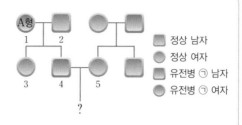

- 그림은 이 집안의 ABO식 혈액형과 유전병 ㉠에 대한 가계도이다.
- 구성원 1~4의 ABO식 혈액형은 모두 다르며, 4의 적혈구를 1, 3의 혈장과 각각 섞으면 모두 응집 반응이 일어난다.

정상 남자 / 정상 여자 / 유전병 ㉠ 남자 / 유전병 ㉠ 여자

- 구성원 2와 5의 ABO식 혈액형의 유전자형은 같다.
- 유전병 ㉠은 정상 대립유전자 T와 유전병 ㉠ 대립유전자 T*에 의해 결정되며, T와 T*의 우열 관계는 분명하다.
- 1과 2는 각각 대립유전자 T와 T* 중 한 가지만 가지고 있다.

이에 대한 설명으로 옳은 것만을 〈보기〉에서 있는 대로 고른 것은? (단, 돌연변이는 고려하지 않는다.)

┌─ 보기 ─────────────────────────────┐
ㄱ. 2는 응집소 α를 가진다.

ㄴ. 3과 5는 모두 T*를 가진다.

ㄷ. 4와 5 사이에서 아이가 태어날 때, 이 아이가 B형이고 유전병 ㉠을 나타낼 확률은 $\frac{1}{4}$이다.
└────────────────────────────────┘

① ㄱ   ② ㄴ   ③ ㄱ, ㄴ   ④ ㄴ, ㄷ   ⑤ ㄱ, ㄴ, ㄷ

- 1~4의 ABO식 혈액형이 모두 다르고, 1이 A형이므로 2는 B형이다. 4의 적혈구를 1, 3의 혈장과 각각 섞으면 모두 응집 반응이 일어나므로 3의 혈장에는 응집소가 있고, 4의 적혈구에는 응집원이 있다.

---

06 〉 적록 색맹 유전과 염색체 비분리

다음은 어떤 여자 A에 대한 자료이다.

- A는 터너 증후군을 나타낸다.
- A는 적록 색맹이지만, 부모는 모두 정상이다.
- 부모의 생식세포 형성 과정에서 염색체 비분리는 부모 중 한쪽에서만 1회 일어났다.

이에 대한 설명으로 옳은 것만을 〈보기〉에서 있는 대로 고른 것은? (단, 제시된 염색체 비분리 이외의 돌연변이는 고려하지 않는다.)

┌─ 보기 ─────────────────────────────┐
ㄱ. A는 적록 색맹 대립유전자를 어머니에게서 물려받았다.

ㄴ. 염색체 비분리 현상은 A의 아버지에게서 일어났다.

ㄷ. A의 체세포의 상염색체 수는 정상 여자보다 1개 적다.
└────────────────────────────────┘

① ㄱ   ② ㄱ, ㄴ   ③ ㄱ, ㄷ   ④ ㄴ, ㄷ   ⑤ ㄱ, ㄴ, ㄷ

- 적록 색맹 대립유전자는 X 염색체에 있으며, 정상 대립유전자에 대해 열성이다. 터너 증후군인 사람은 X 염색체를 1개 가진다.

---

07 ▷ 다인자 유전 형질의 빈도 계산

다음은 사람의 유전 형질 ⓐ에 대한 설명이다.

- ⓐ은 서로 다른 상염색체에 존재하는 3쌍의 대립유전자 A와 a, B와 b, C와 c에 의해 결정된다.
- ⓐ의 표현형은 유전자형에서 A, B, C 개수의 합에 의해서만 결정된다.

형질 ⓐ에 대한 유전자형이 **AaBbCc**로 같은 부모 사이에서 태어난 아이가 부모와 ⓐ의 표현형이 같을 확률은? (단, 환경의 영향은 고려하지 않는다.)

① $\dfrac{1}{16}$ ② $\dfrac{9}{64}$ ③ $\dfrac{5}{32}$ ④ $\dfrac{3}{16}$ ⑤ $\dfrac{5}{16}$

• A, B, C 개수의 합이 같으면 ⓐ의 표현형이 같다. 따라서 A, B, C 개수의 합이 3개인 유전자형이 나올 확률을 각각 구하고, 각 경우의 확률을 더한다.

08 ▷ 가계도 분석과 염색체 비분리

다음은 어떤 집안의 유전병 ⓐ과 ⓑ에 대한 자료이다.

- ⓐ은 대립유전자 A와 A*에 의해, ⓑ은 대립유전자 B와 B*에 의해 결정되며, 각 대립유전자 사이의 우열 관계는 분명하다.
- ⓐ과 ⓑ을 결정하는 유전자는 서로 다른 염색체에 존재한다.
- 그림은 어떤 집안의 유전병 ⓐ과 ⓑ에 대한 가계도를, 표는 각 구성원에서 체세포 1개당 A*와 B*의 DNA 상대량을 나타낸 것이다.

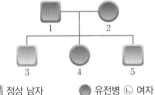

구성원		1	2	3	4	5
DNA 상대량	A*	1	0	1	1	0
	B*	0	2	1	1	1

■ 정상 남자   ● 유전병 ⓑ 여자
■ 유전병 ⓐ 남자   ■ 유전병 ⓐ, ⓑ 남자
● 유전병 ⓐ 여자

- 감수 분열 시 염색체 비분리가 1회 일어나 형성된 정자 ⓐ가 정상 난자와 수정되어 5가 태어났다. 5의 염색체 수는 47개이다.

이에 대한 설명으로 옳은 것만을 〈보기〉에서 있는 대로 고른 것은? (단, 제시된 염색체 비분리 이외의 돌연변이는 고려하지 않으며, A, A*, B, B* 각각의 1개당 DNA 상대량은 같다.)

┌─ 보기 ─────────────────────────
ㄱ. 4와 5의 체세포 1개당 B의 DNA 상대량은 같다.
ㄴ. 감수 1분열에서 성염색체가 비분리되어 정자 ⓐ가 형성되었다.
ㄷ. ⓐ과 ⓑ 중 ⓑ만 발현된 남자와 4 사이에서 아이가 태어날 때, 이 아이에게서 ⓐ과 ⓑ이 모두 발현될 확률은 $\dfrac{1}{4}$이다.
└──────────────────────────────

① ㄴ   ② ㄷ   ③ ㄱ, ㄴ   ④ ㄴ, ㄷ   ⑤ ㄱ, ㄴ, ㄷ

• B*가 1개 있을 때는 성별에 따라 형질의 발현 여부가 다르므로 B*는 성염색체에 있는 유전자이다.

09 ❯ 염색체 비분리와 생식세포

어떤 부부 A와 B는 모두 적록 색맹이 아니며, 염색체 수는 정상이다. A와 B 각각의 생식세포가 형성될 때 성염색체에서만 비분리가 1회씩 일어났으며, 표는 그 결과 만들어진 난자와 정자 중 일부에 대한 자료이다.

생식세포	비분리 발생 시기	성염색체	적록 색맹 대립유전자
난자 ㉠	감수 1분열	있음	있음
난자 ㉡	감수 2분열	있음	있음
정자 ㉢	감수 2분열	있음	없음
정자 ㉣	감수 2분열	없음	없음

이에 대한 설명으로 옳은 것만을 〈보기〉에서 있는 대로 고른 것은? (단, 제시된 염색체 비분리 이외의 돌연변이는 고려하지 않는다.)

보기
ㄱ. 적록 색맹 대립유전자의 DNA 상대량은 ㉠과 ㉡에서 같다.
ㄴ. ㉠과 ㉢이 수정되면 클라인펠터 증후군인 아이가 태어날 수 있다.
ㄷ. ㉡과 ㉣이 수정되면 적록 색맹이며 염색체 수가 정상인 딸이 태어날 수 있다.

① ㄱ   ② ㄷ   ③ ㄱ, ㄴ   ④ ㄱ, ㄷ   ⑤ ㄴ, ㄷ

> 난자 형성 과정 중 감수 1분열에서 성염색체가 비분리되면 유전자 구성이 다른 X 염색체 2개가 하나의 생식세포로 들어가고, 감수 2분열에서 성염색체가 비분리되면 유전자 구성이 같은 X 염색체 2개가 하나의 생식세포로 들어간다.

10 ❯ 감수 분열과 염색체 비분리

그림 (가)와 (나)는 각각 어떤 남자와 여자의 생식세포 형성 과정을, 표는 세포 ⓐ~ⓔ의 총 염색체 수와 X 염색체 수를 나타낸 것이다. (가)의 감수 1분열에서는 7번 염색체에서 비분리가 1회, 감수 2분열에서는 1개의 성염색체에서 비분리가 1회 일어났다. (나)의 감수 1분열에서는 21번 염색체에서 비분리가 1회, 감수 2분열에서는 1개의 성염색체에서 비분리가 1회 일어났다. ⓐ~ⓔ는 Ⅰ~Ⅴ를 순서 없이 나타낸 것이다.

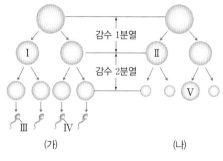
(가)   (나)

세포	총 염색체 수	X 염색체 수
ⓐ	22	1
ⓑ	24	0
ⓒ	24	1
ⓓ	25	0
ⓔ	㉠	2

이에 대한 설명으로 옳지 <u>않은</u> 것은? (단, 제시된 염색체 비분리 이외의 돌연변이는 고려하지 않으며, Ⅰ과 Ⅱ는 중기의 세포이다.)

① ㉠은 23이다.   ② Ⅰ의 염색 분체 수는 46개이다.
③ Ⅲ은 Y 염색체가 2개이다.   ④ Ⅳ는 상염색체가 21개이다.
⑤ Ⅴ에는 21번 염색체가 없다.

> 총 염색체 수가 25인 생식세포는 염색체 비분리에 의해 상염색체와 성염색체를 각각 1개씩 더 가지게 된 것이다.

11 > 염색체 구조 이상과 유전병

그림은 어떤 유전병 환자의 몸을 구성하는 세 가지 세포 속에 들어 있는 9번 염색체와 22번 염색체를 나타낸 것이다. 정원세포는 감수 분열을 하여 정자를 형성하는 세포이며, 조혈 모세포는 분열하여 혈구를 만드는 세포이다.

이에 대한 설명으로 옳은 것만을 〈보기〉에서 있는 대로 고른 것은?

> 보기
> ㄱ. 이 환자는 자손에게 이 유전병을 물려주지 않는다.
> ㄴ. 이 유전병은 수정란의 세포 분열 시 일어난 염색체 비분리가 원인이다.
> ㄷ. 조혈 모세포의 체세포 분열 과정에서 상염색체 사이에 전좌가 일어났다.

① ㄱ   ② ㄷ   ③ ㄱ, ㄴ   ④ ㄱ, ㄷ   ⑤ ㄴ, ㄷ

• 조혈 모세포의 염색체 구조가 상피 세포와 다른 것은 후천적으로 조혈 모세포가 분열하는 과정에서 9번 염색체와 22번 염색체의 일부가 바뀌었기 때문이다.

12 > 유전자 이상에 의한 유전병

다음은 사람의 어떤 유전병에 대한 자료이다.

• 단백질 ㉠을 결정하는 유전자는 상염색체에 있다.
• 그림은 정상인의 단백질 ㉠과 어떤 유전병 환자의 비정상 단백질 ㉠에서 차이가 있는 아미노산이 포함된 부위를 나타낸 것이다. ㉠은 146개의 아미노산으로 이루어진다.

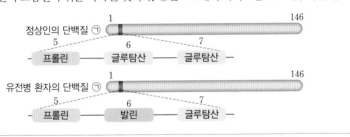

이 유전병에 대한 설명으로 옳은 것만을 〈보기〉에서 있는 대로 고른 것은? (단, 제시된 것 이외의 돌연변이는 고려하지 않는다.)

> 보기
> ㄱ. 남녀 모두에게 나타날 수 있다.
> ㄴ. 핵형 분석으로 유전병 환자를 진단할 수 있다.
> ㄷ. 6번째 아미노산을 암호화하는 염기 일부가 결실되었다.

① ㄱ   ② ㄴ   ③ ㄷ   ④ ㄱ, ㄷ   ⑤ ㄴ, ㄷ

• 단백질을 구성하는 아미노산의 서열은 DNA의 염기 서열에 의해 결정되며, DNA의 염기 서열에 이상이 생기면 유전병이 나타날 수 있다.

01 그림은 사람의 어떤 유전병에 대한 가계도를 나타낸 것이다. 이 유전병은 정상 대립유전자 **A**와 유전병 대립유전자 **A***에 의해 결정되며, A와 A*의 우열 관계는 분명하다.

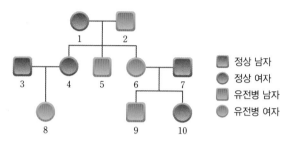

정상 남자
정상 여자
유전병 남자
유전병 여자

(1) 이 유전병은 우성 형질인지 열성 형질인지 쓰고, 그렇게 판단한 근거를 서술하시오.

(2) 이 유전병의 발현 빈도가 성별에 따라 어떻게 나타날 것인지 쓰고, 그렇게 판단한 근거를 서술하시오.

(3) 위 가계도의 구성원 7, 9, 10의 유전병 유전자형을 쓰시오.

02 다음은 페닐케톤뇨증에 대한 자료이다.

- 페닐케톤뇨증은 페닐알라닌을 타이로신으로 전환하는 효소 유전자의 이상에 의해 나타난다.
- 페닐케톤뇨증 대립유전자는 정상 대립유전자에 대해 열성이며, 페닐케톤뇨증은 멘델 법칙에 따라 유전된다.
- 남자 (가)와 여자 (나)는 페닐케톤뇨증 보인자이다.

(1) 페닐케톤뇨증의 원인은 무엇이며, 이러한 돌연변이를 무엇이라고 하는지 서술하시오.

(2) (가)와 (나) 사이에서 세 명의 아이가 태어날 때, 적어도 한 명 이상이 페닐케톤뇨증을 나타낼 확률을 그 과정을 포함하여 구하시오.

KEY WORDS

03 그림은 X 염색체에 의해 유전되는 어떤 유전병에 대한 가계도를 나타낸 것이다. (단, 돌연변이는 고려하지 않는다.)

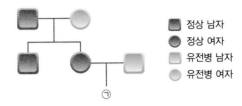

정상 남자
정상 여자
유전병 남자
유전병 여자

KEY WORDS
(1) • X 염색체
 • 유전병인 어머니
 • 정상인 아들
 • 유전병 대립유전자
 • 정상 대립유전자
(2) • 정상 대립유전자
 • 유전병 대립유전자
 • 유전병 유전자형
 • 아들, 딸

(1) 이 유전병이 우성 형질인지 열성 형질인지 쓰고, 그렇게 판단한 근거를 서술하시오.

(2) ㉠이 아들일 때와 딸일 때, 각각의 경우 유전병이 나타날 확률을 그 과정을 포함하여 구하시오.

04 다음은 사람의 ABO식 혈액형과 유전병 ㉠에 대한 자료이다.

KEY WORDS
(1) • 쌍둥이
 • 유전자
(2) • ABO식 혈액형 유전자형
 • 유전병 ㉠의 유전자형
 • 아들

• 유전병 ㉠의 유전자는 성염색체에 있으며, 우성 대립유전자 T와 열성 대립유전자 T*에 의해 결정된다.
• 그림은 어떤 집안의 ABO식 혈액형과 유전병 ㉠에 대한 가계도를, 표는 구성원 1, 3, 4 사이의 ABO식 혈액형에 대한 혈액 응집 반응 결과를 나타낸 것이다.

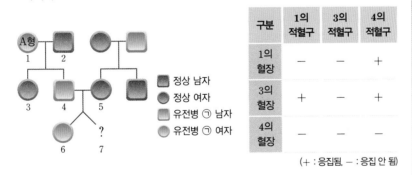

정상 남자
정상 여자
유전병 ㉠ 남자
유전병 ㉠ 여자

구분	1의 적혈구	3의 적혈구	4의 적혈구
1의 혈장	−	−	+
3의 혈장	+	−	+
4의 혈장	−	−	−

(+ : 응집됨, − : 응집 안 됨)

• 구성원 1, 2, 3, 4의 ABO식 혈액형은 모두 다르며, 2, 5, 6의 ABO식 혈액형의 유전자형은 모두 같다.

(1) 7의 ABO식 혈액형과 유전병 ㉠의 발현 여부를 쓰고, 그렇게 판단한 근거를 서술하시오.

(2) 4와 5 사이에서 셋째 아이가 태어날 때, 이 아이가 A형이고 유전병 ㉠을 나타내는 아들일 확률을 그 과정을 포함하여 구하시오.

05 그림은 사람의 정자 형성 과정을 나타낸 것이다. (가)의 감수 1분열에서는 성염색체 비분리가 1회 일어났고, (나)의 감수 2분열에서는 21번 염색체 비분리가 1회 일어났다. ㉠~㉣의 염색체 수는 ㉠=㉣>㉢>㉡이다. (단, 제시된 염색체 비분리 이외의 돌연변이는 고려하지 않는다.)

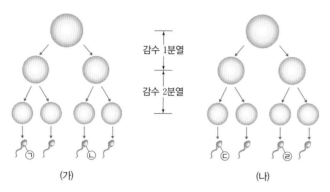

(1) 정자 ㉠, ㉡, ㉢이 각각 정상 난자와 수정되어 아이가 태어날 때, 이 아이의 염색체 구성과 유전병 발현 여부를 서술하시오.

(2) 정자 ㉠~㉣의 상염색체 수를 설명하고, 등호나 부등호로 비교하여 나타내시오.

KEY WORDS
(1) • 염색체 구성
　 • 클라인펠터 증후군
　 • 터너 증후군
(2) • 상염색체 수
　 • 21번 염색체

06 다음은 사람의 어떤 유전병 ㉠에 대한 자료이다.

- 유전병 ㉠은 우열 관계가 분명한 한 쌍의 대립유전자에 의해 결정된다.
- 유전병 ㉠은 여자보다 남자에서 많이 나타난다.
- 철수 부모님의 핵형은 정상인과 같다.
- 아들인 철수와 철수 아버지는 정상이고, 철수 어머니는 유전병 ㉠을 나타낸다.
- 철수는 부모 중 한쪽의 감수 분열 과정에서 염색체 비분리 현상이 1회 일어나 만들어진 생식세포와 정상 생식세포의 수정으로 태어났다.

(1) 유전병 ㉠ 유전자의 염색체상의 위치와 대립유전자의 우열 관계를 근거를 들어 서술하시오.

(2) 철수의 부모 중 감수 분열 과정에서 염색체 비분리 현상이 일어난 사람과 비분리가 일어난 시기를 쓰고, 그렇게 판단한 근거를 서술하시오.

KEY WORDS
(1) • 성염색체
　 • 대립유전자
　 • 우성, 열성
(2) • 아버지, 어머니
　 • 감수 분열
　 • X 염색체, Y 염색체
　 • 정자, 난자

07 그림 (가)는 정상인 어떤 염색체를, 그림 (나)는 세포 분열 과정에서 (가)에 돌연변이가 일어나 만들어진 염색체를 나타낸 것이다.

KEY WORDS
• 정상 염색체
• 염색체 구조 이상

동원체

(가) A B C D E F G

(나) A B C D E E D C F G

(나)와 같은 염색체가 형성될 때, 어떤 형태의 염색체 돌연변이가 일어난 것인지 근거를 들어 서술하시오.

08 그림은 정상 적혈구와 헤모글로빈 유전자의 DNA 염기 서열 1개가 바뀌어 낫 모양으로 변형된 적혈구를 나타낸 것이다.

KEY WORDS
• DNA 염기 서열
• 아미노산 서열
• 비정상 헤모글로빈
• 적혈구

정상 적혈구   낫 모양 적혈구

DNA 염기 서열 1개가 바뀐 것이 어떻게 세포의 모양을 바꾸어 낫 모양 적혈구가 되는지를 서술하시오.

09 헌팅턴 무도병은 우성 유전병이며, 발병하면 대부분 환자가 사망한다. 그런데 헌팅턴 무도병 대립유전자가 후대로 유전되는 것이 가능했던 까닭은 무엇인지 서술하시오.

KEY WORDS
• 발병 시기
• 자손

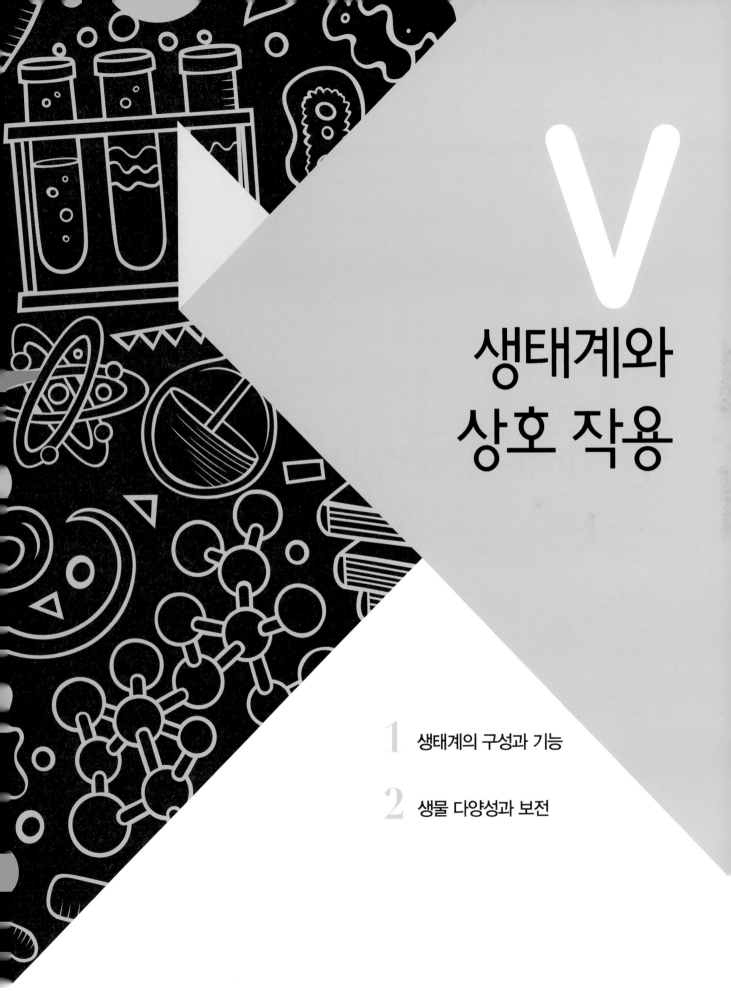

V

생태계와
상호 작용

1 생태계의 구성과 기능

2 생물 다양성과 보전

1

생태계의 구성과 기능

01 생물과 환경의 상호 작용

02 개체군

03 군집

04 에너지 흐름과 물질 순환

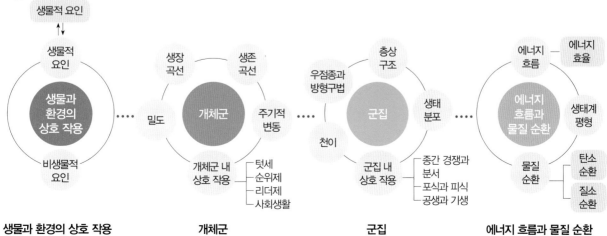

생물적 요인
↕
생물적 요인 ←···→ 밀도 → 개체군
생물과 환경의 상호 작용
비생물적 요인

생장 곡선 — 생존 곡선
주기적 변동
개체군 내 상호 작용 — 텃세 / 순위제 / 리더제 / 사회생활

우점종과 방형구법 ←···→ 층상 구조 → 군집 → 생태 분포
천이
군집 내 상호 작용 — 종간 경쟁과 분서 / 포식과 피식 / 공생과 기생

에너지 흐름 — 에너지 효율
에너지 흐름과 물질 순환 — 생태계 평형
물질 순환 — 탄소 순환 / 질소 순환

생물과 환경의 상호 작용　　　　**개체군**　　　　**군집**　　　　**에너지 흐름과 물질 순환**

01 생물과 환경의 상호 작용

학습 Point 생태계의 구성 단계와 구성 요소 > 생태계 구성 요소 간의 작용, 반작용, 상호 작용 > 비생물적 요인이 생물에 미치는 영향

 생태계의 구성

숲에서는 풀, 나무, 새, 곤충 등 여러 가지 생물이 물, 공기, 햇빛, 토양 등의 환경 속에서 서로 영향을 주고받으며 살아가고 있다. 이처럼 생물은 일정한 지역에서 다양한 생물 및 주변 환경과 생태계를 이루어 살고 있다.

1. 생태계의 구성 단계

생태계는 일정한 지역에서 생물과 환경이 상호 작용하며 유기적인 관계를 이루고 있는 하나의 시스템이다. 생물 개체는 단계적으로 개체군, 군집, 생태계를 이루며 살고 있다.

(1) **개체:** 독립적으로 생명 활동을 하는 하나의 생명체이다.

(2) **개체군:** 같은 지역에서 생활하는 같은 종의 개체로 이루어진 무리이다. 생태계에서 생물은 대부분 같은 종의 개체끼리 개체군을 이루고 산다.

(3) **군집:** 같은 지역에서 생활하는 모든 개체군의 집합이다. 개체군은 군집 내에서 다른 개체군과 상호 작용하며 살아간다.

(4) **생태계:** 군집과 이를 둘러싼 비생물 환경이 끊임없이 서로 영향을 주고받는 통합된 시스템이다. 생태계는 생태 공원, 연못과 같은 좁은 범위에서 삼림, 초원, 사막, 해양과 같은 넓은 범위까지 그 규모와 종류가 매우 다양하다.

생태계

영국의 식물학자인 탠슬리(Tansley, A. G., 1871~1955)가 1935년에 생물적 요인과 비생물적 요인을 하나로 묶어서 생각할 수 있도록 만든 용어이다. 생태계란 일정한 공간에 서식하는 생물과 환경이 서로 유기적인 관계를 맺으면서 조화를 이루는 자연의 단위로, 물질 순환과 에너지 흐름이 일어나는 하나의 기능적인 계(system)를 뜻한다.

개체 · 같은 종의 개체가 모여 개체군을 이룬다.

여러 개체군이 모여 군집을 이룬다.

군집과 이를 둘러싼 비생물 환경이 서로 영향을 주고받으며 하나의 통합된 생태계를 이룬다.

▲ 생태계의 구성 단계

2. 생태계의 구성 요소

생태계는 크게 생물적 요인과 비생물적 요인으로 구성된다.

(1) **생물적 요인:** 생태계 내의 모든 생물을 말하며, 생태계에서 담당하는 역할에 따라 생산자, 소비자, 분해자로 구분된다.

① **생산자:** 광합성을 하여 무기물로 유기물을 합성하는 생물로, 식물, 조류 등이 해당된다.

② **소비자:** 광합성을 하지 않고 다른 생물을 먹어서 유기물을 얻는 생물로, 동물이 해당된다. 먹이 사슬에서의 위치에 따라 1차 소비자, 2차 소비자, 3차 소비자 등으로 구분된다.

③ **분해자:** 다른 생물의 사체나 배설물 속의 유기물을 무기물로 분해하여 에너지를 얻고 비생물 환경으로 돌려보내는 생물로, 세균, 곰팡이, 버섯 등이 해당된다.

(2) **비생물적 요인:** 생물을 둘러싸고 있는 물, 공기, 햇빛, 온도, 토양 등의 모든 무기 환경을 말한다. 비생물적 요인은 생물에게 생존과 생장에 필요한 물질과 에너지를 공급하고, 생활 터전을 제공한다.

생물적 요인

2차 소비자

1차 소비자

생산자 　분해자

생태계 내의 모든 생물이며, 생산자, 소비자, 분해자로 구분된다.

비생물적 요인

생물을 둘러싼 물, 공기, 햇빛, 온도, 토양 등의 무기 환경이다.

생태계

▲ **생태계의 구성** 생물적 요인과 비생물적 요인이 서로 영향을 주고받으며 함께 생태계를 이룬다.

② 생태계 구성 요소 간의 관계

생태계에서는 생물적 요인과 비생물적 요인이 서로 영향을 주고받으며, 이들 간에 다양한 상호 작용이 일어난다.

1. 생태계 구성 요소 간의 관계

(1) **작용:** 빛, 온도, 물, 공기 등의 비생물적 요인이 생물적 요인에 영향을 주는 것이다.

(2) **반작용:** 생물적 요인이 비생물적 요인에 영향을 주는 것이다.

(3) **상호 작용:** 생물적 요인이 서로 영향을 주고받는 것이다.

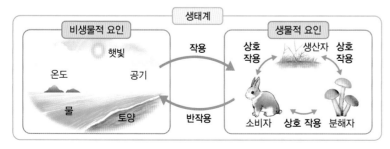

생태계

| 비생물적 요인 | 생물적 요인 |

햇빛
온도　공기
물　토양

작용
반작용

상호 작용　생산자　상호 작용
소비자　상호 작용　분해자

▲ **비생물적 요인과 생물적 요인의 관계**

조류

광합성을 하는 원생생물로, 주로 수중 생태계의 생산자이다.

소비자의 구분

생산자인 식물을 먹는 초식 동물은 1차 소비자, 1차 소비자인 초식 동물을 먹는 육식 동물은 2차 소비자, 2차 소비자를 먹는 육식 동물은 3차 소비자라고 한다. 먹이 사슬에서 마지막 단계에 있는 동물은 최종 소비자라고 한다.

생산자, 소비자, 분해자 간의 유기물 이동

소비자가 생산자를 먹음으로써 생산자가 합성한 유기물이 소비자에게 전달되고, 생산자와 소비자의 유기물은 사체와 배설물의 형태로 분해자에게 전달된다.

생산자

먹이　낙엽, 사체

소비자　사체, 배설물　분해자

작용의 예

• 햇빛이 잘 들고 토양에 양분이 풍부하면 식물이 잘 자란다.
• 가을에는 기온이 낮아져서 은행나무 잎이 노랗게 변한다.

반작용의 예

• 낙엽이 많이 쌓이면 토양이 비옥해진다.
• 숲이 우거질수록 숲이 어둡고 습해진다.
• 지렁이가 흙 속을 다니면서 흙 속에 구멍을 뚫어 토양의 통기성이 높아진다.

상호 작용의 예

• 외래 어종인 배스의 개체 수가 증가하여 토종 어류의 개체 수가 감소한다.
• 표고버섯은 참나무 줄기를 분해하여 양분을 얻는다.

2. 비생물적 요인이 생물에 미치는 영향

생물은 빛, 온도, 물, 토양 등과 같은 비생물적 요인의 영향을 받아 몸의 구조와 기능 등을 변화시켜 환경에 적응하며 살아간다.

⑴ **빛과 생물**: 태양으로부터 오는 빛은 생태계를 유지하는 에너지원으로, 생물은 빛의 세기, 빛의 파장, 일조 시간 등에 다양하게 적응하여 살아간다.

① **빛의 세기**: 햇빛이 잘 드는 곳에 사는 소나무나 해바라기 같은 양지 식물은 그늘진 곳에 사는 고사리나 머위 같은 음지 식물보다 보상점과 광포화점이 모두 높다. 따라서 양지 식물은 빛의 세기가 약한 곳에서는 살지 못하고, 빛의 세기가 강한 곳에서 잘 자란다. 또, 양지 식물은 보통 음지 식물보다 울타리 조직이 발달하여 잎의 두께가 두껍고, 한 식물체에서도 빛을 많이 받고 자란 양엽이 빛을 적게 받고 자란 음엽보다 두껍다.

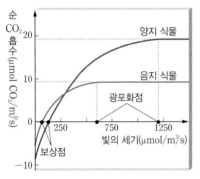

▲ **빛의 세기에 따른 식물의 광합성량** 양지 식물은 음지 식물보다 보상점과 광포화점이 모두 높다.

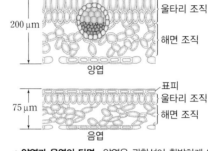

▲ **양엽과 음엽의 단면** 양엽은 광합성이 활발하게 일어나는 울타리 조직이 발달하여 음엽보다 두껍다.

② **빛의 파장**: 해조류는 바다 깊이에 따라 주로 서식하는 종류가 다르다. 이는 바다 깊이에 따라 도달하는 빛의 파장과 양이 달라서 나타나는 현상이다. 빛은 파장이 짧을수록 물에 대한 투과도가 높기 때문에 파장이 긴 적색광은 얕은 곳까지만 도달하고, 파장이 짧은 청색광은 깊은 곳까지 도달한다. 따라서 얕은 바다에는 광합성에 적색광을 주로 이용하는 녹조류가 많이 분포하고, 깊은 바다에는 청색광을 주로 이용하는 홍조류가 많이 분포한다. 중간 정도의 깊이에는 황색광을 주로 이용하는 갈조류가 많이 분포한다.

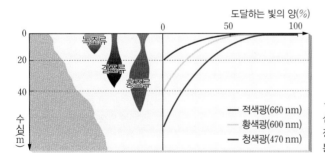

◀ **해조류의 수직 분포** 수심에 따라 도달하는 빛의 파장과 양이 달라서 해조류의 분포가 다르게 나타난다.

③ **일조 시간**: 일조 시간은 식물의 꽃눈 형성과 동물의 번식 시기에 영향을 준다. 양배추, 시금치 등의 장일 식물은 일조 시간이 긴 봄과 초여름에 개화하고, 국화, 도꼬마리 등의 단일 식물은 일조 시간이 짧은 가을에 개화한다. 또, 닭, 종달새 등은 일조 시간이 길어지는 봄에 알을 낳고, 송어, 노루 등은 일조 시간이 짧아지는 가을에 번식한다. 이와 같이 일조 시간의 변화에 따라 일어나는 생물의 주기적인 활동의 변화를 광주기성이라고 한다.

보상점
식물이 광합성으로 소모한 CO_2 양과 호흡으로 방출한 CO_2 양이 같아서 외관상 CO_2의 출입이 없는 것처럼 보일 때의 빛의 세기이다. 식물은 광합성으로 만든 양분 중 호흡으로 소모하고 남는 것으로 생장하는데, 보상점에서는 광합성량과 호흡량이 같아서 식물이 생장하지 못한다. 식물은 빛의 세기가 보상점보다 높아야 생장할 수 있고, 빛의 세기가 보상점보다 낮으면 살지 못한다.

광포화점
광합성량(CO_2 흡수량)이 더 이상 증가하지 않는 최소한의 빛의 세기이다. 빛의 세기가 광포화점에 이르면 빛의 세기가 증가해도 광합성량은 더 이상 증가하지 않고 일정하게 유지된다.

해조류의 보색 적응
해조류는 자신의 몸 색깔과 보색 관계에 있는 파장의 빛을 주로 이용하여 광합성을 한다. 따라서 녹조류는 적색광을, 홍조류는 청색광을 주로 이용하여 광합성을 한다.

일조 시간
하루 중 햇빛이 지표면에 내리쬐는 시간

❶ 식물의 꽃눈 형성은 명기(낮의 길이)보다 암기(밤의 길이)의 영향을 더 많이 받는다.

❷ 장일 식물은 임계 암기보다 암기가 짧아지면 개화하고, 단일 식물은 임계 암기보다 암기가 길어지면 개화한다.

❸ 단일 식물은 일정 시간 이상의 암기 중간에 잠깐 빛을 비추어 주면 개화하지 않는다. → 단일 식물은 지속된 암기가 임계 암기보다 길어야 개화한다.

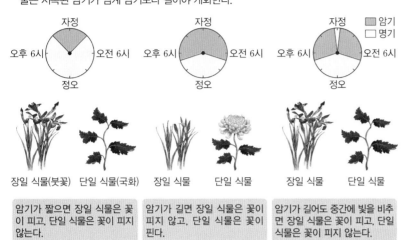

| 장일 식물(붓꽃) | 단일 식물(국화) | 장일 식물 | 단일 식물 | 장일 식물 | 단일 식물 |

| 암기가 짧으면 장일 식물은 꽃이 피고, 단일 식물은 꽃이 피지 않는다. | 암기가 길면 장일 식물은 꽃이 피지 않고, 단일 식물은 꽃이 핀다. | 암기가 길어도 중간에 빛을 비추면 장일 식물은 꽃이 피고, 단일 식물은 꽃이 피지 않는다. |

임계 암기

광주기성 반응에서 지속된 암기가 길어질 때나 짧아질 때 반응이 일어나기 시작하는 암기의 길이이다. 단일 식물의 경우에는 개화에 필요한 최소한의 암기 길이로, 한계 암기라고도 한다.

(2) **온도와 생물:** 생물의 생명 활동은 온도의 영향을 크게 받는다. 따라서 생물은 서식지의 온도에 따라 여러 가지 적응 현상을 나타낸다.

① 포유류와 같은 정온 동물은 추운 지역에 사는 동물일수록 몸집이 크고 귀, 주둥이, 다리 등 몸의 말단부가 작은 경향이 있다. 이는 몸의 부피에 대한 표면적을 줄여 몸 표면을 통한 체열의 손실을 막아 체온을 일정하게 유지하는 데 유리하다.

▲ **온도에 대한 포유류의 적응** 더운 지방에 사는 사막여우는 몸집이 작고 귀, 주둥이, 다리 등 몸의 말단부가 커서 체열을 빠르게 방출하고, 추운 지방에 사는 북극여우는 몸집이 크고 몸의 말단부가 작아서 체열 손실을 억제한다.

② 계절형: 봄에 태어난 호랑나비는 여름에 태어난 호랑나비보다 번데기 시절의 기온이 낮아 몸의 크기가 작고 색깔이 연하다. 이처럼 계절에 따라 몸의 크기, 형태, 색깔이 달라지는 것을 계절형이라고 한다.

봄형   여름형

▲ **나비의 계절형**

③ 온대 지방에 사는 활엽수는 추워지면 단풍이 들고 낙엽이 져서 겨울 동안의 수분 손실을 막는다. 동백나무나 사철나무 같은 상록수는 추워지면 잎 세포 내의 녹말이 포도당으로 분해되어 잎 세포의 삼투압이 높아지고, 이에 따라 어는점이 낮아져 잎 세포가 잘 얼지 않게 된다.

동물의 체온 조절

포유류, 조류 같은 정온 동물은 물질대사를 통해 열을 생성하고 열 손실에 대해 적극적으로 대응하여 체온을 일정하게 유지한다. 양서류, 어류, 파충류 같은 변온 동물은 체온 조절을 위한 열원을 환경에서 얻어 체온을 유지하는데, 외부 요인에 의한 체온 조절에는 한계가 있으므로 겨울이 되면 겨울잠을 자기도 한다.

온도와 식물의 개화

밀과 보리는 봄에 씨를 뿌리면 생장만 일어나고 개화와 결실은 일어나지 않기 때문에 가을에 씨를 뿌려 이듬해 봄에 수확한다. 이는 겨울의 낮은 온도가 밀과 보리의 꽃눈 형성을 유도하기 때문이다. 봄에 밀과 보리의 발아한 싹을 0 ℃~5 ℃의 저온에서 4주~5주 처리한 후 심으면 개화와 결실이 일어난다.

(3) **물과 생물:** 물은 생물의 몸을 구성하는 성분 중 가장 많은 비율을 차지하므로, 생물의 생명 유지에 매우 중요하다.

① 식물은 서식지의 수분 조건에 따라 몸의 구조를 적절하게 변형시켜 적응해 왔다. 선인장과 같이 건조한 사막에 사는 식물은 물을 저장하는 저수 조직이 발달해 있고, 잎이 작거나 가시로 변해 있다. 부레옥잠, 물수세미와 같이 물속에 사는 식물은 뿌리가 잘 발달해 있지 않고, 몸이 유연하며 공기주머니나 통기 조직이 발달해 있다.

② 건조한 육상에 사는 동물은 수분 손실을 막는 장치가 발달해 있다. 곤충은 몸 표면이 키틴질의 껍데기로 싸여 있고, 파충류는 몸 표면이 각질의 비늘로 덮여 있으며, 조류의 알은 단단한 껍데기로 싸여 있어 수분 손실을 막는다.

선인장 · 부레옥잠 · 사슴벌레 · 뱀

▲ **물에 대한 생물의 적응** 선인장은 저수 조직이 발달해 있고, 부레옥잠은 잎자루에 공기주머니가 있어 물 위에 떠서 생활한다. 사슴벌레는 몸이 키틴질의 껍데기로 싸여 있고, 뱀은 몸이 각질의 비늘로 덮여 있어 수분 증발을 막는다.

(4) **토양과 생물:** 토양은 식물, 곤충, 지렁이 등 다양한 생물에게 서식처와 양분을 제공하며, 토양의 수분 함량, 통기성, 무기염류의 양 등 토양의 상태는 생물의 생활에 직접적인 영향을 준다. 토양 속에 사는 세균이나 곰팡이 같은 미생물은 동식물의 사체나 배설물 속의 유기물을 분해하여 생태계에서 물질을 원활하게 순환시키는 역할을 한다.

버섯 · 두더지

▲ **토양과 생물** 토양은 버섯, 두더지 등 다양한 생물에게 서식처와 양분을 제공하며, 토양의 상태는 버섯, 두더지 등 생물의 생활에 영향을 준다.

(5) **공기와 생물:** 공기는 생물에게 세포 호흡에 필수적인 산소와 광합성의 재료인 이산화탄소를 공급한다. 공기 중 산소 분압이 평지보다 낮은 고산 지대에 사는 사람은 평지에 사는 사람보다 적혈구 수가 많거나 폐의 표면적이 넓어 산소 분압이 낮은 환경에서 산소를 효율적으로 얻을 수 있도록 적응되었다.

시야 확장 ➕ **생활형**

❶ 생활형이란 생물이 특정한 환경에 적응하여 갖게 된 형태나 생활 양식을 말한다.
❷ 비슷한 환경에서 생활하는 생물은 생활형이 비슷해진다. 예 육지와 물속을 오가며 생활하는 개구리, 악어, 하마는 종은 다르지만 수면 위로 눈과 콧구멍을 내놓고 생활하는 모습이 비슷하다.

개구리 · 악어 · 하마

▲ **동물의 생활형 예**

01 생물과 환경의 상호 작용

1. 생태계의 구성과 기능

① 생태계의 구성

1. 생태계의 구성 생물 개체는 단계적으로 개체군, 군집, 생태계를 이루며 살고 있다.

• (**❶**   ): 같은 지역에서 생활하는 같은 종의 개체로 이루어진 무리이다.

• (**❷**   ): 같은 지역에서 생활하는 모든 개체군의 집합이다.

• 생태계: 군집과 이를 둘러싼 비생물 환경이 끊임없이 서로 영향을 주고받는 통합된 시스템이다.

2. 생태계의 구성 요소 생태계는 생물적 요인과 비생물적 요인으로 구성된다.

• 생물적 요인: 생태계를 구성하는 모든 생물이며 생산자, 소비자, 분해자로 구분된다.

→ (**❸**   ): 광합성을 하여 무기물로 유기물을 합성하는 생물

→ (**❹**   ): 다른 생물을 먹어서 유기물을 얻는 생물

→ 분해자: 사체나 배설물 속의 유기물을 무기물로 분해하여 에너지를 얻는 생물

• 비생물적 요인: 생물을 둘러싸고 있는 물, 공기, 햇빛, 온도, 토양 등의 모든 무기 환경이다.

② 생태계 구성 요소 간의 관계

1. 생태계 구성 요소 간의 상호 작용 비생물적 요인이 생물적 요인에 영향을 주는 (**❺**   ), 생물적 요인이 비생물적 요인에 영향을 주는 (**❻**   ), 생물적 요인이 서로 영향을 주고받는 상호 작용으로 구분된다.

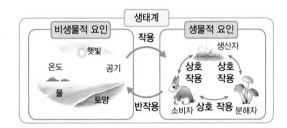

2. 비생물적 요인이 생물에 미치는 영향

• 빛과 생물: 생물은 빛의 세기, 빛의 파장, 일조 시간 등에 다양하게 적응하여 살아간다.

→ 빛의 세기: 양지 식물은 음지 식물보다 보상점과 광포화점이 (**❼**   )고, 양엽은 음엽보다 (**❽**   )이 발달하여 두껍다.

→ 빛의 파장: 얕은 바다에는 광합성에 적색광을 주로 이용하는 녹조류가 많이 분포하고, 깊은 바다에는 청색광을 주로 이용하는 (**❾**   )가 많이 분포한다.

→ 일조 시간: (**❿**   ) 식물은 일조 시간이 긴 봄과 초여름에 개화하고, (**⓫**   ) 식물은 일조 시간이 짧은 가을에 개화한다.

• 온도와 생물: 생물은 서식지의 온도에 따라 여러 가지 적응 현상을 나타낸다.

→ 북극여우는 사막여우보다 몸집이 (**⓬**   )고, 몸의 말단부가 (**⓭**   )다.

→ 계절형: 봄에 태어난 호랑나비는 여름에 태어난 호랑나비보다 몸의 크기가 작고 색깔이 연하다.

→ 온대 지방의 활엽수는 추워지면 단풍이 들고 낙엽이 진다.

• 물과 생물: 생물은 서식지의 수분 조건에 따라 다양하게 적응해 왔다.

→ 선인장은 (**⓮**   )이 발달해 있고, 부레옥잠은 통기 조직이 발달해 있다.

→ 곤충은 키틴질 껍데기, 파충류는 각질의 비늘로 몸이 덮여 있고, 조류의 알은 단단한 껍데기로 싸여 있다.

• 토양과 생물: 생물은 토양의 수분 함량, 통기성, 무기염류의 양 등 토양 상태의 영향을 받는다.

• 공기와 생물: 공기는 세포 호흡에 필수적인 산소와 광합성의 재료인 이산화 탄소를 공급한다.

→ 고산 지대에 사는 사람은 평지에 사는 사람보다 (**⓯**   ) 수가 많거나 폐의 표면적이 넓다.

01 다음은 생태계의 구성 단계를 설명한 것이다. 빈칸에 들어갈 알맞은 용어를 쓰시오.

> 생물은 같은 종의 개체가 모여 (㉠   )을 이루고, 여러 ㉠이 모여 (㉡   )을 이루며, ㉡과 이를 둘러싼 비생물 환경이 서로 영향을 주고받으며 하나의 통합된 시스템인 (㉢   )를 이룬다.

02 생태계를 구성하는 생물적 요인은 생산자, 소비자, 분해자로 구분된다. 다음 각 설명에 해당하는 생물적 요인을 쓰시오.

(1) 다른 생물을 먹이로 섭취해 유기물을 얻는다.

(2) 광합성을 하여 무기물로 유기물을 합성한다.

(3) 생물의 사체나 배설물에 포함된 유기물을 무기물로 분해한다.

03 그림은 생태계 구성 요소 간의 관계를 나타낸 것이다.

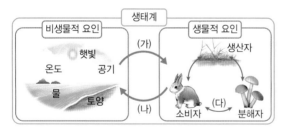

(1) (가)~(다)는 각각 무엇에 해당하는지 쓰시오.

(2) (가)의 예에 해당하는 것만을 〈보기〉에서 있는 대로 고르시오.

> 보기
> ㄱ. 토끼는 가을에 털갈이를 한다.
> ㄴ. 일조량 감소로 벼의 광합성량이 감소한다.
> ㄷ. 식물의 광합성으로 대기 중 산소 농도가 증가한다.
> ㄹ. 지렁이가 흙 속을 이리저리 다니면서 구멍을 뚫어 토양의 통기성이 증가한다.

04 그림은 빛의 세기에 따른 식물 A와 B의 광합성량을 나타낸 것이다. 식물 A와 B는 각각 음지 식물과 양지 식물 중 하나이며, ㉠과 ㉡은 각각 광포화점과 보상점 중 하나이다.

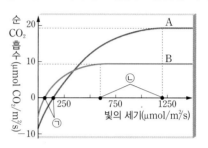

(1) ㉠과 ㉡은 각각 무엇에 해당하는지 쓰시오.

(2) A와 B 중 빛의 세기가 더 강한 곳에서 잘 자라는 식물의 기호와 이름을 쓰시오.

05 일조 시간의 변화에 따라 일어나는 생물의 주기적인 행동이나 활동의 변화를 무엇이라고 하는지 쓰시오.

06 다음은 생물이 비생물적 요인의 영향을 받아 환경에 적응한 예이다. 각 예와 가장 관련이 깊은 비생물적 요인을 〈보기〉에서 고르시오.

> 보기
> ㄱ. 물   ㄴ. 온도   ㄷ. 공기
> ㄹ. 토양   ㅁ. 빛의 파장   ㅂ. 빛의 세기

(1) 해조류는 수심에 따라 주로 분포하는 종류가 다르다.

(2) 양엽은 음엽보다 울타리 조직이 더 발달해 있다.

(3) 북극여우는 사막여우보다 귀가 작고 몸집이 크다.

(4) 선인장 줄기에는 저수 조직이, 연 줄기에는 통기 조직이 발달해 있다.

(5) 고산 지대에 사는 사람은 평지에 사는 사람보다 폐의 표면적이 넓다.

01 > 생태계의 구성 요소

그림은 생태계를 구성하는 비생물적 요인과 생물적 요인 간의 관계를 나타낸 것이다. (가)~(다)는 분해자, 소비자, 생산자를 순서 없이 나타낸 것이다.

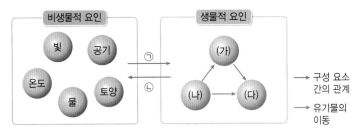

이에 대한 설명으로 옳은 것만을 〈보기〉에서 있는 대로 고른 것은?

보기

ㄱ. (가)는 무기물로 유기물을 합성할 수 있다.

ㄴ. 토양에 사는 세균은 비생물적 요인에 포함된다.

ㄷ. 지의류에 의해 암석의 풍화가 촉진되는 것은 ⓒ에 해당한다.

① ㄱ   ② ㄷ   ③ ㄱ, ㄴ   ④ ㄴ, ㄷ   ⑤ ㄱ, ㄴ, ㄷ

• 생태계를 구성하는 생물적 요인은 무기물로 유기물을 합성하는 생산자, 다른 생물을 먹어 유기물을 얻는 소비자, 생산자와 소비자의 사체와 배설물 속의 유기물을 무기물로 분해하는 분해자로 구분된다.

02 > 생태계 구성 요소 간의 관계

그림은 생태계를 구성하는 요소 간의 관계를 나타낸 것이다.

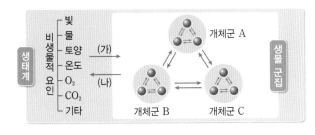

이에 대한 설명으로 옳은 것만을 〈보기〉에서 있는 대로 고른 것은?

보기

ㄱ. 선인장의 잎이 가시로 변한 것은 (가)에 해당한다.

ㄴ. 생물 군집에는 생산자, 소비자, 분해자가 모두 포함된다.

ㄷ. 여름에 바다에서 적조 현상이 나타나는 것은 (나)에 해당한다.

① ㄱ   ② ㄴ   ③ ㄱ, ㄴ   ④ ㄱ, ㄷ   ⑤ ㄴ, ㄷ

• (가)는 비생물적 요인이 생물적 요인에 영향을 주는 작용, (나)는 생물적 요인이 비생물적 요인에 영향을 주는 반작용이다.

03 ❯ 빛의 세기에 대한 식물의 적응

그림은 빛의 세기에 따른 식물 (가)와 (나)의 광합성량을 나타낸 것이다. (가)와 (나)는 각각 음지 식물과 양지 식물 중 하나이다.

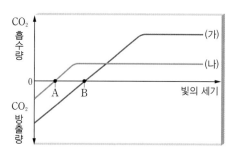

식물은 보상점보다 강한 빛에서 살 수 있으며, 생장할 수 있다. 보상점보다 약한 빛이 지속되면 식물은 광합성량보다 호흡량이 많아서 살지 못한다.

이에 대한 설명으로 옳은 것만을 〈보기〉에서 있는 대로 고른 것은?

보기
ㄱ. (가)는 (나)보다 광포화점이 높다.
ㄴ. 빛의 세기가 A와 B 사이에서 지속되면 (가)는 죽고, (나)는 생장한다.
ㄷ. (나)의 잎은 (가)의 잎보다 울타리 조직이 발달하여 두껍다.

① ㄱ   ② ㄷ   ③ ㄱ, ㄴ   ④ ㄴ, ㄷ   ⑤ ㄱ, ㄴ, ㄷ

04 ❯ 빛의 파장에 대한 해조류의 적응

그림은 바다 수심에 따른 해조류의 분포를 나타낸 것이다.

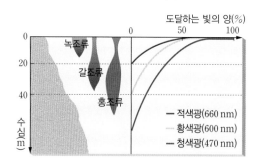

바다 수심에 따라 투과되는 빛의 파장과 양이 다른데, 파장이 긴 적색광은 얕은 곳까지만 도달하고, 파장이 짧은 청색광은 깊은 곳까지 도달한다.

이에 대한 설명으로 옳은 것만을 〈보기〉에서 있는 대로 고른 것은?

보기
ㄱ. 녹조류는 광합성에 적색광보다 녹색광을 주로 이용한다.
ㄴ. 홍조류는 적색광을 가장 잘 흡수하여 몸 색깔이 적색을 띤다.
ㄷ. 수심에 따른 해조류의 분포 차이는 수심에 따라 투과되는 빛의 파장과 양이 다르기 때문에 나타난다.

① ㄱ   ② ㄴ   ③ ㄷ   ④ ㄱ, ㄷ   ⑤ ㄴ, ㄷ

05 ❯ 일조 시간에 대한 식물의 적응

그림은 일조 시간에 따른 식물의 개화 여부를 나타낸 것이다. 식물 A와 B는 각각 단일 식물과 장일 식물 중 하나이며, 임계 암기는 각각 12시간이다.

일조 시간	식물 A	식물 B
0시 / 6시 / 12시 / 18시 ■암기 □명기	개화	개화 안 함
0시 / 6시 / 12시 / 18시	개화 안 함	개화
0시 / 6시 / 12시 / 18시	개화	개화 안 함

이에 대한 설명으로 옳은 것만을 〈보기〉에서 있는 대로 고른 것은?

보기
ㄱ. A는 주로 일조 시간이 짧은 가을에 개화한다.
ㄴ. 도꼬마리는 B에 해당한다.
ㄷ. B는 지속된 암기가 임계 암기보다 짧으면 개화한다.

① ㄱ   ② ㄴ   ③ ㄱ, ㄴ   ④ ㄱ, ㄷ   ⑤ ㄴ, ㄷ

> 단일 식물은 지속된 암기가 임계 암기보다 길 때 개화하고, 장일 식물은 지속된 암기가 임계 암기보다 짧을 때 개화한다.

06 ❯ 온도에 대한 동물의 적응

그림은 여러 지역에 서식하는 여우의 모습을 나타낸 것이다. (가)~(다)는 각각 사막여우, 북극여우, 붉은여우 중 하나이다.

(가)

(나)

(다)

이에 대한 설명으로 옳은 것만을 〈보기〉에서 있는 대로 고른 것은?

보기
ㄱ. (가)는 (다)보다 몸집이 크다.
ㄴ. (나)는 (다)보다 몸의 말단부가 작아 몸 표면을 통해 열을 잘 방출한다.
ㄷ. 여우의 귀 크기에 영향을 미친 환경 요인은 온도이다.

① ㄱ   ② ㄴ   ③ ㄷ   ④ ㄱ, ㄷ   ⑤ ㄱ, ㄴ, ㄷ

> 추운 곳에 사는 여우일수록 몸의 말단부는 작고 몸집은 큰 경향이 있다.

02 개체군

학습 Point 개체군 밀도, 생장 곡선, 생존 곡선 〉 개체군의 주기적 변동 〉 개체군 내의 상호 작용

① 개체군의 특성

탐구 2권 121쪽 **집중 분석** 2권 122쪽

 같은 종의 생물 개체로 이루어진 개체군은 구성원의 나이나 크기 등이 다양하다. 또, 개체군 내에서 개체 간에 상호 작용이 계속해서 일어나며, 주변 환경과도 계속 영향을 주고받는다. 이에 따라 개체군은 밀도, 생장 곡선, 생존 곡선 등 개체군 고유의 특성을 나타낸다.

1. 개체군 밀도

개체군의 크기는 개체군 밀도로 나타낸다. 개체군 밀도는 일정한 공간에 서식하는 개체군의 개체 수를 말하며, 개체군이 서식하는 공간의 단위 면적당 개체 수로 나타낸다. 개체군의 개체 수가 같더라도 생활 공간이 좁으면 개체군 밀도가 높고, 생활 공간이 넓으면 개체군 밀도가 낮다. 개체 수를 세기 어려운 단세포 생물이나 조류는 밀도를 단위 부피당 생체량으로 나타낸다.

$$개체군 밀도(D) = \frac{개체군을 구성하는 개체 수(N)}{개체군이 서식하는 공간의 면적(S)}$$

⑴ **개체군 밀도를 변화시키는 요인:** 개체군 밀도는 출생이나 이입으로 증가하고 사망이나 이출로 감소하는데, 이입과 이출보다는 출생과 사망의 영향을 더 크게 받는다. 출생률과 사망률은 빛, 온도 등의 비생물적 요인과 질병, 포식 등의 생물적 요인에 따라 달라지므로 개체군 밀도는 이들 요인의 영향을 받는다.

⑵ **생태 밀도와 조밀도:** 생물이 전체 지역에 고르게 분포하는 것은 아니므로, 개체군 밀도를 생태 밀도와 조밀도로 구별해서 나타내기도 한다.

① 생태 밀도: 실제 생물이 서식하는 면적에 대한 밀도이다.

② 조밀도: 개체군이 속해 있는 전체 면적에 대한 밀도이다.

개체의 출생과 이입은 개체군 밀도를 증가시킨다.

개체의 사망과 이출은 개체군 밀도를 감소시킨다.

▲ 개체군 밀도를 변화시키는 요인

동물 개체군의 개체 수 측정 방법

물고기와 같이 움직임이 많은 동물의 개체 수는 다음과 같은 방법으로 측정한다.

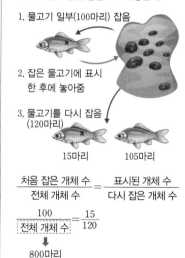

1. 물고기 일부(100마리) 잡음

2. 잡은 물고기에 표시한 후에 놓아줌

3. 물고기를 다시 잡음 (120마리)

15마리   105마리

$$\frac{처음 잡은 개체 수}{전체 개체 수} = \frac{표시된 개체 수}{다시 잡은 개체 수}$$

$$\frac{100}{\boxed{전체 개체 수}} = \frac{15}{120}$$

↓

800마리

이입과 이출

• 이입: 외부에서 특정 개체군이나 서식 장소로 개체가 들어오는 현상이다.

• 이출: 특정 개체군이나 서식 장소에서 개체가 떠나가는 현상이다.

출생률과 사망률

• 출생률: 개체군에서 단위 시간당 새로 출생하는 개체 수의 비율로, 보통 1000개체당 1년간의 출생 개체 수로 나타낸다.

• 사망률: 개체군에서 단위 시간당 사망하는 개체 수의 비율로, 보통 1000개체당 1년간의 사망 개체 수로 나타낸다.

2. 개체군의 생장 곡선

개체군을 이루고 있는 개체의 수가 증가하는 것을 개체군의 생장이라고 하며, 시간에 따른 개체군의 개체 수 변화를 그래프로 나타낸 것을 생장 곡선이라고 한다.

(1) **이론적 생장 곡선:** 개체가 이상적인 환경 조건에서 생식 활동에 제약을 받지 않고 계속 번식한다면 개체 수가 기하급수적으로 증가하여 J자 모양의 생장 곡선을 나타낼 것이다.

(2) **실제 생장 곡선:** 자연 환경에서는 일반적으로 개체군의 생장 초기에는 개체 수가 급격히 증가하다가 점차 둔화되어 일정해지는 S자 모양의 생장 곡선을 나타낸다.

① S자 모양의 생장 곡선이 나타나는 까닭: 개체군의 개체 수가 증가할수록 먹이 부족, 생활 공간 부족, 노폐물 축적, 개체 간의 경쟁, 질병 등의 환경 저항이 증가하여 개체군의 생장을 억제하기 때문이다.

② 환경 수용력: 실제 생장 곡선에서 개체 수가 더 이상 증가하지 않고 일정해지는 한계선을 환경 수용력이라고 한다. 환경 수용력은 한 서식지에서 유지할 수 있는 개체군의 최대 개체 수(개체군의 최대 크기)에 해당한다.

▲ **개체군의 생장 곡선** 이론적 생장 곡선과 실제 생장 곡선의 차이는 환경 저항 때문에 나타나며, 개체군의 크기는 환경 저항으로 인해 환경 수용력까지로 제한된다.

3. 개체군의 생존 곡선

개체군에서 동시에 출생한 개체들은 시간이 지나면서 여러 가지 원인으로 죽기 때문에 생존한 개체 수는 점점 감소한다. 개체군에서 동시에 출생한 개체들이 시간이 지남에 따라 얼마나 살아 있는지 상대 연령별 생존 개체 수의 비율을 그래프로 나타낸 것을 생존 곡선이라고 한다. 개체군의 생존 곡선은 종에 따라 Ⅰ형~Ⅲ형의 세 가지 유형으로 나타난다.

(1) **Ⅰ형:** 어릴 때 사망률이 낮고 대부분의 개체가 생리적인 수명을 다하고 죽는 유형으로, 한 번에 낳는 자손의 수는 적지만 부모가 자손을 잘 돌보는 사람이나 코끼리 같은 대형 포유류에서 나타난다.

(2) **Ⅱ형:** 전체 연령대에서 대체로 사망률이 일정한 유형으로, 다람쥐 등의 소형 포유류, 히드라, 파충류, 조류 등 많은 동물에서 나타난다.

(3) **Ⅲ형:** 어릴 때 사망률이 높지만 생존한 개체들이 생장하면서 사망률이 점차 감소하는 유형으로, 한 번에 많은 수의 알을 낳는 어패류, 곤충류 등에서 주로 나타난다.

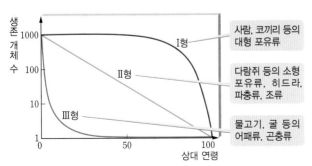

◀ **개체군의 생존 곡선** Ⅰ형은 어릴 때 부모의 보호를 받아 초기 사망률이 낮고, Ⅱ형은 연령대별 사망률이 일정하며, Ⅲ형은 초기 사망률이 매우 높다. (단, 생존 곡선에서 생존 개체 수는 log 척도로 표시한 것이다.)

환경 저항과 개체군의 생장
환경 저항은 개체군의 생장을 억제하는 모든 요인을 말한다. 환경 저항이 커질수록 개체군의 출생률은 낮아지고 사망률은 높아지므로 개체군의 생장이 점점 둔화되며, 출생률과 사망률이 같아지면 개체군의 생장이 멈춰 더 이상 개체 수가 증가하지 않고 일정해진다.

상대 연령
생리적 수명에 대한 백분율로 나타낸 연령이다. 생리적 수명이란 개체군이 최적 조건에서 늙어 죽었을 때의 평균 수명을 말한다.

개체군의 사망률 곡선
생존 곡선 Ⅰ형~Ⅲ형의 상대 연령대별 사망률을 그래프로 나타낸 것이다.

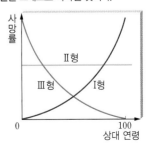

❶ 연령 분포를 낮은 연령층부터 차례대로 쌓아 올린 그림을 연령 피라미드라고 하며 발전형, 안정형, 쇠퇴형으로 구분된다.

❷ 개체군의 연령 분포를 조사하면 앞으로 그 개체군의 크기가 어떻게 변할지 예측할 수 있다.

발전형	안정형	쇠퇴형
생식 전 연령층의 비율이 높아 개체군의 크기가 점점 커진다.	생식 전 연령층과 생식 연령층의 비율이 비슷하여 개체군의 크기 변화가 작다.	생식 전 연령층의 비율이 낮아 개체군의 크기가 점점 작아진다.

연령 분포

개체군의 연령대별 개체 수 분포를 말하며, 전체 개체 수에 대한 각 연령대별 개체 수의 비율로 나타낸다.

우리나라의 연령 피라미드

우리나라의 연령 피라미드는 1970년대에는 발전형이었으나 2000년대 이후 급속도로 쇠퇴형이 되었다. 따라서 앞으로 인구가 줄어들 것으로 예상된다.

4. 개체군의 주기적 변동

자연 상태에서 개체군의 크기는 계절에 따른 환경 요인의 변화, 먹이나 포식자 등의 변화에 따라 주기적으로 변하는 경우가 많다.

(1) **계절에 따른 주기적 변동:** 호수에 서식하는 돌말 개체군의 크기는 계절에 따른 영양염류의 양, 빛의 세기, 수온 등 환경 요인의 변화로 인해 1년을 주기로 변동한다.

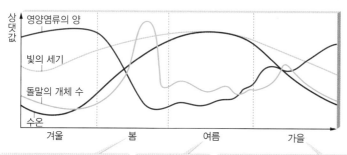

영양염류가 충분한 상태에서 빛의 세기가 강해지고 수온이 높아져 돌말의 개체군 밀도가 크게 증가한다.

영양염류의 감소로 돌말의 개체군 밀도가 크게 감소한다.

영양염류의 증가로 돌말의 개체군 밀도가 약간 증가하지만, 이후 빛의 세기가 약해지고 수온이 낮아져 개체군 밀도가 감소한다.

▲ 돌말 개체군의 계절적 변동

(2) **피식과 포식에 따른 주기적 변동:** 캐나다 남부 지방에 서식하는 눈신토끼(피식자)와 스라소니(포식자)의 개체군 크기는 피식과 포식의 관계에 의해 약 10년을 주기로 변동한다.

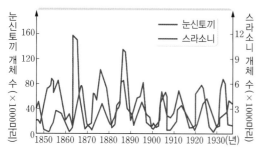

◀ **눈신토끼와 스라소니 개체군의 주기적 변동** 피식자인 눈신토끼의 개체 수가 증가하면 포식자인 스라소니의 개체 수도 증가하고, 그에 따라 눈신토끼의 개체 수가 감소하면 스라소니의 개체 수도 감소한다.

돌말

민물과 바닷물에 널리 분포하는 단세포 조류이다. 규산질 껍질을 가지고 있고, 광합성을 하며 세포 분열로 번식한다.

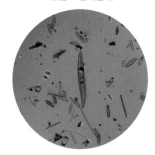

영양염류

생물의 생장에 필요한 인이나 질소를 포함한 염류로, 바다나 호수의 영양염류 양은 식물 플랑크톤의 번식에 영향을 준다.

포식자와 피식자

두 종류의 생물 사이에 잡아먹고 잡아먹히는 관계가 성립할 때, 잡아먹는 생물을 포식자, 잡아먹히는 생물을 피식자라고 한다. 안정된 생태계에서는 피식자의 개체 수가 포식자의 개체 수보다 많다.

2 개체군 내의 상호 작용

개체군 밀도가 증가하면 먹이, 생활 공간, 배우자 등을 차지하기 위해 개체군 내 개체 간에 경쟁이 일어난다. 이러한 경쟁이 심해지면 에너지가 지나치게 많이 소모되고 천적의 공격을 받을 위험이 증가한다. 따라서 개체군 내에서 경쟁을 피하고 질서를 유지하기 위해 다양한 상호 작용이 나타난다.

1. 텃세

개체군 내의 한 개체가 자신의 생활 구역을 확보하여 다른 개체의 접근을 막고 먹이, 배우자, 생활 공간 등을 독점하는 것이며, 이렇게 확보된 생활 구역을 세력권 또는 텃세권이라고 한다. 텃세는 개체를 분산시켜 개체군 밀도를 조절하고, 불필요한 경쟁이나 싸움을 피하게 하는 효과가 있다. 예 버들붕어, 은어, 까치, 물개, 얼룩말

은어

까치

물개

▲ 세력권을 형성하는 동물

시선 집중 ★ 은어의 텃세와 세력권

❶ 민물 어류인 은어는 수심이 얕은 곳에서 개체군을 형성하지만, 개체마다 서식하는 범위가 정해져 있다.

❷ 은어는 개체마다 세력권을 형성하지만, 공동 생활 구역도 있다.

❸ 은어의 텃세를 이용하여 미끼 은어로 은어를 낚는데, 이와 같은 낚시 방법을 놀림낚시라고 한다. 놀림낚시에서 미끼 은어를 침입자로 인식한 은어가 미끼 은어를 몰아내기 위해 몸을 부딪치다가 낚싯바늘에 걸리게 된다.

물의 흐름
— 세력권 ···· 공동 생활 구역
▲ 은어의 생활 구역

2. 순위제

개체군을 구성하는 개체들이 힘의 세기에 따라 순위를 정하여 먹이나 배우자를 차지하는 것이다. 순위를 정하는 과정은 치열하지만, 일단 순위가 정해지고 나면 순위에 따라 먹이나 배우자를 차지하므로 불필요한 경쟁을 줄이고 질서를 유지할 수 있다. 예 고릴라, 닭, 큰뿔양, 원숭이

고릴라는 암컷을 차지하기 위해 싸워 순위를 정한다.

닭은 서로 쪼아 가며 싸워 모이를 먹는 순위를 정한다.

큰뿔양의 숫양은 뿔의 크기나 뿔 치기로 순위를 정한다.

▲ 순위제

세력권 표시

세력권을 표시하는 방법으로는 배설물을 뿌리는 것, 뿔이나 송곳니를 나무에 비비는 것, 페로몬을 분비하는 것 등이 있다.

순위 결정 방식

순위 결정은 서로 상처를 입힐 수 있는 직접적인 충돌을 피하기 위해 몸의 크기, 장식, 체력 등을 비교하거나 과시 행동을 주고받는 방식으로 이루어지기도 한다. 또, 강한 상대에게 미리 항복 의사를 표시하여 싸움을 피하기도 한다.

닭의 순위

각기 다른 곳에 있던 닭 A~F를 한 닭장에 넣었을 때 쫀 개체와 쪼인 개체를 표와 같이 정리하면 닭 A~F의 순위를 알 수 있다.

쪼인 개체 \ 쫀 개체	A	B	C	D	E	F	쪼인 횟수
A		−	−	−	−	−	0
B	○		−	−	−	○	2
C	○	○		−	−	−	2
D	○	○	○		−	○	4
E	○	○	○	○		○	5
F	○	−	○	−	−		2
쫀 횟수	5	3	3	1	0	3	

닭 A~F의 순위는 다음과 같다.

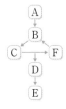

3. 리더제

개체군에서 경험이 많거나 영리한 한 개체가 리더가 되어 개체군을 이끄는 것이다. 리더제는 개체군의 이동 방향을 결정하거나 적으로부터 도망치고 질서를 유지하는 데 유리하다. 리더는 무리 전체를 통솔하며 개체군의 이동, 먹이 탐색, 도피 등을 결정하고 질서를 유지하는 역할을 한다. 다른 개체들은 리더를 따름으로써 생존에 도움이 되는 선택을 할 수 있다. 예 코끼리, 기러기, 순록

순위제와 리더제의 차이
순위제는 모든 개체 간에 순위가 정해져 있지만, 리더제는 리더를 제외한 나머지 개체 간에 순위가 없다.

코끼리 개체군은 먹이를 찾아 이동할 때 경험이 많은 개체가 리더가 되어 개체군의 이동 방향을 정한다.

기러기 개체군이 이동할 때 제일 앞에 있는 개체가 개체군을 통솔하는 리더이다.

▲ 리더제

4. 사회생활

개체군 내에서 개체의 역할이 먹이 수집, 방어, 생식 등으로 분업화되고 이들의 협력으로 전체 개체군이 유지되는 것이다. 사회생활을 하는 개체들은 몸의 구조나 습성이 자신이 맡은 일만 수행할 수 있도록 분화되어 있어 개체군에서 벗어나면 독자적으로 생존하기 어렵다. 예 개미, 꿀벌

분업
개체군에서 개체들의 역할이 분담되고 전문화될 때 이를 분업이라고 한다.

벌거숭이두더지쥐의 사회생활
포유류인 벌거숭이두더지쥐는 땅속에서 20마리~300마리 단위로 살아가는데, 1마리의 여왕과 1마리~3마리의 수컷만이 생식을 담당하고 나머지는 병정, 일꾼으로 역할을 나누어 맡는다.

개미 개체군에서는 알을 낳아 생식을 담당하는 여왕개미, 개체군 전체의 이익을 위해 일하는 일개미, 병정개미, 꿀단지 개미 등으로 역할이 분담되어 있다.

꿀벌 개체군에서는 여왕벌이 조직을 통솔하며 산란하고, 일벌은 꿀의 채취와 벌집 관리 등을 하며, 수벌은 생식에 관여한다.

▲ 사회생활

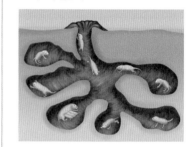

5. 가족생활

혈연관계인 개체들이 무리를 이루고 함께 새끼를 돌보거나 먹이를 사냥하는 것이다. 가족은 먹이를 공유하고 어린 개체를 효과적으로 키울 수 있어 개체군을 유지하는 데 도움이 된다. 예 사자, 코요테, 하이에나, 제비

▲ **가족생활** 사자는 어린 개체를 키울 수 있도록 수사자를 중심으로 가족생활을 하는데, 수사자는 무리를 보호하고 암사자는 주로 사냥을 한다.

효모 개체군의 생장 곡선 그리기

효모 개체군의 생장 곡선을 그리고, 환경 조건과의 관련성을 설명할 수 있다.

과정

표는 효모 개체군 (가)~(다)를 서로 다른 조건에서 배양하면서 두 시간마다 효모의 개체 수를 측정한 결과이다. 이 결과를 토대로 효모 개체군 (가)~(다)의 생장 곡선을 그려 본다. (단, (다)는 배양하는 중간에 온도를 15 ℃에서 35 ℃로 변화시켰다.)

구분	포도당 농도(%)	온도(℃)	시간(시)							
			0	**2**	**4**	**6**	**8**	**10**	**12**	**14**
(가)	1	35	20	50	120	210	230	240	240	240
(나)	0.5	35	20	40	80	130	140	150	150	130
(다)	1	15 → 35	20	30	60	110	120	160	200	210

효모

단세포 진핵생물로, 균계에 속한다. 모체에서 혹 같은 돌기가 자란 후 떨어져 나와 새로운 개체가 되는 출아법으로 번식한다.

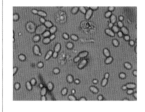

결과 및 해석

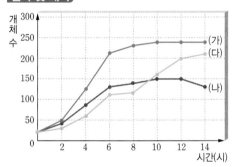

1 (가)와 (나)는 배양 초기에 개체 수가 급격하게 증가하다가 점차 둔화되어 더 이상 증가하지 않는 S자 모양의 생장 곡선을 나타낸다. → 개체 수가 증가함에 따라 양분 부족, 생활 공간 부족, 노폐물 축적, 경쟁 등 개체군의 생장을 억제하는 환경 저항이 증가했기 때문이다.

2 (나)는 (가)보다 개체 수가 적게 증가하여 최대 개체 수가 적다. → 효모는 포도당을 양분으로 이용하여 개체 수를 늘리는데, (나)는 (가)보다 포도당 농도가 낮은 조건에서 배양되어 양분이 적었기 때문이다.

3 (다)는 배양 시작 후 8시간까지 개체 수가 (가)보다 느리게 증가하다가, 8시간이 지났을 때부터 빠르게 증가하여 14시간이 지났을 때에는 개체 수가 (가)와 비슷해진다. → (다)를 8시간까지 15 ℃의 낮은 온도에서 배양하다가 8시간이 지났을 때 온도를 35 ℃로 변화시켰기 때문이다. 이를 통해 온도가 개체군의 생장에 영향을 미치는 환경 저항으로 작용하였음을 알 수 있다.

탐구 확인 문제

> 정답과 해설 **74쪽**

01 위 탐구에 대한 설명으로 옳지 <u>않은</u> 것은?

① (가)와 (나)는 모두 S자 모양의 생장 곡선을 나타낸다.

② (가)에서 2~4시간 구간에 환경 저항이 작용하지 않았다.

③ (나)에서 포도당 농도는 환경 저항 요인으로 작용하였다.

④ (나)는 (가)보다 환경 수용력이 작다.

⑤ (다)에서 35 ℃일 때가 15 ℃일 때보다 효모의 증식이 빠르다.

02 (가)의 생장 곡선에서 효모의 개체 수가 10시간 이후에 더 이상 증가하지 않고 일정해지는 까닭을 다음 용어를 모두 사용하여 서술하시오.

환경 저항　　출생률　　사망률

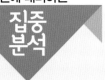

개체군 밀도와 생장 곡선

개체군 밀도는 일정한 공간에 서식하는 개체군의 개체 수를 말하며, 시간에 따른 개체군 밀도의 변화는 개체군의 생장 곡선으로 나타낼 수 있다. 이상적인 환경에서는 개체 수가 기하급수적으로 증가하지만, 자원의 제한이 있는 실제 환경에서는 개체 수가 어느 정도 많아지면 더 이상 증가하지 않고 일정하게 유지된다. 이 내용은 개체군의 생장 곡선으로 출제되는 경우가 많다.

❶ 개체군의 생장 곡선

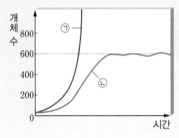

(1) ㉠(이론적 생장 곡선, J자 모양)은 먹이, 생활 공간 등 자원의 제한이 없는 이상적인 환경에서 나타난다.

(2) ㉡(실제 생장 곡선, S자 모양)은 먹이 부족, 생활 공간 부족, 노폐물 축적, 개체 간의 경쟁, 질병 등과 같은 환경 저항이 존재하는 환경에서 나타난다. → 개체 수가 증가할수록 환경 저항이 커져 결국에는 개체 수가 더 이상 증가하지 않고 일정하게 유지된다.

(3) ㉡(실제 생장 곡선)에서 개체 수가 600이 되면 더 이상 증가하지 않고 일정해지므로, 이 개체군이 유지할 수 있는 최대 개체 수인 환경 수용력은 600이다.

❷ 개체군의 밀도와 생장 곡선

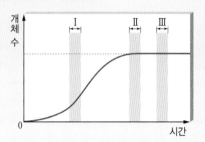

(1) 개체군은 한 지역에서 생활하는 같은 종의 개체로 이루어진 집단이다.

(2) 개체 수가 증가할수록 환경 저항이 커지므로 환경 저항은 구간 Ⅰ보다 구간 Ⅱ와 Ⅲ에서 크다.

(3) 개체군 밀도는 $\dfrac{개체군의\ 개체\ 수}{개체군의\ 서식\ 공간의\ 면적}$ 이므로, 서식 공간의 면적이 일정하면 개체 수 증가할수록 개체군 밀도는 높아진다. 따라서 개체군 밀도는 구간 Ⅰ보다 구간 Ⅱ와 Ⅲ에서 높다.

> 정답과 해설 **75쪽**

유제

그림 (가)는 개체군 A의, 그림 (나)는 개체군 B의 시간에 따른 개체 수를 나타낸 것이다. A가 서식하는 지역의 면적은 상댓값으로 400, B가 서식하는 지역의 면적은 상댓값으로 200이다.
이에 대한 설명으로 옳은 것만을 〈보기〉에서 있는 대로 고른 것은?

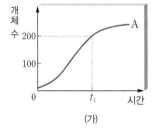

(가)

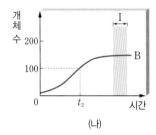

(나)

보기
ㄱ. A를 구성하는 개체는 모두 같은 종이다.
ㄴ. 구간 Ⅰ에서 B의 출생률은 0이다.
ㄷ. t_1에서 A의 개체군 밀도는 t_2에서 B의 개체군 밀도와 같다.

① ㄱ   ② ㄷ   ③ ㄱ, ㄴ   ④ ㄱ, ㄷ   ⑤ ㄱ, ㄴ, ㄷ

02 개체군

❶ 개체군의 특성

1. 개체군 밀도 일정한 공간에 서식하는 개체군의 개체 수로, 개체군이 서식하는 공간의 단위 면적당 (**❶**)로 나타낸다. → 개체군 밀도는 출생이나 이입으로 증가하고 사망이나 이출로 감소한다.

2. 개체군의 생장 곡선

• 이론적 생장 곡선: 생식 활동에 제약을 받지 않는 이상적인 환경에서는 개체 수가 기하급수적으로 증가한다. → (**❷**) 모양

• 실제 생장 곡선: 개체 수가 증가할수록 환경 저항이 증가하여 어느 한계에 이르면 개체 수가 일정해진다. → (**❸**) 모양

• (**❹**): 개체군의 생장을 억제하는 환경 요인 ⑩ 먹이 부족, 생활 공간 부족, 노폐물 축적, 경쟁, 질병

• (**❺**): 주어진 환경 조건에서 유지할 수 있는 개체군의 최대 크기에 해당한다.

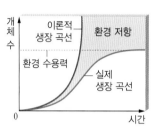

▲ 개체군의 생장 곡선

3. 개체군의 생존 곡선 개체군에서 동시에 출생한 개체들의 상대 연령별 생존 개체 수의 비율을 그래프로 나타낸 것이다.

• Ⅰ형: 어릴 때 사망률이 (**❻**)고, 대부분의 개체가 생리적인 수명을 다하고 죽는다. ⑩ 사람, 코끼리 등의 대형 포유류

• Ⅱ형: 전체 연령대에서 대체로 사망률이 일정하다. ⑩ 다람쥐

• Ⅲ형: 어릴 때 사망률이 (**❼**)고, 생존한 개체들이 생장하면서 사망률이 점차 감소한다. ⑩ 어패류, 곤충류

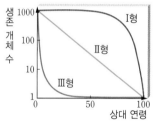

▲ 개체군의 생존 곡선

4. 개체군의 주기적 변동

• 돌말 개체군의 크기는 (**❽**)에 따른 영양염류의 양, 빛의 세기, 수온 등 환경 요인의 변화로 인해 1년을 주기로 변동한다.

• 눈신토끼와 스라소니 개체군의 크기는 (**❾**)의 관계에 의해 약 10년을 주기로 변동한다.

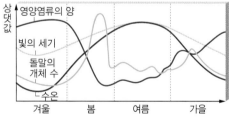

▲ 돌말 개체군의 주기적 변동

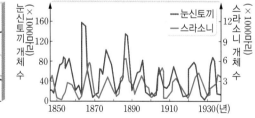

▲ 눈신토끼와 스라소니 개체군의 주기적 변동

❷ 개체군 내의 상호 작용

1. 텃세 각 개체가 (**❿**) 또는 텃세권을 확보하여 다른 개체의 접근을 막는다. ⑩ 은어, 까치

2. 순위제 개체들이 힘의 세기에 따라 (**⓫**)를 정하여 먹이나 배우자를 차지한다. ⑩ 고릴라, 닭

3. 리더제 한 개체가 (**⓬**)가 되어 개체군의 행동을 지휘하고 질서를 유지한다. ⑩ 코끼리, 기러기

4. 사회생활 각 개체의 역할이 분업화되어 이들의 협력으로 전체 개체군을 유지한다. ⑩ 개미, 꿀벌

5. 가족생활 혈연관계인 개체들이 무리를 이루고 함께 새끼를 돌보거나 먹이를 사냥한다. ⑩ 사자, 코요테

01 다음 각 설명에 해당하는 용어를 쓰시오.

(1) 일정한 공간에서 생활하는 개체군의 개체 수이다.

(2) 개체군에서 개체 수 증가를 억제하는 환경 요인이다.

(3) 개체군에서 동시에 태어난 개체들의 상대 연령별 생존 개체 수의 비율을 그래프로 나타낸 것이다.

02 다음은 개체군 밀도를 식으로 나타낸 것이다. ㉠에 들어갈 알맞은 말을 쓰시오.

$$개체군 밀도 = \frac{㉠}{개체군이 서식하는 공간의 면적}$$

03 그림은 개체군의 생장 곡선을 나타낸 것이다.

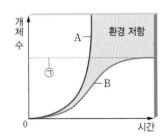

(1) A와 B 중 실제 생장 곡선에 해당하는 것의 기호를 쓰시오.

(2) ㉠은 무엇을 나타낸 것인지 쓰시오.

(3) 환경 저항에 해당하는 것만을 〈보기〉에서 있는 대로 고르시오.

보기
ㄱ. 먹이 부족　　　ㄴ. 천적 증가
ㄷ. 노폐물 감소　　ㄹ. 생활 공간 부족

04 그림은 개체군의 생존 곡선을 나타낸 것이다.

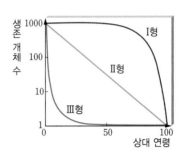

(1) 사람이나 코끼리 개체군에서 나타나는 생존 곡선의 유형을 쓰시오.

(2) 생존 곡선에 대한 설명으로 옳은 것만을 〈보기〉에서 있는 대로 고르시오.

보기
ㄱ. I형은 한 번에 출생하는 자손의 수는 적지만 어릴 때 부모의 보호를 받는 생물의 개체군에서 나타난다.
ㄴ. II형은 전체 연령대에서 사망률이 비교적 일정하게 나타난다.
ㄷ. III형은 어린 개체의 사망률이 낮다.

05 그림은 개체군 연령 피라미드의 세 가지 유형을 나타낸 것이다.

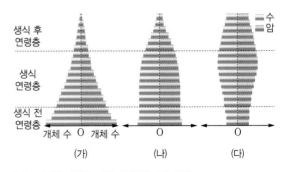

(가)~(다)는 각각 어떤 유형인지 쓰시오.

06 그림은 계절에 따른 영양염류의 양, 수온, 빛의 세기와 그에 따른 돌말 개체군의 개체 수 변화를 나타낸 것이다.

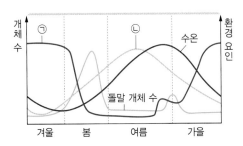

㉠과 ㉡에 해당하는 환경 요인을 각각 쓰시오.

07 그림은 오랜 시간에 걸쳐 일어난 눈신토끼와 스라소니의 개체군 크기 변화를 나타낸 것이다.

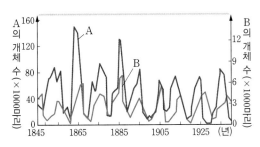

(1) A와 B에 해당하는 동물을 각각 쓰시오.

(2) 눈신토끼와 스라소니의 개체군 크기는 어떤 요인에 의해 주기적으로 변하는지 쓰시오.

08 그림은 하천에서 은어 개체가 활동하는 영역을 나타낸 것이다.
이 그림으로 알 수 있는 은어 개체군 내 상호 작용을 쓰시오.

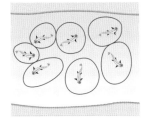

09 개체군 내 개체 간에 나타나는 상호 작용에 대한 설명으로 옳은 것만을 〈보기〉에서 있는 대로 고르시오.

┌─ 보기 ─────────────────────────────┐
ㄱ. 개체 간의 경쟁을 피하고 질서를 유지하기 위한 것이다.
ㄴ. 순위제와 사회생활은 모두 개체군 내의 상호 작용에 해당한다.
ㄷ. 개체군의 개체 수가 감소하면 개체 간의 상호 작용은 일어나지 않는다.
└──────────────────────────────────┘

10 다음 각 설명에 해당하는 개체군 내의 상호 작용을 쓰시오.

(1) 한 개체가 우두머리가 되어 개체군을 이끈다.

(2) 개체들이 역할을 분담하고 협력하며 생활한다.

(3) 개체들이 힘의 세기에 따라 순위를 정하여 먹이나 배우자를 차지한다.

(4) 혈연관계인 개체들이 무리를 이루어 함께 새끼를 돌보거나 먹이를 사냥한다.

11 다음 각 개체군 내의 상호 작용이 나타나는 생물을 〈보기〉에서 있는 대로 고르시오.

┌─ 보기 ─────────────────────────────┐
ㄱ. 닭   ㄴ. 물개   ㄷ. 개미
ㄹ. 사자   ㅁ. 꿀벌   ㅂ. 기러기
ㅅ. 코끼리   ㅇ. 큰뿔양   ㅈ. 얼룩말
└──────────────────────────────────┘

(1) 텃세   (2) 리더제

(3) 순위제   (4) 사회생활

(5) 가족생활

01 ▶ 개체군의 생장 곡선

그림은 어떤 개체군의 생장 곡선을 나타낸 것이다. (가)와 (나)는 각각 이론적 생장 곡선과 실제 생장 곡선 중 하나이다.

• 이론적 생장 곡선은 J자 모양, 실제 생장 곡선은 S자 모양이다.

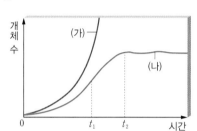

이에 대한 설명으로 옳은 것만을 〈보기〉에서 있는 대로 고른 것은? (단, 이 개체군에서 이입과 이출은 없다.)

보기
ㄱ. 환경 저항이 없을 때의 개체군 생장 곡선은 (가)이다.
ㄴ. t_1은 환경 저항이 작용하기 시작하는 시점이다.
ㄷ. (나)에서 개체 수의 증가 속도는 t_1에서가 t_2에서보다 빠르다.

① ㄴ   ② ㄷ   ③ ㄱ, ㄴ   ④ ㄱ, ㄷ   ⑤ ㄴ, ㄷ

02 ▶ 개체군의 실제 생장 곡선

그림은 어떤 개체군의 생장 곡선을 나타낸 것이다.

• 한 서식지에서 유지할 수 있는 개체군의 최대 개체 수가 환경 수용력이다.

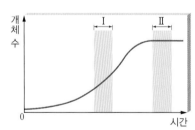

이에 대한 설명으로 옳은 것만을 〈보기〉에서 있는 대로 고른 것은? (단, 이 개체군에서 이입과 이출은 없다.)

보기
ㄱ. 구간 Ⅱ에서의 개체 수가 이 개체군의 환경 수용력이다.
ㄴ. $\dfrac{출생률}{사망률}$ 은 구간 Ⅰ에서가 구간 Ⅱ에서보다 크다.
ㄷ. 단위 시간당 개체 수 증가율은 구간 Ⅱ에서가 구간 Ⅰ에서보다 높다.

① ㄱ   ② ㄴ   ③ ㄱ, ㄴ   ④ ㄱ, ㄷ   ⑤ ㄱ, ㄴ, ㄷ

03 > 개체군의 생존 곡선

그림 (가)는 세 가지 유형의 생존 곡선을, 그림 (나)는 (가)의 생존 곡선에 대한 사망률 곡선을 나타낸 것이다.

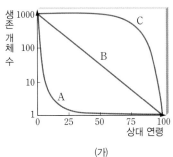
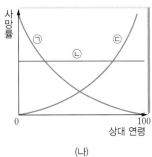

(가)   (나)

생존 곡선은 초기 사망률이 낮은 유형, 전체 연령대의 사망률이 비교적 일정한 유형, 초기 사망률이 높은 유형으로 구분된다.

이에 대한 설명으로 옳은 것만을 〈보기〉에서 있는 대로 고른 것은?

보기
ㄱ. A는 많은 수의 알을 낳는 물고기 개체군에서 주로 나타난다.
ㄴ. B는 사람, 코끼리 등 대형 포유류 개체군에서 주로 나타난다.
ㄷ. C의 사망률 곡선은 ㉢이다.

① ㄱ   ② ㄴ   ③ ㄱ, ㄴ   ④ ㄱ, ㄷ   ⑤ ㄴ, ㄷ

04 > 개체군의 생존 곡선

표는 생물 ㉠의 개체군에서 상대 연령별 100000개체당 1년간 사망 개체 수를, 그림은 세 가지 유형의 생존 곡선을 나타낸 것이다.

상대 연령	사망 개체 수	상대 연령	사망 개체 수
0~10	100	40~50	500
10~20	200	50~60	10000
20~30	300	60~70	25000
30~40	400	70~80	50000

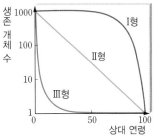

어떤 개체군의 상대 연령별 사망률을 분석하면 이 개체군의 생존 곡선 유형을 파악할 수 있다. 사망률은 보통 1000개체당 1년간 사망 개체 수로 나타낸다.

이에 대한 설명으로 옳은 것만을 〈보기〉에서 있는 대로 고른 것은?

보기
ㄱ. ㉠의 개체군에서 나타나는 생존 곡선 유형은 Ⅲ형이다.
ㄴ. ㉠의 개체군에서 대부분의 개체는 생리적 수명을 거의 다하고 죽는다.
ㄷ. 다람쥐는 ㉠에 해당한다.

① ㄱ   ② ㄴ   ③ ㄷ   ④ ㄱ, ㄴ   ⑤ ㄴ, ㄷ

05 ▶ 개체군의 계절적 변동

그림은 어떤 하천에서 계절에 따른 환경 요인과 돌말 개체군의 크기 변화를 나타낸 것이다.

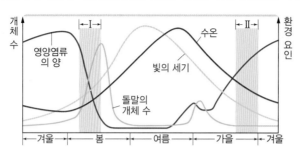

이에 대한 설명으로 옳은 것만을 〈보기〉에서 있는 대로 고른 것은?

> 보기
>
> ㄱ. 구간 Ⅰ에서 풍부한 영양염류, 빛의 세기 증가, 수온 상승으로 돌말의 개체 수가 급격히 증가한다.
> ㄴ. 구간 Ⅱ에서 영양염류는 풍부하지만 빛의 세기 감소와 수온 하강으로 돌말의 개체 수가 계속 감소한다.
> ㄷ. 여름에 돌말의 개체 수가 적게 유지되는 것은 강한 빛의 세기와 높은 수온 때문이다.

① ㄱ   ② ㄷ   ③ ㄱ, ㄴ   ④ ㄱ, ㄷ   ⑤ ㄱ, ㄴ, ㄷ

• 돌말 개체군은 계절에 따른 영양염류의 양, 빛의 세기, 수온 변화로 개체 수가 1년을 주기로 변동한다.

---

06 고난도 ▶ 개체군의 먹이 관계에 의한 변동

그림 (가)는 시간에 따른 눈신토끼와 스라소니의 개체 수 변화를, 그림 (나)는 피식자와 포식자의 개체 수 변화를 나타낸 것이다. A와 B는 각각 눈신토끼와 스라소니 중 하나이다.

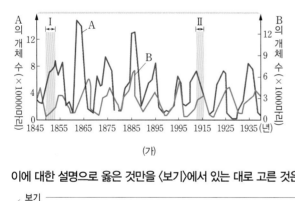

(가)   (나)

이에 대한 설명으로 옳은 것만을 〈보기〉에서 있는 대로 고른 것은?

> 보기
>
> ㄱ. A는 B의 천적이다.
> ㄴ. 구간 Ⅰ은 ㉠, 구간 Ⅱ는 ㉣에 해당한다.
> ㄷ. 눈신토끼와 스라소니의 개체 수 변동은 피식과 포식의 영향을 받는다.

① ㄱ   ② ㄴ   ③ ㄷ   ④ ㄱ, ㄷ   ⑤ ㄴ, ㄷ

• 눈신토끼는 피식자, 스라소니는 포식자이며, 피식과 포식에 의해 눈신토끼와 스라소니의 개체 수가 약 10년을 주기로 변동한다.

07 > 개체군 내의 상호 작용

그림 (가)는 은어의 활동 구역을, 그림 (나)는 은어의 개체군 밀도에 따른 공동 생활 구역의 개체 비율과 세력권 형성 개체 비율 및 몸 길이의 분포를 나타낸 것이다.

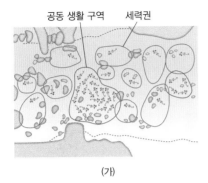

(가)

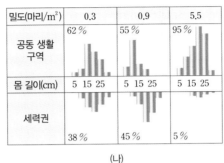

밀도(마리/m²)	0.3	0.9	5.5
공동 생활 구역	62 %	55 %	95 %
몸 길이(cm)	5 15 25	5 15 25	5 15 25
세력권	38 %	45 %	5 %

(나)

이에 대한 설명으로 옳은 것만을 〈보기〉에서 있는 대로 고른 것은?

보기
ㄱ. 개체군 밀도가 높아지면 텃세를 나타내는 개체의 비율이 증가한다.
ㄴ. 공동 생활 구역에서 개체들은 일을 분담하고 협력하며 살아간다.
ㄷ. 세력권을 형성하는 개체의 최소 몸 길이는 공동 생활 구역에서 생활하는 개체의 최소 몸 길이보다 길다.

① ㄱ   ② ㄴ   ③ ㄷ   ④ ㄱ, ㄷ   ⑤ ㄱ, ㄴ, ㄷ

> 은어 개체군에서 일부 은어 개체는 세력권을 형성하여 다른 개체의 침입을 적극적으로 막는 텃세를 나타내며, 그 비율은 개체군 밀도에 따라 다르다.

08 > 개체군 내의 상호 작용

다음은 개체군 내의 상호 작용 (가)와 (나)의 예이다.

(가) 암탉 여러 마리가 한 닭장 안에서 함께 살게 되면 처음에는 서로 머리를 쪼아 가며 싸우지만 며칠 후에는 모이를 먹는 순서가 정해진다.
(나) 수컷 버들붕어는 자신이 차지한 서식 공간에 접근한 다른 수컷을 공격하여 암컷을 차지하고 새끼를 지킨다.

이에 대한 설명으로 옳은 것만을 〈보기〉에서 있는 대로 고른 것은?

보기
ㄱ. (가)는 초원의 얼룩말 개체군 내에서도 나타난다.
ㄴ. (나)는 힘의 세기에 따라 개체들의 순위를 정하는 상호 작용이다.
ㄷ. (가)와 (나)는 모두 개체군 내 개체 간의 불필요한 경쟁을 피하기 위해 나타난다.

① ㄱ   ② ㄴ   ③ ㄷ   ④ ㄱ, ㄴ   ⑤ ㄴ, ㄷ

> (가)는 순위제, (나)는 텃세에 해당한다.

03 군집

학습 Point 군집의 특성 > 방형구법을 이용한 식물 군집 조사 > 군집의 종류와 생태 분포 > 군집 내 개체군 간의 상호 작용 > 식물 군집의 천이 과정

 군집의 특성

군집은 같은 지역에서 생활하는 모든 개체군의 집합이다. 군집 내에서는 여러 종류의 개체군들이 다양한 방식으로 다른 개체군이나 비생물 환경과 영향을 주고받으므로, 군집은 단일 개체군과는 구별되는 여러 가지 특성을 나타낸다.

1. 군집의 구성

군집은 생산자, 소비자, 분해자로 구성되며, 군집을 구성하는 개체군은 생태계 내에서 생산자, 소비자, 분해자로서의 역할을 수행하며 살아간다.

(1) **먹이 사슬:** 생산자와 소비자 사이에는 일련의 먹고 먹히는 관계인 먹이 사슬이 형성된다. 먹이 사슬은 '생산자 → 1차 소비자 → 2차 소비자 → … → 최종 소비자'로 연결되며, 먹이 사슬의 각 단계를 영양 단계라고 한다.

(2) **먹이 그물:** 군집에서는 한 종류의 생물이 여러 종류의 생물을 잡아먹기 때문에 하나의 먹이 사슬로만 되어 있는 경우는 드물고, 대부분 여러 개의 먹이 사슬이 복잡하게 얽혀 먹이 그물을 형성한다. 군집을 이루는 종이 다양할수록 복잡한 먹이 그물이 형성되어 군집이 더 안정해진다.

먹이 사슬과 먹이 그물

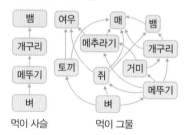

먹이 사슬   먹이 그물

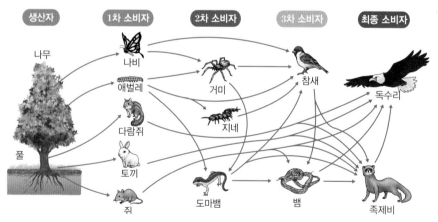

▲ **먹이 그물** 군집에서는 여러 개의 먹이 사슬이 복잡하게 얽혀 먹이 그물을 이룬다.

(3) **생태적 지위:** 군집을 구성하는 한 개체군이 먹이 사슬에서 차지하고 있는 위치를 먹이 지위라고 하며, 개체군이 차지하고 있는 서식 공간을 공간 지위라고 한다. 그리고 먹이 지위와 공간 지위를 합쳐서 생태적 지위라고 한다. 군집을 구성하는 개체군이 각각 자신의 생태적 지위를 지킴으로써 군집이 유지된다.

2. 군집의 구조

탐구 2권 139쪽

군집을 구성하는 개체군의 종류와 각 개체군의 개체 수는 군집의 구조와 특성을 좌우한다. 군집의 구조와 특성에 크게 영향을 미치는 개체군으로는 우점종, 핵심종, 지표종이 있다.

(1) **우점종**: 군집을 구성하는 개체군 중에서 개체 수가 많거나, 차지하는 면적 또는 공간이 커서 군집을 대표하는 개체군이다.

▲ 서양민들레가 우점종인 군집

① 군집은 대부분 한두 종의 우점종과 다수의 희소종으로 이루어져 있다.

② 대부분의 군집에서 우점종은 식물이며, 동물은 그 속에서 생활한다.

③ 우점종은 다른 종과 비생물 환경에 큰 영향을 미치며, 군집의 겉모습을 결정하는 경우가 많다.

(2) **핵심종**: 개체 수는 많지 않지만 군집의 구조를 유지하는 데 결정적인 역할을 하는 개체군이다.

① 일반적으로 먹이 그물의 상위 포식자가 핵심종 역할을 한다.

예 • 해양 생태계의 상위 포식자인 해달은 해조류를 갉아먹는 성게를 잡아먹는데, 해달이 사라지면 해조류가 사라지고 이를 터전으로 살아가는 수많은 해양 생물이 위기에 처한다.

• 바닷가 바위 생태계의 최상위 포식자인 불가사리가 사라지면 불가사리의 먹이인 담치가 번성하여 바위를 점령하고 군부와 따개비는 서식지를 잃고 사라진다.

② 상위 포식자는 아니지만 비생물 환경을 크게 바꿔 군집의 구조에 영향을 미치는 핵심종도 있다.

예 비버는 상위 포식자는 아니지만 비버가 강에 댐을 쌓아 숲을 습지로 만들면 그곳에 사는 생물종의 구성이 달라지므로 핵심종이다.

해달은 성게의 개체 수를 조절하여 해양 생태계의 구조를 유지한다.

불가사리는 담치의 개체 수를 조절하여 바위 생태계의 구조를 유지한다.

비버는 숲을 습지로 만들어 군집의 종 구성을 변화시킨다.

▲ **핵심종**

(3) **지표종**: 특정 환경 조건을 충족하는 군집에서만 볼 수 있어 그 군집의 특징을 나타내는 개체군이다.

예 • 맹꽁이는 기후 변화에 민감하여 국가 기후 변화 생물 지표로 선정된 지표종이다.

• 지의류는 대기 중의 이산화 황 농도가 조금만 높아도 살지 못하므로 대기오염 정도를 알려 주는 지표종이다.

기후 변화 지표종인 맹꽁이

대기오염 지표종인 지의류

▲ **지표종**

희소종
군집을 구성하는 개체군 중에서 개체 수가 매우 적은 개체군으로, 보호가 필요하다.

군락
식물로 특징지어지는 군집을 말한다. 군락은 우점종에 의해 특유의 외관을 나타낸다. 초원은 초본류가 우점종인 군락이고, 삼림은 교목이 우점종인 군락이다.

지의류
조류와 균류의 공생체로, 바위, 나무줄기 등에 부착하여 산다. 지의류의 균류는 균사로 물을 흡수하여 보존하고, 조류는 광합성을 하여 균류와 자신에게 필요한 양분을 생산한다.

(4) **식물 군집 조사:** 군집의 구조와 특성을 알아보기 위해서는 군집의 종 구성과 분포를 조사해야 한다. 식물 군집을 조사할 때에는 주로 방형구법을 이용한다.

① **방형구법:** 조사할 곳에 일정한 크기의 방형구를 여러 개 설치하고, 방형구에 나타난 식물 종, 각 식물 종의 개체 수(밀도), 종이 출현한 방형구 수(빈도), 지표를 덮고 있는 정도(피도)를 조사하여 종의 중요도를 구하고 우점종을 알아내는 방법이다.

▲ 초본 군집 조사를 위해 방형구를 설치한 모습

② **중요도(중요치)와 우점종:** 종의 중요도는 상대 밀도, 상대 빈도, 상대 피도를 합한 값이며, 중요도가 가장 큰 종이 우점종이 된다.

$$중요도 = 상대\ 밀도 + 상대\ 빈도 + 상대\ 피도$$

- 밀도 $= \dfrac{특정\ 종의\ 개체\ 수}{조사한\ 면적(m^2)}$

- 상대 밀도(%) $= \dfrac{특정\ 종의\ 밀도}{조사한\ 모든\ 종의\ 밀도\ 합} \times 100$

- 빈도 $= \dfrac{특정\ 종이\ 출현한\ 방형구의\ 수}{조사한\ 방형구의\ 총\ 수}$

- 상대 빈도(%) $= \dfrac{특정\ 종의\ 빈도}{조사한\ 모든\ 종의\ 빈도\ 합} \times 100$

- 피도 $= \dfrac{특정\ 종이\ 차지한\ 면적(m^2)}{조사한\ 면적(m^2)}$

- 상대 피도(%) $= \dfrac{특정\ 종의\ 피도}{조사한\ 모든\ 종의\ 피도\ 합} \times 100$

② 군집의 종류와 생태 분포

지구에는 환경에 따라 다양한 종류의 군집이 형성되어 있다. 특히 육상에서는 기온, 강수량, 햇빛의 양 등의 기후 조건에 따라 식물 군집의 분포가 다르게 나타난다.

1. 군집의 종류

군집은 서식 환경에 따라 크게 육상 군집과 수생 군집으로 구분된다.

(1) **육상 군집:** 기온이나 강수량과 같은 기후 요인의 영향을 크게 받으며, 식물 군집의 상관을 기준으로 삼림, 초원, 사막 등으로 구분된다.

① **삼림:** 다양한 목본 식물과 초본 식물이 함께 자라는 대표적인 육상 군집으로, 강수량이 많은 지역에 형성된다.

② **초원:** 지표면의 50 % 이상이 초본 식물로 덮여 있는 군집으로, 삼림보다 강수량이 적은 지역에 형성된다.

③ **사막:** 건조한 환경에 적응한 몇몇 식물 종만 자라는 군집으로, 강수량이 매우 적고 건조한 지역에 형성된다.

삼림　초원　사막

▲ 육상 군집

방형구
군집 조사에 이용하는 정사각형이나 직사각형의 틀이다. 군집의 종류와 특성에 따라 크기가 다른 방형구를 이용하며, 수중 저서 생물이나 고착성 동물 등을 조사할 때에도 방형구를 이용한다.

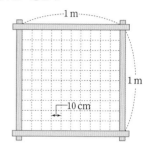
▲ 1 m × 1 m 크기의 방형구

상관
식물 군집은 우점종에 의해 특유의 외관이 나타나는데, 이를 상관이라고 한다.

삼림
열대 지방의 열대 우림, 아열대와 난대 지방의 상록 활엽수림, 온대 지방의 낙엽 활엽수림, 아한대 지방의 침엽수림 등이 있다.

초원
열대 지방의 열대 초원(사바나), 온대 지방의 온대 초원(스텝, 프레리, 팜파스 등)이 있다.

사막
열대와 온대 지방의 사막, 한대와 극지방 부근의 툰드라가 있다.

(2) **수생 군집:** 수중 생활에 적응한 생물로 이루어진 군집으로, 물가나 물속에서 형성되며 하천, 호수, 강에서 형성되는 담수 군집과 바다에서 형성되는 해수 군집이 있다.

시야확장 ➕ 삼림의 층상 구조

삼림 군집은 여러 식물이 빛의 세기에 따라 햇빛을 최대한 활용하도록 수직적인 몇 개의 층을 이루고 있는데, 이를 층상 구조라고 한다. 층상 구조는 높이에 따라 교목층, 아교목층, 관목층, 초본층, 선태층(지표층), 지중층으로 구분된다.

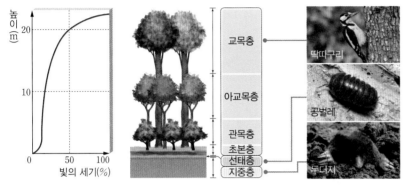

❶ 교목층, 아교목층, 관목층, 초본층은 광합성이 활발하여 광합성층이라고 하며, 새와 곤충 등이 서식한다.
❷ 선태층(지표층)에는 낙엽이나 썩은 나무가 있으며, 선태류(생산자), 균류(분해자), 지네나 공벌레 등의 곤충(소비자)이 서식한다.
❸ 지중층에는 부식질이 많고 두더지, 지렁이, 균류, 세균 등이 서식한다.

2. 군집의 생태 분포

기온, 강수량, 햇빛의 양 등 환경 요인의 영향을 받아 형성된 식물 군집의 분포를 생태 분포라고 한다. 생태 분포는 위도에 따른 수평 분포와 고도에 따른 수직 분포로 구분된다.

(1) **수평 분포:** 위도에 따른 기온과 강수량의 차이로 나타난다. 열대나 아열대의 저위도 지방에는 주로 상록 활엽수림이 분포하고, 고위도 지방으로 가면서 낙엽 활엽수림, 침엽수림, 툰드라 순으로 분포한다.

(2) **수직 분포:** 고도에 따른 기온의 차이로 나타난다. 저지대에서 고지대로 가면서 상록 활엽수림, 낙엽 활엽수림, 침엽수림 순으로 분포한다.

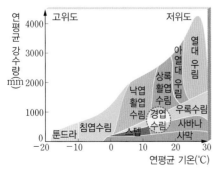

▲ **수평 분포** 위도에 따른 기온과 강수량의 차이로 나타난다.

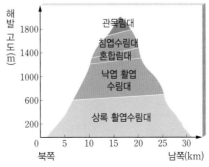

▲ **수직 분포** 고도에 따른 기온의 차이로 나타난다.

교목, 아교목, 관목
• 교목: 뿌리에서 1개의 굵은 줄기가 나와서 자라는 나무로, 보통 높이가 8 m 이상이다.
• 아교목: 모양은 교목과 비슷하지만, 높이가 교목과 관목의 중간 정도인 나무이다.
• 관목: 뿌리에서 여러 개의 줄기가 나와서 자라는 나무로, 보통 높이가 2 m 이하이다.

선태류
우산이끼, 솔이끼, 물이끼 등과 같은 이끼식물을 말한다. 습한 땅, 바위, 썩은 나무, 나무 줄기 등에서 산다.

부식질
흙 속에서 낙엽이나 동식물의 사체가 썩으면서 만들어지는 유기물의 혼합물

층상 구조와 동물 군집
식물 군집의 층상 구조는 다양한 동물에게 서식지를 제공하며, 동물은 종류에 따라 서식하는 층이 달라서 동물 군집의 층상 구조가 형성된다.

우리나라의 생태 분포
우리나라는 남북 방향으로 길게 뻗어 있어 위도에 따른 수평 분포가 나타난다. 남부 지방에는 상록 활엽수가 자라는 난대림, 중부 지방에는 낙엽 활엽수림과 침엽수림이 혼합된 온대림, 북부 지방에는 침엽수림이 우거진 한대림이 발달해 있다. 제주도의 한라산은 고도에 따른 수직 분포가 나타난다.

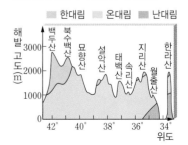

③ 군집 내 개체군 간의 상호 작용

집중 분석 2권 140쪽

군집을 이루는 개체군 간에는 종간 경쟁, 분서 등 다양한 상호 작용이 나타난다. 이러한 상호 작용은 개체들의 생존과 번식에 영향을 미쳐 군집의 질서와 안정성 유지에 중요한 역할을 한다.

1. 종간 경쟁

군집 내 생태적 지위가 비슷한 개체군 사이에서는 한정된 먹이와 생활 공간을 차지하기 위해 종간 경쟁이 일어나며, 생태적 지위가 많이 겹칠수록 경쟁이 심하게 일어난다. 경쟁에서 이긴 개체군은 번성하여 생장하지만, 경쟁에서 진 개체군은 서식지에서 사라지는데, 이를 경쟁·배타 원리라고 한다.

시선 집중 ★ 짚신벌레 개체군의 종간 경쟁

그림은 같은 종류의 먹이를 먹는 짚신벌레 두 종을 배양하여 얻은 생장 곡선이다.

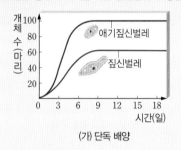

(가) 단독 배양

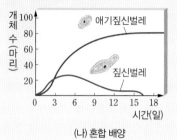

(나) 혼합 배양

❶ 두 종의 짚신벌레 개체군을 각각 따로 배양하면 (가)와 같이 두 개체군 모두 S자 모양의 생장 곡선을 나타낸다.

❷ 두 종의 짚신벌레 개체군을 함께 배양하면 (나)와 같이 한 종(애기짚신벌레)만 살아남고, 다른 한 종(짚신벌레)은 사라진다. → 생태적 지위가 같은 두 종의 짚신벌레 사이에서 종간 경쟁이 일어난 결과 경쟁에서 이긴 종(애기짚신벌레)은 살아남고, 경쟁에서 진 종(짚신벌레)은 사라진 것이다. 즉, 경쟁·배타 원리가 적용된다.

2. 분서(생태 지위 분화)

생태적 지위가 비슷한 개체군들이 함께 살면서 생활 공간, 먹이 종류, 활동 시간 등을 달리하여 경쟁을 피하는 것이다.

예 • 같은 갯벌에 사는 새들은 종에 따라 먹이를 달리한다.

• 한 나무에 사는 여러 종의 솔새는 서로 다른 위치에 서식하여 생활 공간을 달리한다.

▲ 갯벌에 사는 새의 분서 같은 갯벌에 사는 새들은 종에 따라 먹이를 달리하여 경쟁을 피한다.

▲ 솔새의 분서 한 나무에 사는 솔새들은 종에 따라 생활 공간을 달리하여 경쟁을 피한다.

종간 경쟁과 종내 경쟁

종간 경쟁은 군집 내 서로 다른 개체군 사이에서 생태적 지위가 겹칠 때 나타나는 경쟁이다. 종내 경쟁은 한 개체군 내 같은 종의 개체 사이에서 먹이, 배우자, 생활 공간 등을 차지하기 위해 나타나는 경쟁이다.

짚신벌레

애기짚신벌레(아우렐리아 종)가 짚신벌레(카우다툼 종)보다 번식률이 높아 혼합 배양하면 나중에는 애기짚신벌레만 살아남는다.

애기짚신벌레
(아우렐리아 종)

짚신벌레
(카우다툼 종)

분서와 텃세의 구분

분서와 텃세는 둘 다 생활 공간을 달리하는 것이기 때문에 혼동하는 경우가 많다. 텃세는 개체군 내 개체 간에 일어나는 상호 작용이고, 분서는 군집 내 개체군 간에 일어나는 상호 작용이다.

• 수서 곤충, 녹조류 등을 먹는 피라미는 은어가 없을 때에는 개울의 중앙에서 주로 녹조류를 먹고 산다. 하지만 경쟁자인 은어가 나타나면 개울의 가장자리로 이동하여 주로 수서 곤충을 먹고 살면서 서식지와 먹이에 대한 경쟁을 피한다.

▲ **피라미와 은어의 분서**

3. 포식과 피식

서로 다른 두 종의 개체군이 먹고 먹히는 관계에 있는 것이다. 포식과 피식 관계는 먹이 사슬을 형성하여 생태계 평형을 유지하는 데 중요한 역할을 한다.

(1) **포식자와 피식자**: 잡아먹는 쪽은 포식자이고, 잡아먹히는 쪽은 피식자이다.

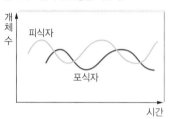

▲ **포식과 피식** 생태계는 포식과 피식 관계로 형성되는 먹이 사슬에 의해 평형이 유지된다.

① 포식자를 피식자의 천적이라고 하며, 포식자는 피식자 개체군의 생장을 조절하는 요인으로 작용한다.

② 일반적으로 피식자는 포식자보다 개체 수가 많고, 몸집이 작다.

(2) **포식자의 적응**: 포식자는 강한 이빨과 발톱 등을 가지고 있고, 더 빨리 달리거나 의태, 매복을 하는 등 먹이를 잡기에 유리한 적응 형질을 가지고 있다.

(3) **피식자의 적응**: 피식자는 경계색을 띠거나 방어 물질을 분비하며, 예민한 감각과 빠른 발 등과 같이 포식자를 피할 수 있는 적응 형질을 가지고 있다.

4. 공생

서로 다른 두 종의 개체군이 밀접한 관계를 맺으면서 함께 생활하는 것이며, 상리 공생과 편리공생으로 구분된다.

(1) **상리 공생**: 공생하는 두 개체군이 모두 이익을 얻는 것이다.

예 • 말미잘은 흰동가리가 유인한 먹이를 먹고, 흰동가리는 말미잘의 보호를 받는다.

• 청소놀래기는 복어의 아가미와 입속의 찌꺼기를 먹이로 먹고, 복어는 청소놀래기에 의해 아가미와 입속이 깨끗하게 청소된다.

• 꽃은 나비에게 꿀을 제공하고, 나비는 꽃의 수분을 돕는다.

• 콩과식물의 뿌리혹에 서식하는 뿌리혹박테리아는 자신이 고정한 질소 화합물을 콩과식물에게 제공하고, 콩과식물로부터 서식지와 양분을 공급받는다.

• 지의류의 조류와 균류, 개미와 진딧물도 각각 상리 공생의 예에 해당한다.

말미잘과 흰동가리

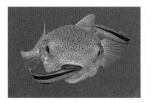

복어와 청소놀래기

콩과식물과 뿌리혹박테리아

▲ **상리 공생하는 생물**

(2) **편리공생:** 공생하는 두 개체군 중 한 개체군은 이익을 얻고, 다른 개체군은 이익도 손해도 없는 것이다.

㉠ • 따개비는 혹등고래에 붙어 살면서 쉽게 이동하지만, 혹등고래는 이익도 손해도 없다.

• 빨판상어는 거북에 붙어 쉽게 이동하고 먹이를 얻으며 보호받지만, 거북은 이익도 손해도 없다.

• 황로는 들소가 이동할 때 풀숲에서 나오는 벌레를 잡아먹기 위해 들소를 따라다니지만, 들소는 이익도 손해도 없다.

혹등고래와 따개비

거북과 빨판상어

황로와 들소

▲ 편리공생하는 생물

5. 기생

두 종의 개체군이 함께 생활하면서 한 개체군은 일방적으로 이익을 얻고, 다른 개체군은 손해를 보는 것이다.

㉠ • 덩굴 식물인 새삼은 다른 식물에 붙어 다른 식물로부터 양분과 물을 흡수하며 산다.

• 기생벌은 다른 곤충의 애벌레에 알을 낳고, 알에서 깨어난 기생벌 유충은 숙주 애벌레를 양분으로 섭취하여 성장한다.

• 촌충, 십이지장충, 말라리아 원충은 사람의 몸속에 살며 양분을 빼앗고, 질병을 일으킨다.

새삼

기생벌

촌충

▲ 기생하는 생물

시선 집중 ★ 군집 내 개체군 간의 상호 작용 비교

표는 근접해 있는 두 개체군 A와 B 사이에서 일어날 수 있는 상호 작용을 기호로 나타낸 것이다.

상호 작용	(가)	(나)	(다)	기생	포식과 피식
개체군 A	−	+	+	−	+
개체군 B	−	0	+	+	−

(+: 이익을 얻음, −: 해를 입음, 0: 이익도 해도 없음)

❶ (가)는 두 개체군 모두 해를 입으므로 종간 경쟁, (나)는 한 개체군은 이익을 얻고 다른 개체군은 이익도 해도 없으므로 편리공생, (다)는 두 개체군 모두 이익을 얻으므로 상리 공생이다.

❷ 기생 관계에서 해를 입는 개체군 A는 숙주, 이익을 얻는 개체군 B는 기생 생물이다.

❸ 포식과 피식 관계에서 이익을 얻는 개체군 A는 포식자, 해를 입는 개체군 B는 피식자이다.

기생 생물과 숙주
기생 관계에서 이익을 얻는 생물을 기생 생물(기생자), 피해를 입는 생물을 숙주라고 한다.

'기생'과 '포식과 피식'의 차이
기생 관계인 두 개체군이 서로 떨어져 있으면 숙주 개체군(A)은 아무 영향을 받지 않지만, 기생 생물 개체군(B)은 해를 입는다. 포식과 피식 관계인 두 개체군이 떨어져 있으면 포식자 개체군(A)은 해를 입지만, 피식자 개체군(B)은 이익을 얻는다.

4 군집의 천이

생물이 살지 않던 곳에 다양한 생물이 들어와 군집이 형성되면 군집을 이루는 종이 시간이 지남에 따라 다른 종으로 대체되면서 군집의 종 구성과 특성이 점진적으로 변하는 천이가 일어난다.

1. 천이

오랜 세월 동안 군집의 종 구성과 특성이 서서히 변해 가는 현상이다. 군집의 천이는 개척자의 유입으로 시작하여 몇 단계를 거쳐 천이의 마지막 단계인 극상에 이른다.

(1) 개척자: 천이를 시작하는 생물이다. 천이가 시작되면 맨땅에서 최초로 나타나는 개척자에 의해 환경이 변하고, 뒤따라 새로운 종이 나타난다.

(2) 극상: 천이의 마지막 단계에서 식물 군집이 안정된 상태를 이룬 것이다. 대부분의 온대 지역에서는 참나무류로 이루어진 음수림이 극상을 이룬다.

2. 1차 천이

용암 대지, 빙퇴석, 호수와 같이 토양이 형성되지 않은 불모지에서 시작하는 천이이다. 1차 천이에는 용암 대지와 같이 건조한 곳에서 시작하는 건성 천이와 호수와 같이 습한 곳에서 시작하는 습성 천이가 있다.

(1) 건성 천이: 초기에는 토양과 수분이, 후기에는 빛이 중요한 환경 요인으로 작용한다.

① 지의류가 개척자로 들어와 서식하면서 토양이 형성되고, 이끼류가 자라기 시작한다.

② 토양층이 발달하면서 초본류가 군집을 이루고, 점차 키가 작은 관목이 들어와 토양층을 더욱 두껍게 만든다.

③ 소나무 같은 양수가 들어와 양수림이 형성된다.

④ 양수림이 발달하면서 숲의 아래쪽에 도달하는 빛의 양이 크게 줄어들어 숲의 아래쪽에서는 양수 묘목이 잘 자라지 못하고 떡갈나무, 신갈나무 같은 음수가 늘어나 혼합림이 형성된다.

⑤ 혼합림에서는 비교적 약한 빛에서도 잘 자라는 음수가 양수보다 경쟁에 유리하여 점차 음수가 번성하면서 혼합림이 음수림으로 전환되어 극상을 이룬다.

(2) 습성 천이: 연못이나 호수에 퇴적물이 쌓여 육지화가 된 후 일어난다. 빈영양호에 유기물이 쌓여 부영양호가 된 후 개척자로 습생 식물이 들어오면 흙, 모래, 유기물이 퇴적되어 습원이 형성된다. 이곳에 초본류가 자라면서 건성 천이와 같은 과정을 거쳐 극상을 이룬다.

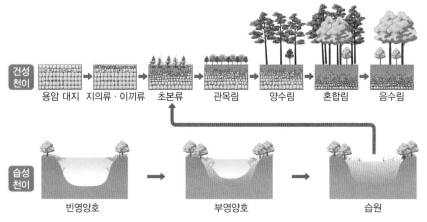

▲ **1차 천이** 건조한 곳에서 시작하는 건성 천이와 습한 곳에서 시작하는 습성 천이로 구분된다.

용암 대지
화산의 용암이 대량으로 유출되어 형성된 평탄한 대지

빙퇴석
빙하가 운반해 온 암석, 자갈, 모래 등이 하류에 퇴적되어 형성된 지형

천이 과정에서 지의류의 역할
지의류는 용암 대지나 바위의 표면에 부착해 살면서 여러 종류의 산성 물질을 분비하여 바위 표면을 부식시켜 미세한 틈을 만든다. 이 틈을 통해 풍화 작용이 촉진되어 토양이 형성되고 수분 함량이 증가한다.

양수와 음수
• 양수: 어릴 때 햇빛이 잘 비치는 곳에서 잘 자라고 그늘에서는 잘 자라지 못하는 나무 예 소나무
• 음수: 어릴 때 비교적 빛이 약한 곳에서도 잘 자라는 나무 예 떡갈나무, 신갈나무

빈영양호
영양염류의 양과 퇴적량이 적어서 생물의 생산력이 낮은 호수

부영양호
영양염류의 양과 퇴적량이 많아서 생물의 생산력이 높은 호수

습생 식물
습기가 많은 물가나 습지에서 자라는 식물 예 부들, 갈대

3. 2차 천이

산불, 홍수, 벌목, 산사태 등으로 기존의 식물 군집이 파괴되어 없어진 지역이나, 사람에 의해 경작지로 전환되었다가 방치된 곳과 같이 토양이 남아 있는 지역에서 시작하는 천이이다.

▲ 2차 천이가 진행되는 군집

(1) **2차 천이의 속도:** 2차 천이는 토양이 이미 형성되어 있고 토양 속에 기존 식물의 뿌리나 종자가 남아 있어 1차 천이보다 빠른 속도로 진행된다.

(2) **2차 천이 과정:** 2차 천이의 개척자는 대부분 초본류이며, 토양에 살아 있는 나무뿌리가 있다면 관목이 우점하는 군집으로 빠르게 전환될 수 있다. 2차 천이도 1차 천이와 같이 시간이 지나면서 양수림, 혼합림을 거쳐 마지막에 음수림이 극상을 이룬다.

시선 집중 ★ 식물 군집의 천이 과정

그림은 천이 과정에서 관찰되는 식물 군집 (가)~(다)의 모습이다.

(가) 산불이 난 후 다년생 초본류와 관목류가 자라고 있다.

(나) 키가 큰 소나무류가 우점하고 있으며, 그 아래에 참나무류가 많이 자라고 있다.

(다) 호수에 토양이 쌓여 호수가 점점 좁아지면서 주변에 골풀, 큰고랭이 등의 습지 식물이 자라고 있다.

❶ (가)는 2차 천이가 시작되고 있는 식물 군집으로, 시간이 지나면 양수림으로 전환될 것이다.

❷ (나)는 소나무와 같은 양수가 우점하고 있는데 음수인 참나무류 묘목이 자라고 있으므로 이후 혼합림으로 전환될 것이다.

❸ (다)는 호수에서 시작된 습성 천이 중 습원이 형성된 모습이다. 이후 습원이 완전히 메워져 초본류가 들어와 살면 건성 천이와 같이 관목림 → 양수림 → 혼합림 → 음수림의 과정을 거칠 것이다.

---

4. 천이 진행에 따른 변화

(1) **토양 변화:** 식물 군집이 발달하면 낙엽의 분해로 토양 속 무기염류의 양이 증가하고, 토양의 수분 함량과 깊이도 증가한다. 그러나 극상을 이룬 뒤에는 낙엽이 되어 토양으로 되돌아가는 무기염류보다 식물체 내로 흡수되어 저장되는 무기염류가 더 많으므로, 토양 속 무기염류의 양이 감소한다.

(2) **빛의 양 변화:** 양수림이 발달하면서 숲의 위쪽에서 많은 빛이 흡수되어 아래쪽에 도달하는 빛의 양이 크게 줄어든다.

(3) **군집 내 종 다양성 변화:** 천이가 진행됨에 따라 식물에 의존하여 사는 동물과 미생물의 종류와 수도 함께 변하므로 종 다양성이 변한다.

① 식물 군집에 작은 동물이 서식하면 먹이 사슬로 연결된 다른 동물도 함께 서식하기 시작하여 천이가 진행되면서 군집 내 종 다양성이 증가한다.

② 식물 군집이 극상에 이르면 동물 군집도 안정된 상태를 유지한다.

지구 온난화와 천이

최근에는 지구 온난화가 천이에 영향을 주는 새로운 환경 요인으로 등장하였다. 지구 온난화는 지구 전체의 평균 기온을 상승시켜 해수면의 상승뿐만 아니라 지역적인 식생 분포의 변화를 초래하고, 이에 따라 천이 과정에도 영향을 준다. 우리나라에서는 연평균 기온이 2 ℃ 상승하면 난대림이 중부 지방까지 확대되고, 4 ℃ 상승하면 남한 지역의 대부분이 난대림으로 바뀌며, 남해안 지역은 아열대림으로 바뀔 것으로 예상된다.

방형구법으로 식물 군집 조사하기

방형구법으로 식물 군집을 조사하여 우점종을 구할 수 있다.

과정

1 풀이 자라고 있는 편평한 지역에 $1\,\text{m} \times 1\,\text{m}$ 크기의 방형구 4개를 설치한다.

2 방형구 안에 있는 식물의 종과 개체 수를 조사해 각 종의 밀도, 빈도, 피도를 구한다. 방형구 한 칸의 면적은 $0.01\,\text{m}^2$이며, 한 칸에 출현한 종은 그 칸을 모두 차지한 것으로 본다.

3 각 종의 상대 밀도, 상대 빈도, 상대 피도를 계산하여 중요도를 구하고, 우점종을 결정한다.

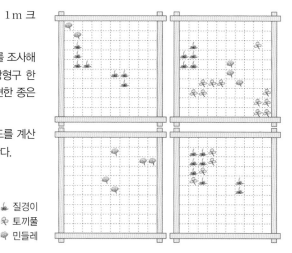

⚘ 질경이
☘ 토끼풀
❀ 민들레

● 피도 계급

특정 종이 차지하는 면적을 정확히 측정하기 어려우면 피도 계급을 이용한다.

피도 계급	방형구를 덮은 면적
1	5 % 이하
2	5 % 초과~25 % 이하
3	25 % 초과~50 % 이하
4	50 % 초과~75 % 이하
5	75 % 초과

결과

식물 종	밀도	빈도	피도	상대 밀도(%)	상대 빈도(%)	상대 피도(%)	중요도
질경이	$\dfrac{20}{4(\text{m}^2)}=5$	$\dfrac{3}{4}=0.75$	$\dfrac{20\times0.01(\text{m}^2)}{4(\text{m}^2)}=0.05$	$\dfrac{5}{11.25}\times100\fallingdotseq44.5$	$\dfrac{0.75}{2}\times100=37.5$	$\dfrac{0.05}{0.1125}\times100\fallingdotseq44.5$	126.5
토끼풀	$\dfrac{15}{4(\text{m}^2)}=3.75$	$\dfrac{2}{4}=0.5$	$\dfrac{15\times0.01(\text{m}^2)}{4(\text{m}^2)}=0.0375$	$\dfrac{3.75}{11.25}\times100\fallingdotseq33.3$	$\dfrac{0.5}{2}\times100=25.0$	$\dfrac{0.0375}{0.1125}\times100\fallingdotseq33.3$	91.6
민들레	$\dfrac{10}{4(\text{m}^2)}=2.5$	$\dfrac{3}{4}=0.75$	$\dfrac{10\times0.01(\text{m}^2)}{4(\text{m}^2)}=0.025$	$\dfrac{2.5}{11.25}\times100\fallingdotseq22.2$	$\dfrac{0.75}{2}\times100=37.5$	$\dfrac{0.025}{0.1125}\times100\fallingdotseq22.2$	81.9
계	11.25	2	0.1125	100	100	100	300

해석

질경이, 토끼풀, 민들레 중 질경이의 중요도가 가장 크므로, 이 식물 군집의 우점종은 질경이이다.

탐구 확인 문제

> 정답과 해설 **77**쪽

01 방형구법을 이용한 식물 군집 조사에 대한 설명으로 옳지 않은 것을 모두 고르면? (정답 2개)

① 중요도가 가장 큰 종이 조사한 지역의 우점종이다.

② 중요도는 상대 밀도, 상대 빈도, 상대 피도의 합이다.

③ 특정 종의 밀도는 특정 종의 개체 수를 전체 방형구의 면적으로 나눈 값이다.

④ 특정 종의 피도는 특정 종이 출현한 방형구 수를 전체 방형구 수로 나눈 값이다.

⑤ 특정 종의 빈도는 특정 종이 차지한 면적을 전체 방형구의 면적으로 나눈 값이다.

02 표는 어떤 식물 군집을 방형구법으로 조사한 결과이다.

식물 종	밀도	빈도	피도	상대 밀도(%)	상대 빈도(%)	상대 피도(%)
A	25	45	32	13.9	62.5	6.7
B	15	6	20	8.3	8.3	4.2
C	3	3	380	1.7	4.2	79.1
D	95	5	26	52.8	6.9	5.4
E	42	13	22	23.3	18.1	4.6

이 식물 군집의 우점종은 무엇인지 쓰고, 그와 같이 판정한 까닭을 서술하시오. (단, 제시된 종만 고려한다.)

집중분석

군집 내 개체군 간의 상호 작용

군집 내에서 각 개체군은 일정한 공간을 차지하고 먹이 그물에서도 일정한 위치를 차지하고 있는데, 이와 같은 개체군의 공간 지위와 먹이 지위를 합쳐 생태적 지위라고 한다. 군집 내 개체군 사이에서는 생태적 지위를 유지하기 위해 종간 경쟁, 분서, 공생, 기생, 포식과 피식 등 다양한 상호 작용이 일어나고 있다. 군집 내 개체군 간의 상호 작용은 그래프, 표 등으로 자료를 제시하고 분석하는 형태로 출제된다.

① 생태적 지위와 종간 경쟁

그림은 종 A~D의 생태적 지위를 나타낸 것이다.

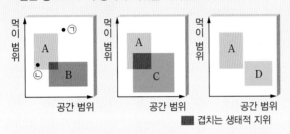

겹치는 생태적 지위

(1) 생태적 지위가 많이 겹칠수록 종간 경쟁이 심해지므로 A는 B보다 C와 종간 경쟁이 심하다.

(2) A와 D는 생태적 지위가 겹치지 않으므로 종간 경쟁이 일어나지 않아 경쟁·배타 원리가 적용되지 않는다.

(3) 조건 ㉠은 A의 생태적 지위에서 벗어나므로 A는 조건 ㉠에서 생존할 수 없다.

(4) 조건 ㉡은 B의 공간 지위에 해당하지 않으므로 A와 B는 조건 ㉡에서 공간을 두고 경쟁하지 않는다.

② 경쟁·배타 원리와 상리 공생

그림 (가)는 종 A~C를 각각 단독 배양했을 때, 그림 (나)와 (다)는 종 A와 B, 종 A와 C를 각각 혼합 배양했을 때 시간에 따른 개체 수를 나타낸 것이다.

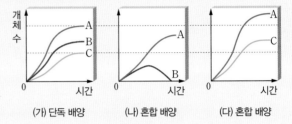

(가) 단독 배양   (나) 혼합 배양   (다) 혼합 배양

(1) A와 B는 단독 배양했을 때보다 혼합 배양했을 때 각각 개체 수가 감소했으며, 나중에는 한 종(A)만 살아남았다.
➡ A와 B 사이의 상호 작용은 종간 경쟁이며, 경쟁·배타 원리가 적용된다.

(2) A와 C는 단독 배양했을 때보다 혼합 배양했을 때 각각 개체 수가 증가했다. ➡ A와 C 모두 이익을 얻으므로 A와 C 사이의 상호 작용은 상리 공생이다.

> 정답과 해설 **77**쪽

유제

그림 (가)는 종 A~C를 각각 단독 배양했을 때, 그림 (나)는 종 A와 B, 그림 (다)는 종 A와 C를 각각 혼합 배양했을 때 시간에 따른 개체 수를 나타낸 것이다.
이에 대한 설명으로 옳은 것만을 〈보기〉에서 있는 대로 고른 것은? (단, (가)~(다)에서 초기 개체 수와 배양 조건은 동일하다.)

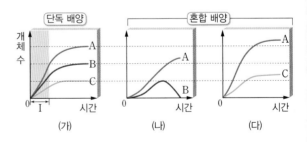

보기
ㄱ. (가)의 구간 Ⅰ에서는 환경 저항이 A의 개체 수 증가에 영향을 미치지 않는다.

ㄴ. (나)는 A와 B가 분서를 한 결과이다.

ㄷ. (다)에서 A와 C는 상리 공생 관계이다.

① ㄱ   ② ㄷ   ③ ㄱ, ㄴ   ④ ㄱ, ㄷ   ⑤ ㄱ, ㄴ, ㄷ

① 군집의 특성

1. 군집의 구성 군집은 생산자, 소비자, 분해자로 구성된다.
- 생산자와 소비자 사이에는 일련의 먹고 먹히는 관계인 먹이 사슬이 형성된다.
- 대부분의 군집에서는 여러 개의 먹이 사슬이 복잡하게 얽혀 (**❶**   )을 형성한다.
- 생태적 지위: 개체군이 군집에서 차지하는 먹이 지위와 공간 지위를 합친 것이다.

2. 군집의 구조 군집의 구조와 특성에 크게 영향을 미치는 개체군으로는 우점종, 핵심종, 지표종이 있다.
- (**❷**   ): 개체 수가 많거나, 차지하는 면적 또는 공간이 커서 군집을 대표하는 개체군이다.
- (**❸**   ): 개체 수는 많지 않지만 군집의 구조를 유지하는 데 결정적인 역할을 하는 개체군이다.
- 지표종: 특정 환경 조건의 군집에서만 볼 수 있어 그 군집의 특징을 나타내는 개체군이다.

3. 식물 군집 조사(방형구법) 조사할 지역에 방형구를 설치하고, 방형구에 나타난 특정 종의 (**❹**   ), 빈도, 피도를 조사하여 종의 중요도(상대 밀도 + 상대 빈도 + 상대 피도)를 알아낸다. → 중요도가 가장 큰 종이 (**❺**   )이 된다.

② 군집의 종류와 생태 분포

1. 군집의 종류 군집은 서식 환경에 따라 크게 육상 군집과 수생 군집으로 구분되며, 육상 군집은 식물 군집의 상관을 기준으로 삼림, 초원, 사막 등으로 구분된다.

2. 군집의 생태 분포 기온, 강수량, 햇빛의 양 등 환경 요인의 영향을 받아 형성된 식물 군집의 분포이다.
- 수평 분포: (**❻**   )에 따른 분포로, 기온과 강수량의 차이로 나타난다.
- 수직 분포: (**❼**   )에 따른 분포로, 주로 기온의 차이로 나타난다.

③ 군집 내 개체군 간의 상호 작용

1. 종간 경쟁 (**❽**   )가 비슷한 개체군 사이에서 먹이와 생활 공간을 차지하기 위해 일어난다.
- (**❾**   ): 경쟁에서 이긴 개체군은 번성하여 생장하지만, 경쟁에서 진 개체군은 사라진다.

2. 분서(생태 지위 분화) 생태적 지위가 비슷한 개체군들이 함께 살면서 먹이의 종류, 생활 공간 등을 달리하여 경쟁을 피하는 것이다.

3. 포식과 피식 서로 다른 두 종의 개체군이 서로 먹고 먹히는 관계에 있는 것이다.

4. 공생 서로 다른 두 종의 개체군이 밀접한 관계를 맺으면서 함께 생활하는 것이다.
- (**❿**   ): 공생하는 두 개체군이 모두 이익을 얻는 것이다.
- (**⓫**   ): 공생하는 두 개체군 중 한 개체군은 이익을 얻고, 다른 개체군은 손해도 이익도 없는 것이다.

5. 기생 한 개체군이 다른 개체군과 함께 살며 이익을 얻고, 다른 개체군은 손해를 보는 것이다.

④ 군집의 천이

1. 천이 개척자의 유입으로 시작하여 몇 단계를 거쳐 마지막 안정 상태인 (**⓬**   )에 이른다.

2. 1차 천이 토양이 형성되지 않은 불모지에서 시작된다.
- 건성 천이: 용암 대지 등의 건조한 곳에서 시작되며, 지의류가 개척자로 들어와 토양 형성 후 진행된다.

| 용암 대지 | → | 지의류 | → | 초본류 | → | 관목류 | → | **⓭** | → | 혼합림 | → | **⓮** |

- 습성 천이: 연못이나 호수 등의 습한 곳에 퇴적물이 쌓여 습원이 형성된 후 습생 식물이 개척자로 들어오고 초본류가 자라면서 건성 천이와 같은 과정을 거쳐 진행된다.

3. (⓯   ) 산불, 홍수 등으로 식물 군집이 사라진 지역에서 시작되며, 1차 천이보다 빠르게 진행된다.

01 군집에 대한 설명으로 옳은 것만을 〈보기〉에서 있는 대로 고르시오.

> 보기
> ㄱ. 생산자, 소비자, 분해자로 구성된다.
> ㄴ. 같은 지역에서 생활하는 모든 개체군의 집합이다.
> ㄷ. 먹이 그물이 단순한 군집은 먹이 그물이 복잡한 군집보다 안정적이다.

02 다음 각 설명에 해당하는 개체군을 〈보기〉에서 고르시오.

> 보기
> ㄱ. 우점종   ㄴ. 핵심종
> ㄷ. 지표종   ㄹ. 희소종

(1) 개체 수가 매우 적어 보호가 필요하다.

(2) 개체 수가 많거나 차지하는 면적이 넓어 그 군집을 대표할 수 있다.

(3) 특정 환경 조건을 충족하는 군집에서만 발견되어 그 군집의 특징을 나타낸다.

(4) 개체 수는 많지 않지만 군집의 구조를 유지하는 데 결정적인 영향을 미친다.

03 방형구법으로 식물 군집을 조사하는 방법으로 옳은 것만을 〈보기〉에서 있는 대로 고르시오.

> 보기
> ㄱ. 중요도가 가장 작은 종을 우점종으로 결정한다.
> ㄴ. 방형구에 나타난 식물 종의 밀도, 빈도, 피도를 측정한다.
> ㄷ. 각 종의 상대 밀도, 상대 빈도, 상대 피도를 합하여 중요도를 구한다.

04 다음 각 설명에 해당하는 군집의 종류를 〈보기〉에서 고르시오.

> 보기
> ㄱ. 삼림   ㄴ. 사막
> ㄷ. 초원   ㄹ. 수생 군집

(1) 지표면의 50 % 이상이 초본 식물로 덮여 있다.

(2) 강수량이 많은 지역에 형성된 대표적인 육상 군집이다.

(3) 물이 풍부한 지역에 형성되어 수중 생활에 적응한 식물이 자란다.

(4) 강수량이 매우 적은 곳에 형성되어 건조한 환경에 적응한 몇몇 식물만 자란다.

05 그림은 삼림 군집의 층상 구조를 나타낸 것이다.

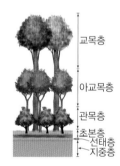

(1) 층상 구조 형성에 가장 크게 영향을 미치는 환경 요인을 쓰시오.

(2) 광합성이 가장 활발하게 일어나는 층을 쓰시오.

06 그림은 식물 군집의 생태 분포를 나타낸 것이다.

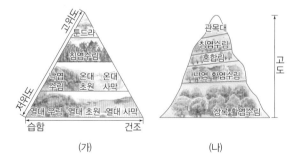

(가)   (나)

(가)와 (나)의 생태 분포는 각각 어떤 환경 요인의 영향을 받아 형성된 것인지 쓰시오.

07 다음과 같은 원리를 무엇이라고 하는지 쓰시오.

> 생태적 지위가 같은 두 개체군이 함께 살면 경쟁이 일어나 경쟁에서 이긴 개체군은 살아남고 경쟁에서 진 개체군은 사라진다.

08 그림은 한 가문비나무에 서식하는 5종의 새의 활동 영역을 나타낸 것이다.

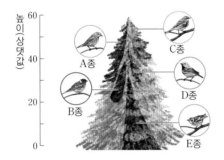

5종의 새 개체군 간에 일어난 상호 작용은 무엇인지 쓰시오.

09 그림은 개체군 A와 B, C와 D를 같은 배양 조건에서 각각 단독 배양했을 때와 혼합 배양했을 때의 생장 곡선을 나타낸 것이다.

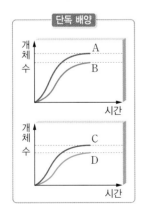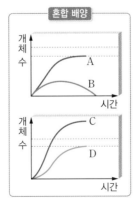

위 자료를 토대로 개체군 A와 B 사이, 개체군 C와 D 사이에 일어난 상호 작용을 각각 쓰시오.

10 그림은 두 종의 개체군 간의 상호 작용을 나타낸 것이다. ㉠~㉢은 각각 종간 경쟁, 상리 공생, 기생 중 하나이다.

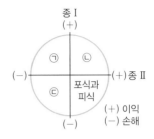

㉠~㉢에 해당하는 개체군 간의 상호 작용을 각각 쓰시오.

11 다음은 각각 개체군 간의 상호 작용 중 무엇의 예에 해당하는지 쓰시오.

(1) 치타가 가젤을 잡아먹는다.

(2) 촌충은 사람의 몸속에 살면서 양분을 빼앗고 질병을 유발한다.

(3) 말미잘은 흰동가리가 유인한 먹이를 먹고, 흰동가리는 말미잘의 보호를 받는다.

(4) 따개비는 혹등고래에 붙어 새로운 서식지로 이동하지만, 혹등고래는 따개비의 영향을 받지 않는다.

12 그림은 산불이 난 곳에서 진행된 천이 과정을 나타낸 것이다.

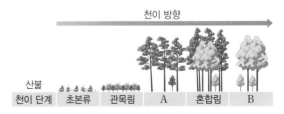

(1) 그림과 같이 산불 등으로 식물 군집이 없어진 곳에서 시작하는 천이를 무엇이라고 하는지 쓰시오.

(2) A와 B는 각각 어떤 식물 군집인지 쓰시오.

01 ▶방형구법을 이용한 식물 군집 조사

그림은 어떤 식물 군집에 설치한 방형구에서 관찰되는 식물 종을, 표는 이 방형구를 조사한 결과를 나타낸 것이다. 그림에서 도형 1개는 1개체를 의미하고, 각 종이 전체 방형구를 덮고 있는 면적은 모두 동일하며, 제시된 종만 고려한다.

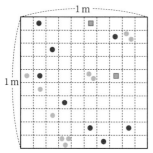

식물 종	밀도	빈도
A	2	㉠
B	㉡	0.08
C	10	0.06

우점종은 개체 수가 많거나 넓은 면적을 차지하여 군집을 대표하는 개체군으로, 중요도(상대 밀도 ＋상대 빈도＋상대 피도)가 가장 큰 종이다.

이에 대한 설명으로 옳은 것만을 〈보기〉에서 있는 대로 고른 것은?

보기
ㄱ. $\dfrac{㉡}{㉠}$＝200이다.
ㄴ. 이 군집의 우점종은 C이다.
ㄷ. A~C 중 상대 빈도가 가장 높은 종은 B이다.

① ㄱ   ② ㄷ   ③ ㄱ, ㄷ   ④ ㄴ, ㄷ   ⑤ ㄱ, ㄴ, ㄷ

02 ▶식물 군집의 층상 구조

그림은 어떤 식물 군집에서 높이에 따른 빛의 세기와 층상 구조를 나타낸 것이다. 이에 대한 설명으로 옳은 것만을 〈보기〉에서 있는 대로 고른 것은?

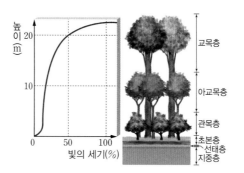

삼림과 같이 층상 구조를 나타내는 식물 군집에서는 높이에 따라 도달하는 빛의 양에 차이가 있다.

보기
ㄱ. 선태층에는 생산자, 소비자, 분해자가 모두 존재한다.
ㄴ. 층상 구조를 결정하는 가장 중요한 환경 요인은 온도이다.
ㄷ. 잎의 울타리 조직 평균 두께는 교목층이 관목층보다 두껍다.

① ㄱ   ② ㄴ   ③ ㄱ, ㄴ   ④ ㄱ, ㄷ   ⑤ ㄴ, ㄷ

03 〉식물 군집의 생태 분포

그림은 서식하는 지역의 환경 요인 ⊙과 ⓒ에 따른 식물 군집의 분포를 나타낸 것이다. ⊙과 ⓒ은 각각 연평균 기온과 연평균 강수량 중 하나이다.

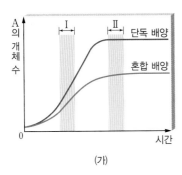

이에 대한 설명으로 옳은 것만을 〈보기〉에서 있는 대로 고른 것은?

보기
ㄱ. 고도에 따른 식물 군집의 분포이다.
ㄴ. 활엽수림은 침엽수림보다 고위도에 분포한다.
ㄷ. ⊙은 연평균 강수량, ⓒ은 연평균 기온이다.

① ㄱ   ② ㄴ   ③ ㄷ   ④ ㄱ, ㄷ   ⑤ ㄴ, ㄷ

• 식물 군집의 생태 분포는 환경 요인의 영향을 받아 형성되며, 위도에 따른 수평 분포와 고도에 따른 수직 분포가 있다.

04 〉군집 내 개체군 간의 상호 작용

그림 (가)와 (나)는 짚신벌레 두 종 A와 B를 같은 배양 조건에서 단독 배양했을 때와 혼합 배양했을 때, A와 B의 개체군 밀도 변화를 나타낸 것이다.

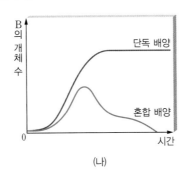

이에 대한 설명으로 옳은 것만을 〈보기〉에서 있는 대로 고른 것은? (단, 이입과 이출은 고려하지 않는다.)

보기
ㄱ. A의 개체군 생장 속도는 구간 Ⅱ에서가 구간 Ⅰ에서보다 빠르다.
ㄴ. 혼합 배양 시 A와 B는 종간 경쟁을 한다.
ㄷ. 혼합 배양 시 A와 B 사이에 경쟁 · 배타가 일어났다.

① ㄱ   ② ㄷ   ③ ㄱ, ㄴ   ④ ㄴ, ㄷ   ⑤ ㄱ, ㄴ, ㄷ

• 생태적 지위가 비슷한 두 종을 혼합 배양하면 먹이와 생활 공간을 차지하기 위한 종간 경쟁이 일어난다.

05 › 군집 내 개체군 간의 상호 작용

표는 군집 내 개체군 간의 상호 작용 (가)~(라)에서 개체군 A와 B가 받는 영향을 나타낸 것이다. (가)~(라)는 각각 상리 공생, 편리공생, 포식과 피식, 종간 경쟁 중 하나이다.

상호 작용 개체군	(가)	(나)	(다)	(라)
A	−	+	+	+
B	−	0	+	−

(+: 이익, −: 손해, 0: 이익도 손해도 없음)

이에 대한 설명으로 옳은 것만을 〈보기〉에서 있는 대로 고른 것은?

보기
ㄱ. A와 B 사이의 상호 작용이 (가)인 경우 A와 B는 생태적 지위가 비슷하다.
ㄴ. 콩과식물과 뿌리혹박테리아 사이의 상호 작용은 (나)에 해당한다.
ㄷ. A와 B 사이의 상호 작용이 (라)인 경우 B는 피식자이다.

① ㄱ   ② ㄱ, ㄴ   ③ ㄱ, ㄷ   ④ ㄴ, ㄷ   ⑤ ㄱ, ㄴ, ㄷ

> 두 개체군이 모두 이익을 얻는 경우는 상리 공생, 한 개체군은 이익을 얻고 다른 개체군은 이익도 손해도 없는 경우는 편리공생이다.

06 _{고난도} › 두 종의 따개비 개체군 간의 상호 작용

그림은 두 종의 따개비 개체군 A와 B가 서식하는 어떤 해안가의 모습을 나타낸 것이고, 자료는 A와 B의 분포를 설명한 것이다.

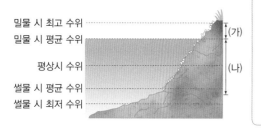

밀물 시 최고 수위
밀물 시 평균 수위 ┤(가)
평상시 수위 ┤(나)
썰물 시 평균 수위
썰물 시 최저 수위

• (가)에는 B만 서식한다.
• (나)에는 A만 서식한다.
• B를 제거해도 A의 서식 범위는 변하지 않는다.
• A를 제거하면 B는 (나)에도 서식한다.

이에 대한 설명으로 옳은 것만을 〈보기〉에서 있는 대로 고른 것은?

보기
ㄱ. 건조에 대한 내성은 A가 B보다 강하다.
ㄴ. A가 (가)에 서식하지 않는 것은 경쟁·배타의 결과이다.
ㄷ. A를 제거하면 (나)에서 B의 개체군 밀도가 증가한다.

① ㄱ   ② ㄴ   ③ ㄷ   ④ ㄱ, ㄷ   ⑤ ㄴ, ㄷ

> 두 종의 따개비는 생태적 지위가 일부 겹쳐 종간 경쟁을 한다.

표는 같은 지역에 서식하는 생물 간에 나타날 수 있는 상호 작용을 (가)와 (나)로 구분한 것이다.

(가)	(나)
텃세, 순위제, 리더제	분서, 공생, 기생

이에 대한 설명으로 옳은 것만을 〈보기〉에서 있는 대로 고른 것은?

보기
ㄱ. (가)는 한 군집 내의 서로 다른 개체군 간에 일어나는 상호 작용이다.
ㄴ. (나)는 모두 불필요한 경쟁을 피하기 위한 것이다.
ㄷ. 여러 종의 아메리카솔새가 한 그루의 나무에서 살면서 서로 다른 높이와 위치에서 먹이를 먹는 것은 (나)의 예에 해당한다.

① ㄱ   ② ㄷ   ③ ㄱ, ㄴ   ④ ㄱ, ㄷ   ⑤ ㄴ, ㄷ

• 텃세, 순위제, 리더제는 개체군 내의 상호 작용이고, 분서, 공생, 기생은 군집 내 개체군 간의 상호 작용이다.

08 > 식물 군집의 천이

그림은 어떤 식물 군집의 천이 과정을 나타낸 것이다. A ~ C는 각각 양수림, 음수림, 지의류 중 하나이다.

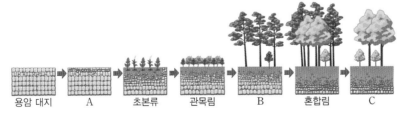

용암 대지   A   초본류   관목림   B   혼합림   C

이에 대한 설명으로 옳은 것만을 〈보기〉에서 있는 대로 고른 것은?

보기
ㄱ. 2차 천이를 나타낸 것이다.
ㄴ. A는 개척자로, 토양층의 형성을 촉진한다.
ㄷ. B에서 C로 천이가 진행되는 동안 지표면에 도달하는 빛의 세기가 증가한다.

① ㄱ   ② ㄴ   ③ ㄱ, ㄴ   ④ ㄱ, ㄷ   ⑤ ㄴ, ㄷ

• 토양이 형성되지 않은 곳에서 시작되는 천이는 1차 천이이며, 지의류가 개척자로 들어와 토양이 형성된 후 초원 → 관목림 → 양수림 → 혼합림 → 음수림의 순서로 진행된다.

04 에너지 흐름과 물질 순환

학습 Point 생태계에서의 에너지 흐름 > 생태 피라미드와 에너지 효율 > 탄소 순환과 질소 순환 > 생태계 평형 유지

1 에너지 흐름

 집중 분석 2권 155쪽

생태계는 생물과 환경이 상호 작용하는 역동적인 시스템으로, 생태계의 구성 요소 간에 끊임없이 에너지의 이동이 일어나고 있다.

1. 생태계에서의 에너지 흐름

생태계를 유지하는 에너지의 근원은 태양의 빛에너지이다. 태양으로부터 생태계로 유입된 빛에너지는 유기물의 화학 에너지로 전환되어 먹이 사슬을 따라 이동하다가 최종적으로 열에너지로 전환되어 생태계 밖으로 방출된다. 이처럼 생태계에서 에너지는 순환하지 않고 한 방향으로 흐른다. 따라서 생태계가 유지되려면 태양 에너지가 끊임없이 유입되어야 한다.

(1) **에너지 유입:** 태양으로부터 생태계로 유입된 빛에너지는 생산자의 광합성을 통해 화학 에너지로 전환되어 유기물에 저장된다.

(2) **에너지 이동 및 방출**

① 유기물에 저장된 화학 에너지 중 일부는 생산자의 호흡을 통해 생명 활동에 이용되고 열에너지로 전환되어 방출된다. 그리고 일부는 먹이 사슬을 따라 1차 소비자 → 2차 소비자 → … → 최종 소비자로 전달된다. 이 과정에서 각 영양 단계로 전달된 에너지 중 일부는 소비자의 호흡을 통해 생명 활동에 이용되고 열에너지로 전환되어 방출된다.

② 생물의 사체나 배설물에 포함된 화학 에너지는 분해자의 호흡을 통해 생명 활동에 이용되고 열에너지로 전환되어 생태계 밖으로 빠져나간다.

먹이 사슬을 통한 에너지 이동

1차 소비자는 생산자를 먹어 에너지를 얻고, 2차 소비자는 1차 소비자를 먹어 에너지를 얻는다. 이와 같이 생산자에 의해 유기물에 저장된 에너지는 먹이 사슬을 따라 생산자 → 1차 소비자 → 2차 소비자 → … → 최종 소비자로 이동한다.

생태계에서의 에너지 전환

빛에너지 → 화학 에너지 → 열에너지

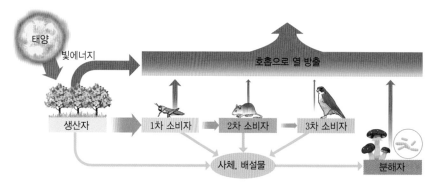

▲ **생태계에서의 에너지 흐름** 생태계로 유입된 태양의 빛에너지는 생산자의 광합성을 통해 유기물에 저장되어 먹이 사슬을 따라 한 방향으로 이동하다가 결국에는 열에너지로 전환되어 생태계 밖으로 빠져나간다. 따라서 생태계가 유지되기 위해서는 태양으로부터 빛에너지가 계속 유입되어야 한다.

2. 생태 피라미드

먹이 사슬을 이루는 각 영양 단계의 에너지양, 개체 수, 생물량(생체량)을 하위 영양 단계부터 상위 영양 단계로 순서대로 쌓아 올린 그림이다.

(1) 에너지 이동량과 생태 피라미드: 생태계에서 에너지가 먹이 사슬을 따라 이동할 때 각 영양 단계에서 에너지는 호흡이나 생장·번식 등에 이용되고 사체나 배설물로 방출된다. 그리고 나머지가 다음 영양 단계로 전달되기 때문에 상위 영양 단계로 갈수록 각 영양 단계의 에너지양이 줄어들고, 그에 따라 각 영양 단계의 개체 수와 생물량도 줄어든다. 따라서 안정된 생태계에서는 생태 피라미드가 대부분 위로 갈수록 크기가 줄어드는 형태를 나타낸다.

생물량(생체량)
일정한 지역 내에 서식하는 모든 생물의 건조 중량이다.

에너지양이 개체 수와 생물량에 미치는 영향
생물은 먹이를 먹어서 얻은 에너지로 몸을 구성하는 물질을 합성하여 생장하고, 번식하여 개체 수를 늘린다. 그런데 먹이 사슬의 상위 영양 단계로 갈수록 각 영양 단계의 생물 개체군이 이용할 수 있는 에너지양이 줄어들기 때문에 개체군을 구성하는 개체 수도 줄어들고, 생물량도 줄어드는 것이다.

▲ **생태 피라미드** 상위 영양 단계로 갈수록 에너지양, 개체 수, 생물량은 감소하므로, 생태 피라미드는 위로 갈수록 크기가 줄어드는 형태를 나타낸다.

(2) 먹이 사슬을 이루는 영양 단계의 수: 먹이 사슬을 따라 상위 영양 단계로 전달되는 에너지양이 점점 줄어들기 때문에 먹이 사슬의 영양 단계가 많으면 상위 영양 단계의 생물 개체군은 생존에 필요한 양의 에너지를 얻기 어렵다. 따라서 먹이 사슬의 영양 단계는 보통 4단계~5단계로 제한된다.

시선 집중 ★ **안정된 생태계에서의 에너지 이동량**

그림은 어떤 안정된 초원 생태계에서의 에너지 이동량을 상댓값으로 나타낸 것이다.

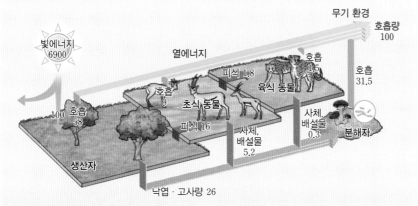

❶ **먹이 사슬을 따라 이동하는 에너지양:** 생산자 → 초식 동물 → 육식 동물로 전달되는 에너지양은 100 → 16 → 1.8로 급격히 줄어든다. → 생산자, 초식 동물, 육식 동물의 각 영양 단계에서 에너지의 일부가 호흡으로 소모되고, 사체나 배설물의 형태로 방출되기 때문이다.

❷ 생산자의 광합성으로 유기물에 저장된 에너지양(100)과 생산자, 초식 동물, 육식 동물, 분해자의 호흡으로 방출된 에너지양의 합(58+9+1.5+31.5=100)은 같다. → 생태계로 유입된 에너지는 모두 생물의 호흡을 통해 열에너지 형태로 무기 환경으로 방출되므로, 생태계가 유지되기 위해서는 태양으로부터 빛에너지가 지속적으로 공급되어야 한다.

3. 에너지 효율

생태계의 한 영양 단계에서 다음 영양 단계로 이동하는 에너지의 비율로, 특정 영양 단계의 에너지 효율은 다음과 같이 계산한다.

$$\text{에너지 효율}(\%) = \frac{\text{현 영양 단계가 보유한 에너지 총량}}{\text{전 영양 단계가 보유한 에너지 총량}} \times 100$$

에너지 효율은 생태계의 유형과 생물종 구성에 따라 차이가 나지만, 일반적으로 상위 영양 단계로 갈수록 증가하는 경향이 있다. 그 까닭은 상위 영양 단계로 갈수록 개체의 몸집이 커서 단위 무게당 에너지 소모량이 적고, 영양가 높은 동물성 먹이의 섭취 비율이 높기 때문이다.

> **예제**
>
> 다음에 제시된 각 영양 단계별 에너지 총량(상댓값)을 이용하여 1차 소비자와 2차 소비자의 에너지 효율을 구하시오.
>
> - 생산자: 10000   • 1차 소비자: 200   • 2차 소비자: 40   • 3차 소비자: 20
>
> **해설** 1차 소비자의 에너지 효율은 $\dfrac{\text{1차 소비자가 보유한 에너지 총량}}{\text{생산자가 보유한 에너지 총량}} \times 100 = \dfrac{200}{10000} \times 100 = 2\,(\%)$이고,
>
> 2차 소비자의 에너지 효율은 $\dfrac{\text{2차 소비자가 보유한 에너지 총량}}{\text{1차 소비자가 보유한 에너지 총량}} \times 100 = \dfrac{40}{200} \times 100 = 20\,(\%)$이다.
>
> **정답** 1차 소비자의 에너지 효율: 2 %, 2차 소비자의 에너지 효율: 20 %

4. 물질 생산과 소비

생산자가 태양의 빛에너지를 이용해 광합성을 하여 유기물을 생산하는 것을 물질 생산이라고 한다. 물질 생산을 통해 빛에너지가 화학 에너지로 전환되어 유기물 속에 저장되고, 이 유기물은 먹이 사슬을 통해 생태계 내의 다른 생물에게 전달되어 호흡 등의 생명 활동으로 소비된다. 이처럼 생태계의 모든 생물이 생산자가 생산하는 유기물을 이용하므로, 생산자가 충분한 양의 유기물을 생산하는 것은 생태계 유지에 매우 중요하다.

⑴ **총생산량:** 생태계에서 생산자가 일정 기간 동안 광합성을 하여 생산한 유기물의 총량이다. 따라서 총생산량은 생산자가 화학 에너지로 전환한 태양 에너지의 양에 해당한다.

⑵ **호흡량:** 생물이 생명 활동에 필요한 에너지를 얻기 위해 호흡으로 소비한 유기물의 양이다.

⑶ **순생산량:** 총생산량 중 생산자가 호흡으로 소비한 유기물의 양(호흡량)을 제외하고 생산자에 저장된 유기물의 양이다. 순생산량은 소비자 또는 분해자가 이용할 수 있는 화학 에너지의 양을 포함한다.

⑷ **생장량:** 순생산량 중에서 말라 죽거나 낙엽으로 떨어진 양(고사 · 낙엽량)과 1차 소비자에게 먹힌 양(피식량)을 제외한 양으로, 생산자에 남아 있는 유기물의 양이다.

총생산량 – 호흡량 = 순생산량
순생산량 – (피식량 + 고사 · 낙엽량) = 생장량

▲ **식물의 총생산량 구성**

에너지 효율 피라미드

에너지 효율은 일반적으로 5 % ~20 % 범위에 있으며, 대부분의 생태계에서 에너지양과 달리 상위 영양 단계로 갈수록 증가하는 경향이 있어 에너지 효율 피라미드는 역피라미드 형태를 나타낸다. 에너지 효율뿐만 아니라 개체의 크기, 생물 농축 정도도 상위 영양 단계로 갈수록 증가하는 역피라미드 형태를 나타낸다.

3차 소비자
2차 소비자
1차 소비자
생산자

천이 단계에서의 순생산량

오래된 원시림과 같이 극상에 도달한 군집은 총생산량과 호흡량이 균형을 이루어 생물량은 많지만 순생산량은 적다. 천이 초기 단계의 군집은 대부분 초본 식물이라서 빠르게 생장하기 때문에 극상에 도달한 군집에 비해 생물량은 적지만 순생산량은 많다.

(5) **섭식량:** 소비자인 동물이 식물이나 다른 동물을 먹이로 섭취하여 얻은 유기물의 총량이다. 1차 소비자인 초식 동물의 섭식량은 식물의 피식량에 해당하며, 초식 동물은 섭식량 중 일부를 소화하지 못하고 체외로 배출한다. 따라서 초식 동물의 동화량은 식물의 생산량에 비해 훨씬 적다.

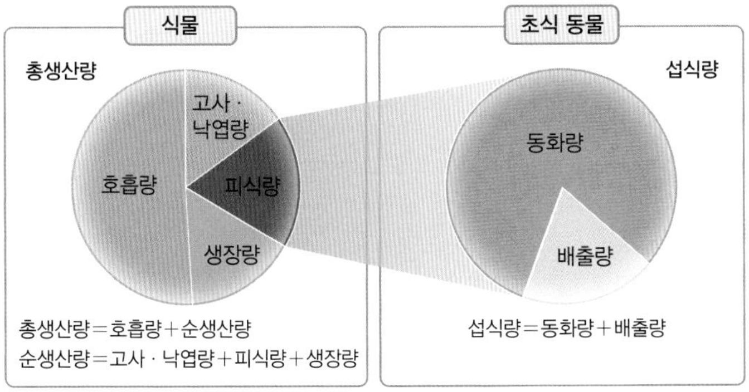

식물
초식 동물
총생산량
고사 · 낙엽량
호흡량
피식량
생장량
섭식량
동화량
배출량
총생산량=호흡량+순생산량
순생산량=고사 · 낙엽량+피식량+생장량
섭식량=동화량+배출량

▲ **식물과 초식 동물의 물질 생산과 소비** 생산자의 피식량은 초식 동물의 섭식량과 같다.

동화량

동물의 섭식량에서 소화되지 않고 체외로 배출된 양(배출량)을 제외한 양으로, 동물체에 저장된 유기물의 양이다. 동화량 중 일부는 호흡에 사용되고, 일부는 몸을 구성하거나 생장에 이용된다.

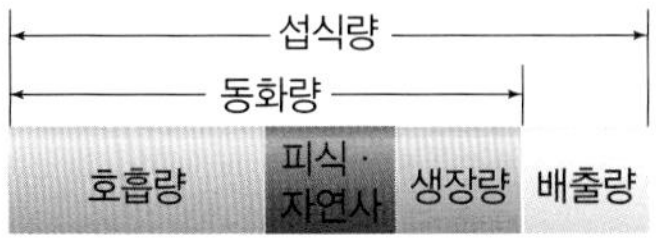

섭식량
동화량
호흡량
피식 · 자연사
생장량
배출량

▲ **동물의 섭식량 구성**

2 물질 순환

생태계에서는 생물이 비생물 환경과 끊임없이 물질을 주고받으며 물질 순환이 일어난다. 물질은 생태계 밖에서 들어오는 것이 거의 없기 때문에 생태계에서의 물질 순환이 원활하게 이루어져야 생태계가 안정적으로 유지될 수 있다.

1. 생태계에서의 물질 순환

생물은 주변 환경으로부터 탄소, 질소 등 생명 활동에 필수적인 물질을 받아들인다. 생물 군집 내로 유입된 물질은 먹이 사슬을 따라 이동하다가 최종적으로 분해자에 의해 토양, 대기, 물 등의 환경으로 되돌아간다. 이와 같이 물질은 형태를 바꾸어 가며 생물과 비생물 환경 사이를 끊임없이 순환하며, 물질 순환의 균형은 생태계 유지에 매우 중요하다.

시선 집중 ★ 생태계에서의 에너지와 물질 이동 비교

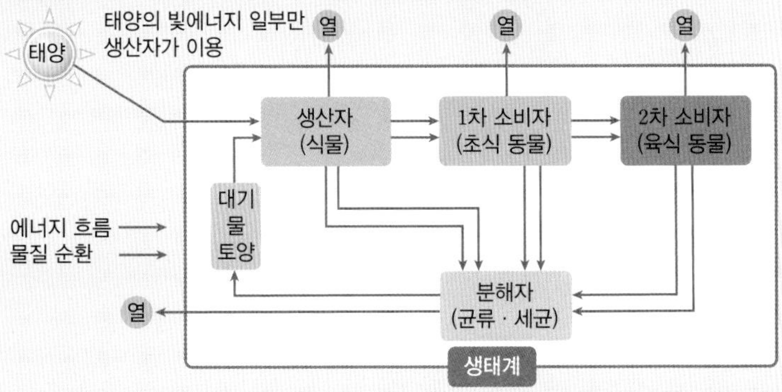

태양
태양의 빛에너지 일부만 생산자가 이용
열
열
열
생산자 (식물)
1차 소비자 (초식 동물)
2차 소비자 (육식 동물)
대기 물 토양
에너지 흐름
물질 순환
열
분해자 (균류 · 세균)
생태계

❶ **에너지 이동:** 에너지는 물질과 함께 먹이 사슬을 따라 이동하지만, 순환하지 않고 열에너지의 형태로 생태계를 빠져나간다. → 생태계에서 에너지는 순환하지 않고 한 방향으로 흐른다.

❷ **물질 이동:** 생산자(식물)가 생산한 유기물이나 외부에서 흡수한 물질은 먹이 사슬을 따라 이동하면서 분해자를 거쳐 다시 비생물 환경으로 돌아간다. → 생태계에서 물질은 순환한다.

2. 탄소 순환

탄소(C)는 탄수화물, 단백질, 지방 등의 유기물을 구성하는 원소로, 광합성과 호흡을 통해 생물과 비생물 환경 사이를 순환한다.

(1) 탄소 순환 과정

① 대기와 물속의 이산화 탄소(CO_2)에 포함된 탄소는 생산자의 광합성을 통해 포도당과 같은 유기물로 합성된다.

② 생산자에 의해 합성된 유기물은 먹이 사슬을 따라 생산자에서 소비자로 이동하면서 생산자를 비롯한 모든 생물의 몸을 구성하는 데 이용되고, 일부는 호흡에 사용되어 유기물 속의 탄소가 이산화 탄소의 형태로 방출되어 대기나 물속으로 돌아간다.

③ 동식물의 사체나 배설물 속의 유기물은 세균이나 균류와 같은 분해자의 호흡에 사용되고, 이 과정에서 유기물 속의 탄소가 이산화 탄소의 형태로 방출되어 대기나 물속으로 돌아간다.

④ 일부 동식물의 사체는 오랜 시간에 걸쳐 석탄, 석유와 같은 화석 연료가 되었다가 연소되면서 그 속의 탄소가 이산화 탄소의 형태로 대기 중으로 방출되기도 한다.

(2) 탄소 순환과 지구 온난화: 대기 중의 탄소는 생산자의 광합성을 통해 생물체로 유입되고, 호흡을 통해 대기로 돌아가는 순환을 하므로, 생산자의 광합성을 통해 흡수되는 이산화 탄소의 양과 생산자, 소비자, 분해자의 호흡으로 방출되는 이산화 탄소의 양이 평형을 이루어야 생태계가 안정적으로 유지된다. 그러나 숲의 벌채 등으로 식물의 광합성량이 감소하고 석탄, 석유와 같은 화석 연료의 사용이 증가하여 대기 중의 이산화 탄소 농도가 증가하고 있으며, 이는 지구 온난화를 일으키는 원인이 되고 있다.

화석 연료
땅속에 파묻힌 동물이나 식물의 사체가 화석화되어 형성된 연료로, 탄화수소로 이루어져 있다.

지구 온난화
대기 중의 이산화 탄소, 수증기, 오존 등이 지표에서 우주로 방출되는 복사 에너지를 대부분 흡수하여 대기의 온도가 높게 유지되는데, 이를 온실 효과라고 한다. 그리고 대기 중의 이산화 탄소 농도 등이 증가하여 온실 효과가 높아짐으로써 지구의 평균 기온이 상승하는 것을 지구 온난화라고 한다. 지구 온난화로 평균 기온 상승과 기상 이변이 발생하고, 생물 다양성 감소가 초래되고 있다.

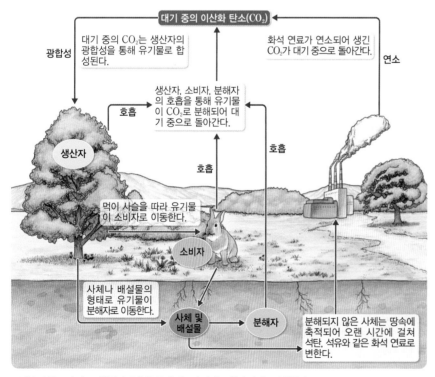

▲ **탄소 순환** 탄소는 광합성과 호흡을 통해 생물과 비생물 환경 사이를 순환한다.

3. 질소 순환

질소(N)는 생물체 내에서 단백질, 핵산 등을 구성하는 원소로, 질소 기체(N_2)는 대기를 구성하는 기체 중 약 78 %를 차지한다. 그러나 대기 중의 질소 기체(N_2)는 매우 안정하여 대부분의 생물이 이용할 수 없다. 대기 중의 질소는 질소 고정, 질산화 작용, 질소 동화 작용, 탈질산화 작용을 통해 생물과 비생물 환경 사이를 순환한다.

(1) 질소 순환 과정

① **질소 고정**: 대기 중의 질소(N_2)는 번개와 같은 공중 방전에 의해 질산 이온(NO_3^-)으로 전환되기도 하지만, 대부분은 토양 속 뿌리혹박테리아, 아조토박터 등의 질소 고정 세균에 의해 암모늄 이온(NH_4^+)으로 전환되는데, 이를 질소 고정이라고 한다.

② **질산화 작용**: 질소 고정으로 생성된 암모늄 이온(NH_4^+)은 질산화 세균에 의한 질산화 작용을 거쳐 질산 이온(NO_3^-)으로 전환된다.

③ **질소 동화 작용**: 식물은 토양 속 암모늄 이온(NH_4^+)이나 질산 이온(NO_3^-)을 뿌리로 흡수하여 핵산, 단백질 등의 질소 화합물을 합성하는데, 이를 질소 동화 작용이라고 한다. 식물이 합성한 질소 화합물은 먹이 사슬을 따라 소비자에게 전달된다.

④ **분해자의 작용과 탈질산화 작용**: 생물의 사체나 배설물에 포함된 단백질과 같은 질소 화합물은 분해자인 균류와 세균에 의해 암모늄 이온(NH_4^+)으로 분해되어 토양으로 돌아간다. 이후 식물의 뿌리로 흡수되어 순환하거나, 질산 이온(NO_3^-)으로 전환되어 탈질산화 세균에 의한 탈질산화 작용을 거쳐 질소 기체(N_2)가 되어 대기 중으로 돌아간다.

(2) 질소 순환과 화학 비료
화학 기술이 발달하면서 공장에서 질소 비료를 합성하는 산업적 고정이 이루어지고 있다. 질소 비료의 사용으로 토양에 과잉 공급된 질소는 물로 유입되어 물의 부영양화를 유발할 수 있다.

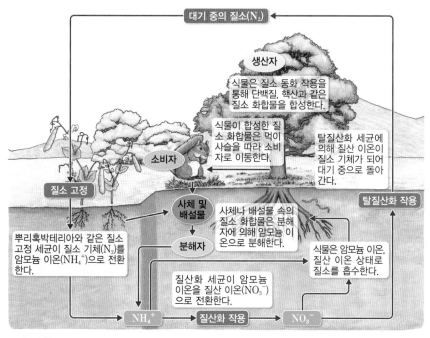

▲ **질소 순환**   대기 중의 질소는 질소 고정과 질산화 작용을 거쳐 식물체 내로 흡수되고, 분해자에 의해 토양으로 돌아간 후 탈질산화 작용을 거쳐 대기 중으로 돌아간다.

질소 고정 세균
대기 중의 질소를 암모늄 이온(NH_4^+)으로 전환하는 세균으로, 콩과식물의 뿌리혹에 사는 뿌리혹박테리아가 대표적이다. 뿌리혹박테리아는 자신이 고정한 질소 화합물을 콩과식물에 제공하고, 콩과식물로부터 서식지와 양분을 공급받는다.

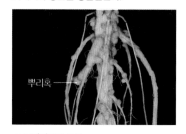

▲ **콩과식물의 뿌리**

질산화 세균
산소를 이용해 암모늄 이온(NH_4^+)을 아질산 이온(NO_2^-)으로 산화시키고, 아질산 이온을 다시 질산 이온(NO_3^-)으로 산화시키는 토양 세균이다.

$$NH_4^+ \xrightarrow[\text{아질산균}]{} NO_2^- \xrightarrow[\text{질산균}]{} NO_3^-$$

탈질산화 세균
질산 이온(NO_3^-)이나 아질산 이온(NO_2^-)에서 질소를 분리하여 질소 기체(N_2)로 변화시키는 탈질산화 작용을 하는 세균이다.

부영양화
물속에 질소, 인과 같은 무기염류가 과도하게 증가한 상태

식물의 질소 흡수
식물은 뿌리로 토양 속의 암모늄 이온(NH_4^+)과 질산 이온(NO_3^-)을 흡수하는데, 흡수한 질산 이온(NO_3^-)은 뿌리에서 암모늄 이온(NH_4^+)으로 환원되어 아미노산 등 질소 유기물 합성에 이용된다.

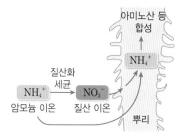

③ 생태계 평형

생태계는 생태계를 구성하는 생물 군집과 비생물 환경 사이의 상호 작용에 의해 평형을 유지한다. 안정된 생태계는 일시적 변동이 일어나더라도 시간이 지나면 스스로 평형을 회복한다.

1. 생태계 평형

생태계는 환경 요인의 급격한 변화나 인간의 간섭이 없는 조건에서 생물 군집의 종 구성과 개체 수, 에너지 흐름, 물질 순환 등이 안정된 상태를 유지하는데, 이러한 상태를 생태계 평형이라고 한다. 생태계 평형은 주로 먹이 사슬을 기초로 유지되는데, 빛, 온도, 물, 공기 등과 같은 비생물적 요인의 영향을 받기도 한다.

2. 생태계 평형 유지

안정된 생태계는 어떤 요인에 의해 일시적으로 평형이 깨지더라도 시간이 지나면 먹이 사슬을 통해 원래 상태를 회복하는 자기 조절 능력이 있다.

(1) **먹이 사슬에 의한 생태계 평형 유지:** 어떤 군집에서 환경의 변화로 1차 소비자의 개체 수가 증가하면 생산자의 개체 수는 감소하고 2차 소비자의 개체 수는 증가한다. 그 결과 어느 정도 시간이 지나면 1차 소비자는 먹이(생산자) 부족과 포식자(2차 소비자)의 증가로 개체 수가 감소한다. 1차 소비자의 개체 수가 감소하면 생산자의 개체 수는 증가하고 2차 소비자의 개체 수는 감소하여 평형 상태를 회복한다.

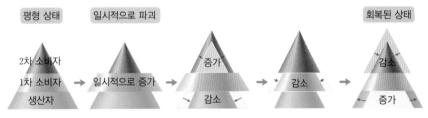

▲ 생태계 평형이 회복되는 과정

(2) **생태계 평형 파괴:** 생태계는 자기 조절 능력에 한계가 있어 복원력의 한계를 넘어서는 환경 변화가 일어나면 평형이 회복되지 못할 정도로 파괴될 수 있다. 생태계 평형은 인간의 간섭에 의해서도 깨질 수 있으므로, 생태계를 인위적으로 조절하려고 하기보다 생태계가 생물 군집과 비생물 환경의 조화 속에서 스스로 평형을 유지할 수 있도록 해야 한다.

시선 집중 ★ 카이바브 고원의 생태계 파괴

❶ 1905년 미국의 카이바브 고원에서 줄어드는 사슴의 개체 수를 늘리기 위해 사슴의 포식자인 늑대의 사냥을 허가하자, 이후 사슴의 개체 수는 증가했지만 곧 급격하게 감소하였다. → 사슴의 개체 수가 증가함에 따라 사슴의 먹이인 풀의 양(초원의 생산량)이 크게 줄어들었기 때문이다.

❷ 사냥과 같은 인간의 간섭은 먹이 사슬에 의해 스스로 안정된 상태를 유지하던 생태계의 평형을 깨뜨리는 요인이 될 수 있다.

▲ 카이바브 고원의 사슴과 늑대의 개체 수 및 초원의 생산량 변화

펭귄의 개체 수 유지
남극의 펭귄은 먹이가 충분해도 극심한 추위 때문에 개체 수가 계속 증가하지 않고 일정한 수준을 유지한다.

먹이 그물과 생태계 평형
생태계 내에 한 가닥의 먹이 사슬만 있으면 어느 한 종이 사라질 경우 먹이 사슬이 끊어져 전체 생태계가 평형을 잃게 된다. 그러나 먹이 그물이 복잡하게 형성되어 있으면 어느 한 종이 사라지더라도 그 종의 포식자는 다른 먹이를 찾을 수 있기 때문에 전체적인 생태계는 큰 영향을 받지 않고 평형을 유지한다.

생태계 평형 파괴 요인
홍수, 산사태와 같은 자연재해, 사람의 개발 활동, 외래 생물의 침입과 같은 교란이 일어날 때 생태계 평형이 깨질 수 있다.

카이바브 고원의 먹이 사슬
풀(생산자) → 사슴(1차 소비자) → 늑대(2차 소비자)

에너지 흐름과 물질 생산 및 소비

생태계를 유지하는 에너지의 근원은 태양의 빛에너지이며, 빛에너지는 생산자의 광합성을 통해 화학 에너지로 전환되어 유기물에 저장된 후 먹이 사슬을 따라 이동하여 최종적으로 분해자에게 전달된다. 이 과정에서 에너지는 생물의 호흡을 통해 열에너지 형태로 방출되어 생태계 밖으로 빠져나간다. 이와 같은 내용은 에너지 피라미드나 에너지 흐름, 물질 생산과 소비를 나타낸 그림과 그래프 등으로 제시되어 자료를 분석하는 형태로 출제된다.

① 에너지 흐름

그림은 어떤 안정된 생태계에서의 에너지 흐름을 나타낸 것이다. (가)~(다)는 생물적 요인이며, 에너지양은 상댓값이다.

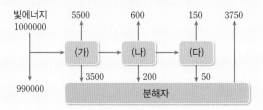

(1) 에너지가 먹이 사슬을 따라 (가) → (나) → (다)로 이동할 때 에너지는 유기물의 화학 에너지 형태로 이동한다.

(2) (가)~(다)의 에너지양과 에너지 효율

구분	(가)	(나)	(다)
생물적 요인	생산자	1차 소비자	2차 소비자
에너지양	10000	1000	200
에너지 효율(%)	1	10	20

(3) 생산자 (가)의 총생산량은 10000, 호흡량은 5500이며, 따라서 순생산량은 10000−5500=4500이다.

예제

그림은 안정된 어떤 생태계에서 이동하는 에너지양을 상댓값으로 나타낸 것이다. A~C는 각각 1차 소비자, 2차 소비자, 생산자 중 하나이다.

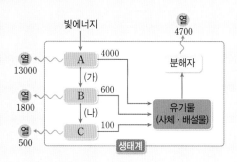

(1) (가)와 (나)의 에너지양을 각각 쓰시오.

(2) 2차 소비자의 에너지 효율을 구하시오.

정답 (1) (가) 3000, (나) 600 (2) 20 %

해설 (1) A는 생산자, B는 1차 소비자, C는 2차 소비자이다. A의 에너지양은 13000+1800+500+4700=20000이다. 따라서 (가)는 20000−(13000+4000)=3000이고, B의 에너지양은 3000이므로 (나)는 3000−(1800+600)=600이다.
(2) 2차 소비자(C)의 에너지양은 600, 1차 소비자(B)의 에너지양은 3000이므로 2차 소비자의 에너지 효율은 $\frac{600}{3000}×100=20(\%)$이다.

▶ 정답과 해설 **79**쪽

유제

❶ 그림은 평형 상태의 어떤 생태계에서 이동하는 에너지양을 상댓값으로 나타낸 것이다. ㉠~㉢은 각각 소비자, 생산자, 분해자 중 하나이다. 이에 대한 설명으로 옳은 것만을 〈보기〉에서 있는 대로 고른 것은?

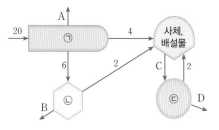

보기
ㄱ. ㉡은 소비자이다.
ㄴ. A+B+C+D=28이다.
ㄷ. 생산자의 $\frac{총생산량}{순생산량}$ 은 $\frac{1}{2}$이다.

① ㄱ   ② ㄷ   ③ ㄱ, ㄴ   ④ ㄱ, ㄷ   ⑤ ㄱ, ㄴ, ㄷ

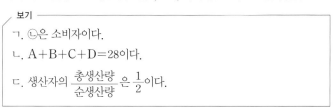

② 물질 생산과 소비

그림은 어떤 군집에서 생산자의 총생산량, 순생산량, 호흡량의 관계를 나타낸 것이다.

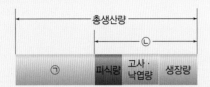

(1) 총생산량은 생산자가 광합성을 통해 생산한 유기물의 총량으로, 순생산량과 호흡량을 합한 것이다.

(2) ㉠은 생산자의 호흡에 사용된 유기물의 양인 호흡량이고, 생산자의 피식량, 고사·낙엽량, 생장량을 합한 ㉡은 순생산량이다.

(3) 생산자의 피식량은 1차 소비자(초식 동물)에게 먹힌 양이므로 1차 소비자의 섭식량과 같다. → 생산자의 피식량에는 1차 소비자의 호흡량과 생장량이 포함된다.

③ 총생산량, 순생산량, 생장량

그림은 어떤 식물 군집의 시간에 따른 유기물량을 나타낸 것이다. ㉠~㉢은 각각 순생산량, 총생산량, 생장량 중 하나이다.

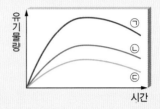

(1) 총생산량에 순생산량과 생장량이 포함되므로 ㉠이 총생산량이다.

(2) 순생산량에 생장량이 포함되므로 ㉡은 순생산량, ㉢은 생장량이다.

(3) 총생산량에서 순생산량을 뺀 것(㉠−㉡)은 호흡량이고, 순생산량에서 생장량을 뺀 것(㉡−㉢)에는 피식량, 고사·낙엽량이 포함된다.

> 정답과 해설 **79**쪽

❷ 그림 (가)는 어떤 식물 군집의 총생산량, 순생산량, 생장량의 관계를, 그림 (나)는 천이가 진행되는 어떤 식물 군집에서 시간에 따른 유기물량을 나타낸 것이다.

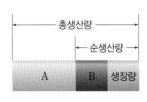

(가)   (나)

이에 대한 설명으로 옳은 것만을 〈보기〉에서 있는 대로 고른 것은?

보기
ㄱ. A에는 초식 동물의 호흡량이 포함된다.
ㄴ. 낙엽에 들어 있는 유기물의 양은 B에 포함된다.
ㄷ. 천이가 진행됨에 따라 구간 I에서 A가 증가한다.

① ㄱ   ② ㄴ   ③ ㄱ, ㄴ   ④ ㄴ, ㄷ   ⑤ ㄱ, ㄴ, ㄷ

개념 모아
정리하기

04 에너지 흐름과 물질 순환

① 에너지 흐름

1. 생태계에서의 에너지 흐름 생태계에서 에너지는 순환하지 않고 한 방향으로 흐른다.
- 생태계에 공급되는 에너지의 근원은 태양의 (❶   )이다.
- 태양의 빛에너지는 생산자의 (❷   )을 통해 화학 에너지로 전환되어 유기물에 저장된다.
- 유기물에 저장된 화학 에너지는 먹이 사슬을 따라 이동하며, 이 과정에서 화학 에너지의 일부는 생산자와 소비자의 (❸   )을 통해 생명 활동에 이용되거나 열에너지로 전환되어 생태계 밖으로 빠져나간다.
- 사체나 배설물에 저장된 화학 에너지는 (❹   )의 호흡을 통해 생명 활동에 이용되거나 열에너지로 전환되어 생태계 밖으로 빠져나간다.

2. 생태 피라미드 먹이 사슬을 이루는 각 영양 단계의 에너지양, 개체 수, 생물량(생체량)을 하위 영양 단계부터 순서대로 쌓아 올린 그림이다. → 에너지가 먹이 사슬을 따라 이동할 때 상위 영양 단계로 갈수록 에너지양이 줄어들므로, 생태 피라미드는 대부분 위로 갈수록 크기가 줄어드는 형태를 나타낸다.

3. (❺   ) 한 영양 단계에서 다음 영양 단계로 이동하는 에너지의 비율로, 일반적으로 상위 영양 단계로 갈수록 증가하는 경향이 있다.

4. 물질 생산과 소비
- (❻   ): 생산자가 일정 기간 동안 광합성을 통해 합성한 유기물의 총량
- (❼   ): 총생산량에서 생산자의 호흡량을 제외하고 생산자에 저장된 유기물의 양

② 물질 순환

1. 생태계에서의 물질 순환 생태계에서 물질은 생물과 비생물 환경 사이를 순환한다.

2. 탄소 순환 대기 중의 (❽   )에 포함된 탄소는 생산자의 광합성을 통해 유기물로 합성되어 먹이 사슬을 따라 이동하다가, 생산자, 소비자, 분해자의 호흡을 통해 이산화 탄소 형태로 방출되어 대기 중으로 돌아간다.

3. 질소 순환 대기 중의 질소는 질소 고정, 질산화 작용, 질소 동화 작용, 탈질산화 작용을 통해 생물과 비생물 환경 사이를 순환한다.
- 질소 고정: 대기 중의 질소 기체는 질소 고정 세균에 의해 (❾   )으로 전환되거나, 공중 방전에 의해 질산 이온으로 전환된다.
- (❿   ) 작용: 암모늄 이온은 질산화 세균에 의해 질산 이온으로 전환된다.
- 질소 동화 작용: 토양 속 암모늄 이온이나 질산 이온은 식물의 뿌리로 흡수되어 핵산, 단백질 등의 질소 화합물로 합성된 후 먹이 사슬을 따라 이동한다.
- 분해자의 작용과 (⓫   ) 작용: 사체나 배설물 속의 질소 화합물은 분해자에 의해 암모늄 이온으로 분해되고, 토양 속 질산 이온은 탈질산화 세균에 의해 질소 기체가 되어 대기 중으로 돌아간다.

③ 생태계 평형

1. 생태계 평형 생물 군집의 종 구성과 개체 수, 에너지 흐름, 물질 순환 등이 안정된 상태이다.

2. 생태계 평형 유지 안정된 생태계는 일시적으로 평형이 깨져도 평형을 회복하는 자기 조절 능력이 있다.
- 한 영양 단계의 개체 수가 일시적으로 증가하거나 감소해도 (⓬   )에 의해 다시 평형을 회복한다.
- 생태계는 자기 조절 능력에 한계가 있어서 복원력의 한계를 넘는 심각한 환경 변화가 일어나면 평형이 회복되지 못할 정도로 파괴될 수 있다.

01 생태계에서의 에너지 흐름에 대한 설명으로 옳은 것만을 〈보기〉에서 있는 대로 고르시오.

> 보기
> ㄱ. 생태계를 유지하는 에너지의 근원은 태양의 빛에너지이다.
> ㄴ. 생태계에서 에너지는 생물과 비생물 환경 사이를 끊임없이 순환한다.
> ㄷ. 먹이 사슬의 상위 영양 단계로 갈수록 각 영양 단계의 에너지양은 감소한다.

02 다음은 생태계에서 에너지가 이동하는 동안 일어나는 에너지의 전환을 나타낸 것이다. 빈칸에 들어갈 알맞은 용어를 각각 쓰시오.

> 빛에너지 → (㉠   ) 에너지 → (㉡   )에너지

03 그림은 생태계에서 일어나는 물질과 에너지의 이동을 나타낸 것이다.

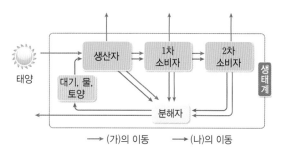

> → (가)의 이동   → (나)의 이동

(가)와 (나)는 각각 물질과 에너지 중 무엇에 해당하는지 쓰시오.

04 먹이 사슬의 각 영양 단계에 속하는 생물의 에너지양, 개체수, 생물량을 하위 영양 단계부터 상위 영양 단계로 순서대로 쌓아 올린 그림을 무엇이라고 하는지 쓰시오.

05 그림은 어떤 안정된 생태계에서 에너지 이동량을 상댓값으로 나타낸 것이다.

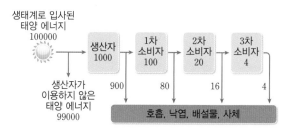

(1) 1차 소비자와 2차 소비자의 에너지 효율(%)을 각각 구하시오.

(2) 이에 대한 설명으로 옳은 것만을 〈보기〉에서 있는 대로 고르시오.

> 보기
> ㄱ. 에너지는 유기물에 포함되어 먹이 사슬을 따라 이동한다.
> ㄴ. 생산자는 생태계로 들어온 태양 에너지를 모두 이용한다.
> ㄷ. 1차 소비자의 호흡으로 방출된 열에너지는 분해자가 이용한다.

06 그림은 일정 기간 동안 어떤 식물 군집의 물질 생산과 소비를 나타낸 것이다. 빈칸에 들어갈 알맞은 용어를 각각 쓰시오.

(1) (가)는 식물 군집이 광합성으로 생산한 유기물의 총량인 (   )이다.

(2) 피식량, 고사·낙엽량, 생장량을 모두 합한 (나)는 (   )이다.

(3) 생산자의 피식량은 (   )의 섭식량과 같다.

07 그림은 생태계에서 일어나는 탄소 순환을 나타낸 것이다.

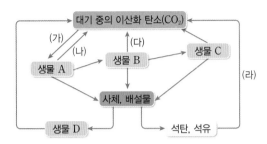

(1) 생물 A~D는 생산자, 소비자, 분해자 중 각각 무엇에 해당하는지 쓰시오.

(2) (가)~(라) 중 이산화 탄소에 포함된 탄소가 유기물로 합성되는 과정을 쓰시오.

(3) 이에 대한 설명으로 옳은 것만을 〈보기〉에서 있는 대로 고르시오.

> **보기**
> ㄱ. 유기물의 탄소는 먹이 사슬을 따라 이동한다.
> ㄴ. 사체나 배설물 속 유기물의 탄소는 분해자의 호흡에 의해 이산화 탄소 형태로 방출된다.
> ㄷ. (라) 과정이 과도하게 일어나면 대기 중의 이산화 탄소 농도가 증가한다.

08 다음 각 설명에 해당하는 용어를 〈보기〉에서 고르시오.

> **보기**
> ㄱ. 질소 고정   ㄴ. 질산화 작용
> ㄷ. 탈질산화 작용   ㄹ. 질소 동화 작용

(1) 토양 속의 질산화 세균이 암모늄 이온을 질산 이온으로 전환한다.

(2) 대기 중의 질소가 뿌리혹박테리아에 의해 암모늄 이온으로 전환된다.

(3) 식물이 뿌리를 통해 흡수한 암모늄 이온이나 질산 이온을 이용하여 단백질이나 핵산을 합성한다.

09 그림은 생태계에서 일어나는 질소 순환을 나타낸 것이다.

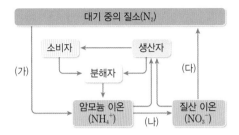

(1) (가)~(다) 중 질소 고정 세균이 관여하는 과정을 쓰시오.

(2) (가)~(다) 중 탈질산화 세균의 작용으로 일어나는 과정을 쓰시오.

(3) 이에 대한 설명으로 옳은 것만을 〈보기〉에서 있는 대로 고르시오.

> **보기**
> ㄱ. (가)~(다) 과정에는 모두 세균이 관여한다.
> ㄴ. (가) 과정을 통해 대기 중의 질소가 식물이 이용할 수 있는 형태로 전환된다.
> ㄷ. 생산자의 유기물에 포함된 질소는 먹이 사슬을 따라 소비자에게 전달된다.

10 그림은 어떤 안정된 생태계의 개체 수 피라미드를 나타낸 것이다. 이 생태계에서 1차 소비자의 개체 수가 일시적으로 증가하여 생태계 평형이 깨졌다가 회복되는 과정을 〈보기〉에서 찾아 순서대로 기호를 나열하시오.

> **보기**
> ㄱ. 1차 소비자의 개체 수가 감소한다.
> ㄴ. 생산자의 개체 수가 감소하고, 2차 소비자의 개체 수가 증가한다.
> ㄷ. 생산자의 개체 수가 증가하고, 2차 소비자의 개체 수가 감소한다.

01 ▷ 생태계에서의 에너지와 물질 이동

그림은 생태계에서 일어나는 에너지와 물질의 이동을 나타낸 것이다. A~C는 각각 소비자와 생산자 중 하나이다.

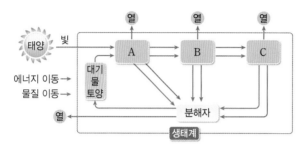

이에 대한 설명으로 옳은 것만을 〈보기〉에서 있는 대로 고른 것은?

보기
ㄱ. B와 C는 모두 소비자이다.
ㄴ. 생태계에서 에너지와 물질은 모두 순환한다.
ㄷ. 태양으로부터 생태계로 들어오는 에너지양은 분해자로 전달되는 에너지양보다 많다.

① ㄴ   ② ㄷ   ③ ㄱ, ㄷ   ④ ㄴ, ㄷ   ⑤ ㄱ, ㄴ, ㄷ

생태계에서 물질은 생물과 비생물 환경 사이를 순환하고, 에너지는 먹이 사슬을 따라 한 방향으로 흐른다.

02 고난도
▷ 생태계에서의 에너지 흐름

그림은 어떤 안정된 생태계에서 영양 단계에 따른 에너지 이동량을 상댓값으로 나타낸 것이다. A와 B는 생물적 요인이고, 1차 소비자의 에너지 효율은 10 %이다.

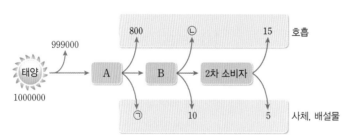

이에 대한 설명으로 옳은 것만을 〈보기〉에서 있는 대로 고른 것은?

보기
ㄱ. A는 광합성을 하는 생물이다.
ㄴ. ㉠+㉡=180이다.
ㄷ. 에너지 효율은 2차 소비자가 1차 소비자의 2배이다.

① ㄱ   ② ㄴ   ③ ㄱ, ㄷ   ④ ㄴ, ㄷ   ⑤ ㄱ, ㄴ, ㄷ

생태계로 유입된 에너지는 광합성에 의해 유기물의 화학 에너지로 전환되어 먹이 사슬을 따라 이동하다가 호흡에 의해 열에너지로 전환되어 생태계 밖으로 빠져나간다.

03 > 에너지 피라미드

그림 (가)와 (나)는 각각 서로 다른 생태계에서 생산자, 1차 소비자, 2차 소비자의 에너지양을 상댓값으로 나타낸 에너지 피라미드이다.

(가)

(나)

이에 대한 설명으로 옳은 것만을 〈보기〉에서 있는 대로 고른 것은?

> 보기

ㄱ. 2차 소비자의 에너지 효율은 (나)에서가 (가)에서의 2배이다.

ㄴ. (가)에서 생산자의 에너지양이 2차 소비자의 에너지양보다 많다.

ㄷ. (나)에서 상위 영양 단계로 갈수록 전달되는 에너지양이 감소한다.

① ㄱ   ② ㄷ   ③ ㄱ, ㄴ   ④ ㄴ, ㄷ   ⑤ ㄱ, ㄴ, ㄷ

> 생태계에서 에너지양을 하위 영양 단계부터 상위 영양 단계로 순서대로 쌓아 올린 에너지 피라미드는 일반적으로 위로 갈수록 크기가 줄어드는 형태를 나타낸다.

고난도
04 > 생태계의 물질 생산과 소비

그림 (가)와 (나)는 어떤 생물 군집에서 생산자와 1차 소비자의 물질 생산과 소비를 각각 나타낸 것이다.

(가)

(나)

이에 대한 설명으로 옳은 것만을 〈보기〉에서 있는 대로 고른 것은?

> 보기

ㄱ. 생산자의 순생산량은 생장량의 2배이다.

ㄴ. 생산자의 호흡량은 1차 소비자의 호흡량보다 적다.

ㄷ. 생산자의 총생산량 중 3 %가 2차 소비자에게 전달된다.

① ㄴ   ② ㄷ   ③ ㄱ, ㄴ   ④ ㄱ, ㄷ   ⑤ ㄴ, ㄷ

> (가) 총생산량은 생산자가 일정 기간 동안 광합성을 통해 합성한 유기물의 총량이며, (가)에서 호흡량을 제외한 것이 순생산량이다. (나) 1차 소비자의 섭식량은 생산자의 피식량에 해당한다.

05 ❭ 탄소 순환

그림은 생태계에서 일어나는 탄소 순환 과정을 나타낸 것이다.

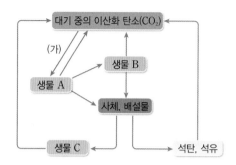

이에 대한 설명으로 옳은 것만을 〈보기〉에서 있는 대로 고른 것은?

보기
ㄱ. (가) 과정에서 이산화 탄소가 광합성에 이용된다.
ㄴ. 탄소는 유기물의 형태로 생물 A에서 B로 이동한다.
ㄷ. 곰팡이는 생물 C에 해당한다.

① ㄱ   ② ㄴ   ③ ㄱ, ㄷ   ④ ㄴ, ㄷ   ⑤ ㄱ, ㄴ, ㄷ

대기 중의 이산화 탄소는 생산자의 광합성을 통해 유기물로 합성되며, 합성된 유기물은 먹이 사슬을 따라 소비자에게 전달된다.

06 ❭ 질소 순환

그림은 생태계에서 일어나는 질소 순환 과정의 일부를 나타낸 것이다.

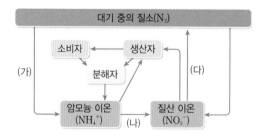

이에 대한 설명으로 옳은 것만을 〈보기〉에서 있는 대로 고른 것은?

보기
ㄱ. (가) 과정은 공중 방전에 의해 일어난다.
ㄴ. (나) 과정에서 질산화 세균이 작용한다.
ㄷ. (다) 과정에서 뿌리혹박테리아가 작용한다.

① ㄱ   ② ㄴ   ③ ㄱ, ㄴ   ④ ㄱ, ㄷ   ⑤ ㄴ, ㄷ

대기 중의 질소(N_2)는 질소 고정 세균에 의해 암모늄 이온(NH_4^+)으로 고정되어 식물에 이용된다.

열대와 아열대 지역의 해안에는 수많은 산호가 산호 초를 형성하며 서식하고 있다. 산호초는 다양한 바다 생물이 살아가는 터전을 제공하므로, 산호초에서는 다양한 생물종 간의 상호 작용이 활발하게 일어나고 있다.

산호초에 사는 장님새우는 시력이 거의 없기 때문에 포식자의 위험에 노출되어 있다. 하지만 장님새우는 모래에 구멍을 파고 망둑엇과에 속하는 물고기인 고비와 공생하여 포식의 위험을 피한다. 장님새우는 망을 보고 있는 고비의 몸에 촉각을 대고 있다가, 고비가 포식자가 다가오는 것을 보고 움직이면 고비와 함께 모래에 파 둔 구멍으로 재빨리 피한다. 몸집이 작아 스스로 구멍을 팔 수 없는 고비는 이처럼 장님새우의 파수꾼 역할을 하면서 장님새우로부터 은신처를 제공받는다.

산호는 갈충조(zooxanthellae, 갈충말)라고 하는 조류와 공생하고 있다. 갈충조는 산호의 몸속에 살면서 광합성으로 만든 양분을 산호에게 제공하고, 대신 산호로부터 서식 장소와 규소, 인, 질소 등의 무기 양분을 제공받는다.

원래 산호는 색깔이 없는 흰색인데 산호와 공생하는 갈충조의 색깔 때문에 붉은색, 노란색 등 다양한 색깔을 띤다. 그런데 최근 갈충조가 산호를 떠나면서 산호가 원래의 흰색을 드러내는 백화 현상이 나타나고 있다. 갈충조는 해수 온도가 평년보다 1 ℃~2 ℃ 높아진 상태가 6주~8주 정도 지속되면 산호를 떠나는데, 최근 기후 변화로 해수 온도가 높아지면서 갈충조가 산호를 떠나 백화 현상이 일어난 것이다. 백화 현상이 일어나면서 산호는 서서히 죽어가고, 그에 따라 산호초에서 살던 열대어를 비롯한 많은 종의 바다 생물이 사라지고 있다.

이처럼 산호초에서 볼 수 있는 있는 공생 관계는 군집을 유지하는 중요한 요인이다. 군집 내에서는 여러 생물이 공생을 포함한 다양한 상호 작용으로 서로 유기적으로 연결되어 '너'가 없으면 '내'가 없고, '내'가 없으면 '너'가 없는 체계를 이루고 있다.

▲ 백화 현상이 일어난 산호초

장님새우와 고비

01 ▶ 생태계 구성 요소 간의 관계

그림은 생태계를 구성하는 요소 사이의 관계를 나타낸 것이다.

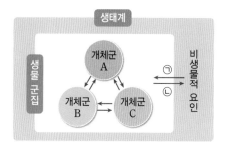

이에 대한 설명으로 옳은 것만을 〈보기〉에서 있는 대로 고른 것은?

보기
ㄱ. 분해자는 비생물적 요인에 해당한다.
ㄴ. 개체군 A는 같은 종의 개체로 구성되어 있다.
ㄷ. 낙엽이 쌓이면 토양이 비옥해지는 것은 ⓒ에 해당한다.

① ㄱ   ② ㄷ   ③ ㄱ, ㄴ   ④ ㄴ, ㄷ   ⑤ ㄱ, ㄴ, ㄷ

비생물적 요인이 생물에 영향을 주는 것은 작용, 생물이 비생물적 요인에 영향을 주는 것은 반작용이다.

02 ▶ 빛과 생물

어떤 환경 요인 X가 식물의 개화에 미치는 영향을 알아보기 위하여 A종의 식물 ㉠~㉢에서 빛 조건을 달리하여 개화 여부를 관찰하였다. 그림은 빛 조건 Ⅰ~Ⅲ을, 표는 Ⅰ~Ⅲ에서 식물 ㉠~㉢의 개화 여부를 나타낸 것이다.

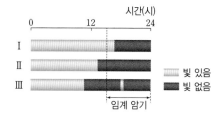

조건	식물	개화 여부
Ⅰ	㉠	×
Ⅱ	㉡	○
Ⅲ	㉢	ⓐ

(○ : 개화함, × : 개화 안 함)

이에 대한 설명으로 옳은 것만을 〈보기〉에서 있는 대로 고른 것은?

보기
ㄱ. A종은 장일 식물이다.
ㄴ. ⓐ는 '×'이다.
ㄷ. 일조 시간은 X에 해당된다.

① ㄱ   ② ㄴ   ③ ㄱ, ㄷ   ④ ㄴ, ㄷ   ⑤ ㄱ, ㄴ, ㄷ

장일 식물은 지속된 암기가 임계 암기보다 짧으면 개화한다.

03 ❯ 군집 내 개체군 간의 상호 작용

그림 (가)는 종 A와 B를 각각 단독 배양했을 때, 그림 (나)는 종 A와 B를 혼합 배양했을 때 시간에 따른 개체 수를 나타낸 것이다.

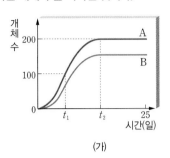
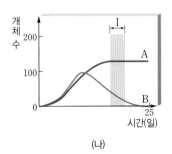

(가)　　　　　　　　　(나)

이에 대한 설명으로 옳은 것만을 〈보기〉에서 있는 대로 고른 것은? (단, (가)와 (나)에서 초기 개체 수와 배양 조건은 동일하다.)

보기
ㄱ. A의 개체군 밀도는 t_1일 때가 t_2일 때보다 낮다.
ㄴ. 구간 Ⅰ에서 A는 환경 저항의 작용을 받지 않는다.
ㄷ. (나)에서 A와 B 사이에 일어나는 상호 작용은 분서이다.

① ㄱ　　　② ㄴ　　　③ ㄱ, ㄴ　　　④ ㄱ, ㄷ　　　⑤ ㄴ, ㄷ

● 개체군 밀도는 개체군이 서식하는 공간의 단위 면적당 개체 수로 나타내며, 개체군을 구성하는 개체 수를 생활하는 공간의 면적으로 나눈 값이다.

04 ❯ 방형구를 이용한 식물 군집 조사

그림은 어떤 지역에 4개의 방형구를 설치하여 식물 군집을 조사한 결과를 나타낸 것이다.

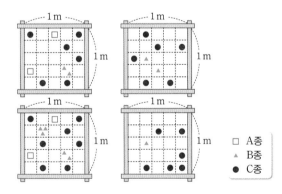

□ A종
▲ B종
● C종

이에 대한 설명으로 옳은 것만을 〈보기〉에서 있는 대로 고른 것은? (단, 한 칸에 출현한 종은 그 칸을 모두 차지하는 것으로 간주하며, 제시된 종만 고려한다.)

보기
ㄱ. 밀도가 가장 높은 종은 A이다.
ㄴ. B의 상대 빈도는 20 %이다.
ㄷ. 우점종은 C이다.

① ㄱ　　　② ㄷ　　　③ ㄱ, ㄴ　　　④ ㄴ, ㄷ　　　⑤ ㄱ, ㄴ, ㄷ

● 밀도는 개체 수에 비례하고, 우점 종은 상대 밀도, 상대 빈도, 상대 피도의 합인 중요도가 가장 큰 종 이다.

• 빈도
$$= \frac{\text{특정 종이 출현한 방형구 수}}{\text{조사한 방형구 총 수}}$$

• 상대 빈도(%)
$$= \frac{\text{특정 종의 빈도}}{\text{조사한 모든 종의 빈도 합}} \times 100$$

05 ❯ 포식자와 피식자의 개체 수 변화

그림 (가)는 안정된 생태계에서 포식과 피식 관계에 있는 종 A와 B의 시간에 따른 개체 수를, 그림 (나)는 (가)에서 나타나는 개체 수 변화를 ㉠~㉣로 구분하여 나타낸 것이다.

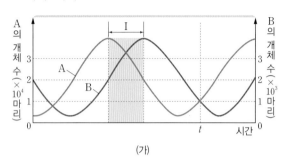

(가)   (나)

• 안정된 생태계에서 피식자의 개체 수는 포식자의 개체 수보다 많으며, 피식자의 개체 수가 변하면 포식자의 개체 수도 변한다.

이에 대한 설명으로 옳은 것만을 〈보기〉에서 있는 대로 고른 것은?

> 보기
> ㄱ. A는 포식자, B는 피식자이다.
> ㄴ. 구간 I은 ㉠에 해당한다.
> ㄷ. t에서 A의 개체군 밀도는 B의 개체군 밀도보다 높다.

① ㄱ   ② ㄴ   ③ ㄷ   ④ ㄱ, ㄷ   ⑤ ㄴ, ㄷ

06 ❯ 생물 간의 상호 작용

그림은 생물 간의 상호 작용 네 가지를 구분하는 과정을 나타낸 것이다. '개체군 내의 상호 작용인가?'와 '힘의 강약에 따라 서열이 정해지는가?'는 구분 기준 ㉠과 ㉡ 중 하나이다.

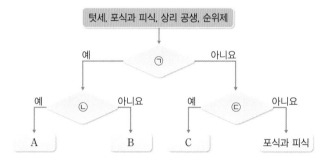

• 텃세와 순위제는 개체군 내의 상호 작용이고, 포식과 피식, 상리 공생은 군집 내 개체군 간의 상호 작용이다.

이에 대한 설명으로 옳은 것만을 〈보기〉에서 있는 대로 고른 것은?

> 보기
> ㄱ. 호랑이가 배설물로 자기 영역을 표시하는 것은 B의 예이다.
> ㄴ. C의 상호 작용을 하는 두 종의 생물은 서로 이익을 주고받는다.
> ㄷ. '두 개체군이 함께 살면 환경 수용력이 모두 증가하는가?'는 ㉢에 해당한다.

① ㄱ   ② ㄴ   ③ ㄱ, ㄷ   ④ ㄴ, ㄷ   ⑤ ㄱ, ㄴ, ㄷ

> 식물 군집의 천이

07

그림은 어떤 지역에서 일어난 식물 군집의 천이 과정을 나타낸 것이다. A~D는 각각 양수림, 음수림, 관목림, 초원 중 하나이다.

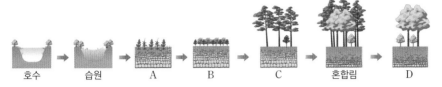

호수 → 습원 → A → B → C → 혼합림 → D

이에 대한 설명으로 옳은 것만을 〈보기〉에서 있는 대로 고른 것은?

보기
ㄱ. 습성 천이를 나타낸 것이다.
ㄴ. A의 우점종은 지의류이다.
ㄷ. C에서 보상점의 평균값은 상층부의 식물이 하층부의 식물보다 높다.

① ㄱ   ② ㄴ   ③ ㄱ, ㄷ   ④ ㄴ, ㄷ   ⑤ ㄱ, ㄴ, ㄷ

> 습한 곳에서 시작되는 천이는 습원이 형성된 후 초원을 거쳐 숲이 형성된다.

> 생태계에서의 에너지 흐름

08

그림은 안정된 생태계에서 영양 단계에 따른 에너지 이동량을 상댓값으로 나타낸 것이다. ㉠~㉣은 모두 생물적 요인이다.

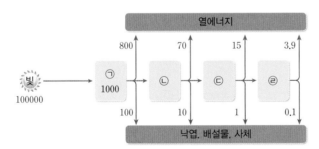

이에 대한 설명으로 옳은 것만을 〈보기〉에서 있는 대로 고른 것은?

보기
ㄱ. 상위 영양 단계로 갈수록 전달되는 에너지양은 감소한다.
ㄴ. 2차 소비자의 에너지 효율은 3차 소비자의 에너지 효율보다 낮다.
ㄷ. 분해자가 이용 가능한 에너지 총량은 소비자가 호흡을 통해 소모한 에너지 총량보다 많다.

① ㄱ   ② ㄴ   ③ ㄱ, ㄷ   ④ ㄴ, ㄷ   ⑤ ㄱ, ㄴ, ㄷ

> 생산자의 광합성을 통해 생태계로 유입된 에너지는 먹이 사슬을 따라 이동하면서 각 영양 단계에서 일부가 호흡을 통해 열에너지로 전환되어 생태계 밖으로 빠져나간다.

09 ▷ 총생산량과 호흡량

그림은 어떤 식물 군집의 시간에 따른 총생산량과 호흡량을 나타낸 것이다. A와 B는 각각 총생산량과 호흡량 중 하나이다.

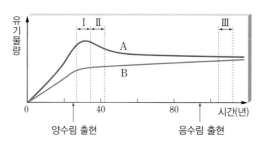

이에 대한 설명으로 옳은 것만을 〈보기〉에서 있는 대로 고른 것은?

보기
ㄱ. B는 호흡량이다.
ㄴ. $\dfrac{B}{순생산량}$ 는 구간 Ⅰ에서가 구간 Ⅱ에서보다 크다.
ㄷ. 구간 Ⅲ에서 이 식물 군집은 극상을 이룬 상태이다.

① ㄱ   ② ㄴ   ③ ㄱ, ㄷ   ④ ㄴ, ㄷ   ⑤ ㄱ, ㄴ, ㄷ

• 생산자가 광합성을 통해 생산한 유기물의 총량이 총생산량이며, 총생산량에서 호흡량을 제외한 양이 순생산량이다.

10 ▷ 질소 순환

그림은 식물체가 질소를 흡수하여 유기물 ㉠을 합성하는 과정의 일부를 나타낸 것이다. A와 B는 각각 질산 이온(NO_3^-)과 암모늄 이온(NH_4^+) 중 하나이다.

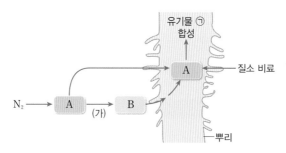

이에 대한 설명으로 옳은 것만을 〈보기〉에서 있는 대로 고른 것은?

보기
ㄱ. A는 질산 이온(NO_3^-)이다.
ㄴ. (가)는 질산화 작용이다.
ㄷ. 글리코젠은 ㉠에 해당한다.

① ㄱ   ② ㄴ   ③ ㄷ   ④ ㄱ, ㄴ   ⑤ ㄴ, ㄷ

• 식물은 대기 중의 질소(N_2)를 직접 이용하지 못하고 질소 고정, 질산화 작용을 통해 형성된 암모늄 이온(NH_4^+)과 질산 이온(NO_3^-)을 흡수하여 질소 동화 작용으로 질소가 포함된 유기물을 합성한다.

11 ❯ 생태계에서의 물질 순환

그림은 생태계에서 일어나는 물질 순환 과정의 일부를 나타낸 것이다. ⊙과 ⓒ은 각각 대기 중에 존재하는 질소(N_2)와 이산화 탄소(CO_2) 중 하나이며, (가)와 (나)는 각각 생산자와 소비자 중 하나이다.

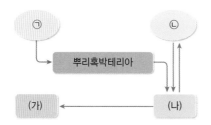

이에 대한 설명으로 옳은 것만을 〈보기〉에서 있는 대로 고른 것은?

보기
ㄱ. 뿌리혹박테리아는 ⊙을 질산 이온(NO_3^-)으로 전환시킨다.
ㄴ. ⓒ은 이산화 탄소(CO_2)이다.
ㄷ. (나)는 소비자이다.

① ㄱ   ② ㄴ   ③ ㄷ   ④ ㄱ, ㄴ   ⑤ ㄴ, ㄷ

> 대기 중의 질소(N_2)는 질소 고정 세균에 의해 암모늄 이온(NH_4^+)으로 전환되어 식물의 뿌리로 흡수되고, 대기 중의 이산화 탄소(CO_2)는 생산자의 광합성을 통해 유기물로 합성된다.

12 ❯ 생태계 평형과 인간의 간섭

그림은 어떤 지역의 사슴을 보호하기 위해 사슴의 천적인 늑대의 사냥을 허가한 이후 시간에 따른 사슴의 개체 수와 초원의 생산량을 나타낸 것이다.

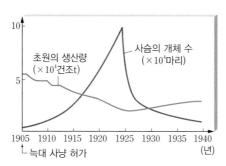

이에 대한 설명으로 옳은 것만을 〈보기〉에서 있는 대로 고른 것은?

보기
ㄱ. 1905년~1925년에 사슴의 개체 수 증가로 초원의 생산량이 감소하였다.
ㄴ. 늑대의 사냥을 허가한 이후 사슴 개체군의 생장 곡선은 S자 모양을 나타낸다.
ㄷ. 1925년 무렵부터 사슴의 개체 수가 감소하게 된 가장 큰 원인은 사슴 천적의 개체 수 증가이다.

① ㄱ   ② ㄴ   ③ ㄷ   ④ ㄱ, ㄴ   ⑤ ㄴ, ㄷ

> 생태계 평형은 주로 먹이 사슬에 의해 유지되며, 인간의 간섭은 생태계 평형을 깨뜨리는 요인이 될 수 있다.

01 그림은 생태계의 구성 요소와 구성 요소 간의 상호 관계를 나타낸 것이다. ㉠~㉢은 구성 요소 간에 서로 영향을 주고받는 것을 나타낸 것이다.

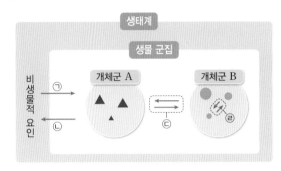

KEY WORDS
⑴ • 비생물적 요인
   • 생물적 요인
   • 군집, 개체군, 개체
⑵ • 작용, 반작용, 상호 작용
   • 개체군 내의 상호 작용
   • 군집 내 개체군 간의 상호 작용

⑴ 위 자료에 제시된 생태계를 구성하는 요소에 대하여 서술하시오.

⑵ ㉠~㉢을 각각 무엇이라고 하는지 쓰고, 각각에 해당하는 예를 한 가지씩 서술하시오.

02 그림 (가)는 어떤 격리된 개체군 ㉠에서 개체군 밀도에 따라 출생 또는 사망한 개체 수를, 그림 (나)는 이 개체군에서 개체군 밀도에 따라 증가한 개체 수를 나타낸 것이다. A와 B는 각각 출생한 개체 수와 사망한 개체 수 중 하나이다.

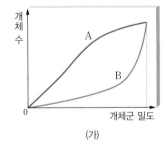
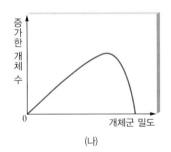

(가)   (나)

KEY WORDS
⑴ • 증가한 개체 수
   • 출생한 개체 수
   • 사망한 개체 수
⑵ • S자 모양
   • 개체군 밀도
   • 환경 저항

⑴ A와 B는 각각 무엇인지 쓰고, 그와 같이 판단한 까닭을 서술하시오.

⑵ 위 자료를 토대로 개체군 ㉠의 생장 곡선은 어떤 형태를 나타내는지 쓰고, 생장 곡선이 그와 같은 형태를 나타내는 까닭을 서술하시오.

03 그림은 개체군 (가)~(다)의 생존 곡선을 나타낸 것이다.

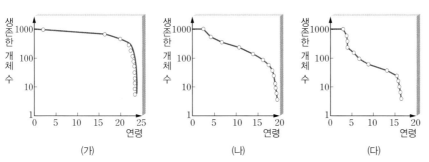

(가)　　　　　(나)　　　　　(다)

개체군 (가)~(다)의 생존 곡선 유형이 서로 다르게 나타나는 까닭을 사망률과 연관 지어 서술하시오.

04 개체군의 연령층을 크게 생식 전 연령층, 생식 연령층, 생식 후 연령층으로 구분하여 각 연령층이 차지하는 비율을 피라미드 모양으로 나타낸 것을 연령 피라미드라고 한다. 그림은 개체군 (가)~(다)의 연령 피라미드를 나타낸 것이다.

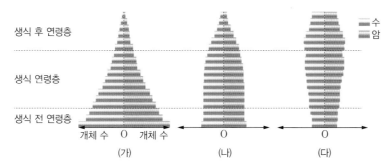

위 자료를 토대로 개체군 (가)~(다)의 개체 수가 앞으로 어떻게 변할지 각각 예측하고, 그와 같이 예측한 근거를 서술하시오.

05 어떤 연못가의 한 지역은 I∼V 구간으로 구성되어 있다. 이 지역의 I∼V 구간 전체에 **A**와 **B** 두 종의 수생 식물 종자를 고르게 심었다. 그림 (가)는 **A**의 종자 1000개를, (나)는 **B**의 종자 1000개를, (다)는 **A**와 **B**의 종자를 각각 1000개씩 함께 심은 결과를 나타낸 것이다.

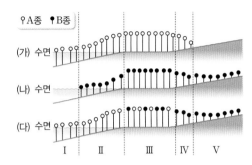

(1) 위 자료를 토대로 건조에 대한 내성은 A와 B 중 어느 종이 더 큰지를 판단하고, 그와 같이 판단한 까닭을 서술하시오.

_____

(2) (다)에서 A와 B 사이에 일어난 개체군 간의 상호 작용을 쓰시오.

_____

(3) (다)의 Ⅱ와 Ⅳ 구간에서 A와 B 중 한 종만 자라는 까닭을 서술하시오.

_____

KEY WORDS
(1) • 건조에 대한 내성
    • 물속, 육지
(3) • 생태적 지위
    • 종간 경쟁
    • 경쟁 · 배타

06 그림은 생태계에서 일어나는 탄소 순환 과정을 나타낸 것이다. **A, B, C**는 각각 생산자, 소비자, 분해자 중 하나이다.

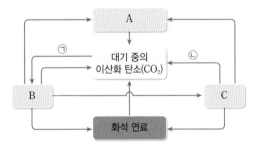

(1) A∼C는 각각 무엇인지를 탄소 순환 과정과 연관 지어 서술하시오.

_____

(2) ㉠과 ㉡ 과정의 공통점과 차이점을 각각 한 가지씩 서술하시오.

_____

KEY WORDS
(1) • 생산자
    • 소비자
    • 분해자
(2) • 물질대사, 효소, 에너지 출입
    • 유기물 합성, 분해
    • 동화 작용, 이화 작용
    • 흡열 반응, 발열 반응

07 그림은 안정된 초원, 삼림, 해양 생태계의 에너지 피라미드와 생물량 피라미드를 나타낸 것이다.

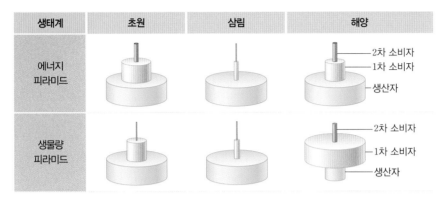

생태계	초원	삼림	해양
에너지 피라미드			2차 소비자 / 1차 소비자 / 생산자
생물량 피라미드			2차 소비자 / 1차 소비자 / 생산자

KEY WORDS
(1) • 에너지 피라미드
   • 생산자의 에너지양에 대한 1차 소비자의 에너지양 비율
(2) • 식물 플랑크톤
   • 분열법

(1) 위 자료를 토대로 초원 생태계와 삼림 생태계의 1차 소비자의 에너지 효율을 비교하여 서술하시오.

_____

(2) 해양 생태계에서는 생산자의 생물량이 1차 소비자의 생물량보다 적지만 생태계가 안정된 상태를 유지하고 있다. 그 까닭을 서술하시오. (단, 해양 생태계의 생산자는 식물 플랑크톤이다.)

_____

08 그림 (가)는 어떤 생태계에서 3차 소비자가 있을 때와 없을 때의 세 영양 단계(㉠, ㉡, 생산자)에 해당하는 개체군의 개체 수를, 그림 (나)는 (가)의 생태계에서 형성된 먹이 사슬을 나타낸 것이다. ㉠과 ㉡은 각각 A와 B 중 하나이다.

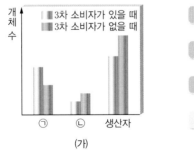
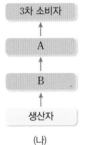

(가)   (나)

KEY WORDS
(1) • 3차 소비자
   • 2차 소비자
   • 1차 소비자
(2) • 2차 소비자
   • 1차 소비자
   • 생산자
   • 개체 수 증가
   • 개체 수 감소

(1) 위 자료를 분석하여 ㉠과 ㉡은 각각 A와 B 중 무엇인지 서술하시오.

_____

(2) 평형 상태에서 ㉡의 개체 수가 크게 증가하면 ㉠과 생산자의 개체 수는 일시적으로 각각 어떻게 변하는지 먹이 관계와 연관 지어 서술하시오.

_____

2
생물 다양성과 보전

01 생물 다양성의 중요성

02 생물 다양성 보전

단원
Preview

유전적 다양성			생태계 평형 유지	서식지 파괴와 단편화			서식지 보호
종 다양성	의미	**생물 다양성**	생물 자원	불법 포획과 남획	감소 원인	**생물 다양성 보전**	생물종 보전 사업
생태계 다양성		중요성	환경 조절자	외래 생물 도입		보전 대책	외래 생물로 인한 피해 방지
				환경 오염과 기후 변화			법률 제정 및 국제 협약 가입

생물 다양성의 중요성

생물 다양성 보전

01 생물 다양성의 중요성

학습 Point 생물 다양성의 의미 〉 생물 다양성과 생태계 평형 〉 생물 다양성의 가치

 생물 다양성의 의미

오랫동안 사람의 발길이 닿지 않은 비무장 지대(DMZ)에는 금강초롱을 비롯하여 총 4870여 종의 야생 동식물이 서식하는 것으로 확인되었다. 그러나 다양한 생물종이 서식하는 것만으로 비무장 지대(DMZ)의 생물 다양성이 높다고 설명하기에는 부족함이 있다. 생물 다양성이란 유전적 다양성, 종 다양성, 생태계 다양성을 모두 포함하는 개념이기 때문이다.

1. 생물 다양성

생물 다양성이란 생물학적 다양성의 준말로, 한 개체군 내에서의 유전적 다양성, 생태계를 구성하는 종 다양성, 일정한 지역에 나타나는 생태계 다양성을 모두 포함한다. 생물 다양성은 생태계의 건강한 정도를 판단하는 지표가 된다.

들쥐 개체군의 유전적 다양성

삼림 생태계의 종 다양성

넓은 지역에 분포하는 생태계 다양성

▲ **생물 다양성의 의미** 생물 다양성은 개체군의 유전적 다양성, 생태계의 종 다양성, 넓은 지역의 생태계 다양성이라는 세 가지 구성 단계를 포함한다.

(1) **유전적 다양성:** 한 개체군을 구성하는 개체들은 모두 같은 종이지만, 개체가 가진 유전자의 차이로 개체마다 몸의 형태, 크기, 색깔, 무늬 등이 다양하게 나타난다. 이러한 형질의 차이를 유전적 변이라고 하며, 개체군 내에 존재하는 유전적 변이의 다양한 정도를 유전적 다양성이라고 한다.

▲ **무당벌레의 유전적 다양성**

생물 다양성
세계자연보호기금(WWF)은 1989년에 '생물 다양성이란 수백만여 종의 동식물, 미생물, 그들이 가진 유전자 그리고 그들의 환경을 구성하는 복잡하고 다양한 생태계 등 지구에 살아 있는 모든 생명의 풍요로움이다.'라고 정의하였다.

변이
같은 종의 개체 사이에 나타나는 형질의 차이를 말하며, 유전자와 환경의 영향으로 나타난다.

유전적 변이와 대립유전자
유전적 변이는 개체 간의 대립유전자 차이로 나타나므로, 유전적 다양성은 개체군 내에 존재하는 대립유전자의 다양한 정도를 의미한다. 즉, 유전적 다양성이 높다는 것은 대립유전자의 종류가 다양하다는 것이다.

유전적 변이의 예
• 기린 개체 간의 털 무늬 차이
• 얼룩말 개체 간의 줄무늬 색과 간격 차이
• 무당벌레 개체 간의 겉 날개 무늬와 색깔 차이

① 개체군의 크기와 유전적 다양성: 개체군을 구성하는 개체 수가 많을수록 유전적 변이가 나타날 확률이 높으므로 유전적 다양성이 높다.

② 유전적 다양성과 환경 변화: 유전적 다양성이 높은 개체군은 유전적 다양성이 낮은 개체군에 비해 적응력이 강한 개체가 포함될 확률이 높으므로, 환경이 급변하거나 전염병이 발생하더라도 개체군의 생존 가능성이 높다.

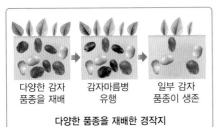

다양한 감자 품종을 재배 → 감자마름병 유행 → 일부 감자 품종이 생존

다양한 품종을 재배한 경작지

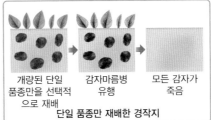

개량된 단일 품종만을 선택적으로 재배 → 감자마름병 유행 → 모든 감자가 죽음

단일 품종만 재배한 경작지

● 감자마름병에 취약한 품종　● 감자마름병에 걸린 감자

▲ **유전적 다양성이 개체군의 생존에 미치는 영향**　단일 품종만을 재배하는 경작지는 개체 사이에 유전적 차이가 거의 없어 유전적 다양성이 매우 낮다. 따라서 전염병이 유행할 때 개체군이 한순간에 사라질 수 있다.

(2) **종 다양성:** 한 생태계 내의 군집에 서식하고 있는 생물종의 다양한 정도이다. 종 다양성은 종 풍부도와 종 균등도를 모두 고려하여 나타낸다.

① 군집을 구성하는 종의 수가 많고 각 종의 분포 비율이 고를수록 종 다양성이 높다.

② 생태계는 종 다양성이 높을수록 안정적으로 유지된다.

시선 집중 ★　종 다양성 비교

다음은 서로 다른 세 군집에 서식하는 식물 종을 나타낸 것이다.

군집 1

군집 2

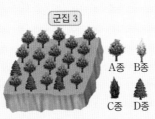
군집 3

A종　B종
C종　D종

구분	종별 개체 수				종 수	전체 개체 수
	A	B	C	D		
군집 1	5	5	5	5	4	20
군집 2	13	3	2	2	4	20
군집 3	17	0	0	3	2	20

❶ 군집 1과 2는 종 수가 같고, 군집 3은 군집 1, 2보다 종 수가 적다. → 군집 1, 2는 군집 3보다 종 풍부도가 높다.

❷ 군집 1에서는 A~D의 비율이 각각 25 % $\left(=\dfrac{5}{20}\times100\right)$로 동일하지만, 군집 2에서는 A의 비율이 65 % $\left(=\dfrac{13}{20}\times100\right)$로 다른 종보다 훨씬 높다. → 군집 1은 군집 2보다 종 균등도가 높다.

❸ 군집 1은 군집 2에 비해 종이 균등하게 분포하고, 군집 3에 비해 다양한 종이 분포하므로 종 다양성은 군집 1~3 중 군집 1이 가장 높다.

기록된 생물종의 수

2016년을 기준으로 전 세계적으로 약 200만 종이 기록되었으며, 아직 알려지지 않은 생물종이 많을 것으로 추측된다.

곤충　1000000
동물(곤충 제외)　424000
식물　310000
균류　100000
원생생물　53000
세균　10300

종 풍부도와 종 균등도

• 종 풍부도: 군집을 구성하는 생물종의 수가 많은 정도

• 종 균등도: 군집을 구성하는 각 생물종의 개체 수가 균일한 정도

우리나라 숲과 열대 우림의 종 다양성

우리나라 중부 지방의 숲은 대부분 몇 종류의 나무로 이루어져 있는 데 비해, 아마존의 열대 우림은 생물종의 수가 매우 많고, 각 종에 속하는 개체 수는 적어 종 다양성이 매우 높다.

우리나라의 전나무 숲

아마존의 열대 우림

(3) **생태계 다양성**: 일정한 지역에 존재하는 생태계의 다양한 정도이며, 생태계 종류의 다양성과 생태계 구성 요소 사이에서 일어나는 상호 작용의 다양성까지 포함한다.

① **지구 생태계의 다양성**: 지구 곳곳에는 물, 기온, 강수량, 토양 등 환경의 차이로 삼림, 초원, 사막, 습지, 호수, 강, 갯벌, 바다 등 다양한 생태계가 형성되어 있다.

| 삼림 | 초원 | 사막 | 습지 | 갯벌 | 농경지 |

▲ **지구의 다양한 생태계**

② **생태계 다양성의 중요성**: 생태계의 종류와 특성에 따라 그곳에 서식하는 생물종이 다르고, 각각의 생태계에는 다른 생태계에서 볼 수 없는 고유한 생물종이 서식하기 때문에 생태계가 다양할수록 종 다양성이 높다.

2 **생물 다양성의 중요성** (집중 분석) 2권 180쪽

생물 다양성은 생태계 평형을 유지하는 데 필수적인 요소이다. 또, 생물 다양성은 인간에게 생존에 필요한 자원을 공급하고 환경을 조절하는 등 경제적·사회적·심미적 측면에서 다양한 가치를 제공한다.

1. 생태계 평형 유지

생물 다양성은 생태계의 먹이 그물을 복잡하게 만들어 생태계 평형이 쉽게 깨지지 않게 한다. 종 다양성이 높아 먹이 그물이 복잡한 생태계에서는 어떤 한 생물종이 사라져도 다른 생물종이 이를 대체할 수 있어 생태계 평형이 잘 깨지지 않는다. 그러나 종 다양성이 낮아 먹이 그물이 단순한 생태계에서는 어떤 한 생물종이 사라지면 생태계 평형이 쉽게 깨지고, 다시 평형을 회복하기도 어렵다.

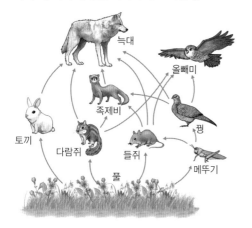

▲ **종 다양성이 높은 생태계** 들쥐가 사라져도 늑대는 토끼, 다람쥐, 족제비, 꿩 등 다른 먹이를 먹을 수 있으므로 생태계 평형이 유지된다.

▲ **종 다양성이 낮은 생태계** 들쥐가 사라지면 족제비가 사라지고 늑대도 사라질 가능성이 높아 생태계 평형이 쉽게 깨진다.

지구의 환경
지구는 적도 부근에서 극지방으로 갈수록 기온이 낮아지며, 계절과 지역에 따라 바람의 방향이나 강수량에도 차이가 있다.

서로 다른 생태계의 인접 지역
습지, 갯벌처럼 서로 다른 생태계가 접해 있는 지역에서는 인접한 두 생태계의 자원을 이용하여 살아가는 생물종이 출현하기 때문에 종 다양성이 상대적으로 높다.

유전적 다양성, 종 다양성, 생태계 다양성의 관계
개체군의 유전적 다양성은 군집의 종 다양성을 유지하는 데 중요하고, 군집의 종 다양성은 전체 생태계의 안정성과 다양성을 유지한다. 예를 들어 한 생태계에서 어떤 생물종의 유전적 다양성이 감소하면 그 생물종의 멸종 가능성이 높아져 종 다양성 감소로 이어지고, 종 다양성 감소는 생태계 평형을 깨뜨린다. 이처럼 유전적 다양성, 종 다양성, 생태계 다양성은 유기적으로 연결되어 서로 영향을 주고받는다.

2. 생물 자원으로서의 가치

인간은 살아가는 데 필요한 다양한 자원을 대부분 생물로부터 얻고 있으므로, 지구에 서식하는 다양한 생물은 모두 소중한 자원이다.

(1) **의식주 자원:** 벼, 옥수수, 밀 등의 식물은 식량을 공급하며, 동물의 털, 목화, 누에고치 등은 의복 재료로 사용된다. 또, 나무는 집, 가구, 배 등을 만드는 목재로 사용된다.

(2) **의약품 원료:** 현재 사용하는 의약품 원료의 대부분은 생물로부터 얻은 것이다. 버드나무 껍질에서 얻은 살리실산은 아스피린의 주성분이고, 주목에서 추출한 물질은 항암제의 원료로 이용된다. 푸른곰팡이로부터 항생제인 페니실린을 얻을 수 있고, 바다달팽이의 일종인 청자고둥의 독소를 이용하여 강력한 진통제를 생산한다. 또, 향신료로 사용되던 팔각회향에서 추출한 물질은 신종 인플루엔자 치료제의 원료로 이용된다.

생물 자원

인간을 위하여 실질적 또는 잠재적으로 사용되거나 가치가 있는 유전자원, 생물체 또는 그 부분을 의미한다.

버드나무　　　　　주목　　　　　청자고둥　　　　　팔각회향

▲ **의약품 원료로 이용되는 생물 자원**

(3) **유전자원:** 생명 공학 기술의 발달로 다양한 생물로부터 의약품이나 식량 자원 개발에 필요한 유전자를 얻는다. 예를 들어 야생의 벼에서 바이러스 저항성 유전자를 발견하고, 이를 이용해 바이러스 저항성을 지닌 벼 품종을 개발하여 벼의 생산성을 높인다.

(4) **관광 자원:** 숲, 호수, 강과 같은 생태계의 아름다운 자연 경관은 휴식 공간, 문화 공간, 교육 활동의 장소를 제공한다.

▲ **관광 자원으로 이용되는 생물 자원(제주도의 올레길)**

3. 환경 조절자로서의 가치

생태계를 구성하는 생물종은 각각 생태계에서 물질 순환의 매개체가 되어 대기, 수질, 토양의 보전에 기여한다. 나무가 울창한 숲 생태계는 이산화 탄소를 흡수하여 온실 효과를 감소시키고, 토양 속의 수많은 미생물은 다양한 오염원을 흡수하고 정화한다. 습지와 해안 생태계는 육지로부터 흘러오는 오염 물질을 정화하고 태풍, 홍수의 피해를 줄이는 역할을 한다.

기후 안정　　　　　　　　휴식처 제공

침식 방지

수분 매개　영양분 순환　이산화 탄소 흡수　　수해 방지　　목재　수자원　　식량

▲ **생물 다양성의 가치**

집중분석

생물 다양성과 생태계 평형

생물 다양성은 생태계의 기능과 안정성 유지에 매우 중요한 역할을 한다. 종 다양성이 높아 먹이 사슬이 복잡한 생태계는 종 다양성이 낮은 생태계보다 생태계 평형을 잘 유지할 수 있다. 생물종이 많은 생태계와 적은 생태계의 먹이 그물을 제시하고, 두 생태계의 종 다양성과 생태계 평형 유지를 묻는 형태로 출제되는 경향이 있다.

생물종이 많은 생태계	생물종이 적은 생태계
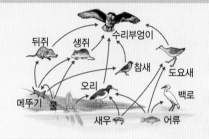	

• 종 다양성이 높고, 먹이 그물이 복잡하다.
• 어떤 한 종이 사라지더라도 다른 종이 그 역할을 대체할 수 있기 때문에 생태계 평형이 쉽게 깨지지 않는다. → 뒤쥐가 사라지더라도 수리부엉이는 생쥐, 오리, 참새, 도요새를 먹고 살 수 있다. 메뚜기의 수가 일시적으로 늘어나겠지만, 시간이 흐르면 먹이 사슬에 따라 새로운 생태계 평형을 이루게 될 것이다.

• 종 다양성이 낮고, 먹이 그물이 단순하다.
• 어떤 한 종이 사라지면 그 종의 역할을 대체할 수 있는 종이 없기 때문에 생태계 평형이 깨지기 쉽다. → 뒤쥐가 사라지면 수리부엉이는 먹이가 없어 사라지게 될 것이고, 메뚜기는 천적이 없어 그 수가 급증하면서 생태계 평형이 깨질 것이다.

예제

그림은 서로 다른 생태계 (가)와 (나)의 먹이 그물을 나타낸 것이다. (가)와 (나)의 종 다양성을 비교하시오. (단, 두 생태계의 면적은 같고, 제시된 종만 고려하며 잎, 풀, 열매는 각각 한 종으로 가정한다.)

정답 종 다양성은 (가)에서가 (나)에서보다 높다.

해설 (가)는 생물종 수가 11종이고, (나)는 생물종 수가 8종이다. 따라서 종 다양성은 (가)에서가 (나)에서보다 높다.

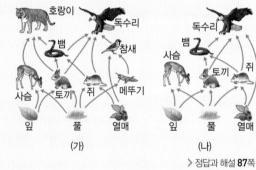

> 정답과 해설 87쪽

유제

그림은 동일한 면적의 두 생태계 (가)와 (나)의 먹이 그물을 나타낸 것이다. 이에 대한 설명으로 옳은 것만을 〈보기〉에서 있는 대로 고르시오. (단, 제시된 종만 고려하며, 풀과 나무는 각각 한 종씩만 서식한다.)

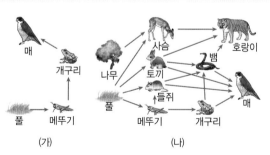

보기
ㄱ. (나)가 (가)보다 생태계 평형이 잘 유지된다.
ㄴ. $\dfrac{\text{생산자의 종 수}}{\text{3차 소비자의 종 수}}$ 는 (가)와 (나)에서 같다.
ㄷ. 개구리가 사라지면 함께 사라질 가능성이 높은 종 수는 (나)에서가 (가)에서보다 많다.

차이를 만드는 심화

종 다양성의 평가

생물 다양성은 개체군 내에서 나타나는 유전적 다양성, 생태계를 구성하는 종 다양성, 일정한 지역에서 나타나는 생태계 다양성을 모두 포함하는 개념으로, 유전적 다양성, 종 다양성, 생태계 다양성은 유기적으로 연결되어 서로 영향을 주고받는다. 생물 다양성은 생태계의 건강한 정도를 판단하는 지표가 되는데, 이 중 종 다양성과 생태계 안정성의 관계에 대해 알아보자.

❶ 종 다양성

종이란 자연 상태에서 짝짓기를 하여 생식 능력이 있는 자손을 낳을 수 있는 생물 무리를 의미한다. 종 다양성은 한 생태계 내의 군집에 서식하고 있는 생물종의 다양한 정도를 의미하며, 종 풍부도와 종 균등도를 모두 고려하여 나타낸다. 종 풍부도는 군집에 서식하는 생물종의 수이고, 종 균등도는 군집을 구성하는 각 생물종의 개체 수가 균일한 정도(종 풍부도에서 조사한 각 생물종의 개체 수가 균일한 정도)이다. 어느 군집의 종 다양성이 높다는 것은 그 군집을 구성하는 생물종 수가 많을 뿐만 아니라, 각 생물종의 분포 비율이 고르다는 것을 뜻한다. 즉, 종 다양성이 높다는 것은 종 풍부도와 종 균등도가 높다는 뜻이다.

❷ 종 다양성과 생태계 안정성

그림은 어떤 초지 생태계를 관찰하여 식물의 종 풍부도에 따른 식물의 피도, 질병 발병도, 외부에서 유입된 생물종 수의 변화를 나타낸 것이다.

초지
풀이 나 있는 땅으로, 가축을 방목하거나 목초를 재배하는 데 이용한다.

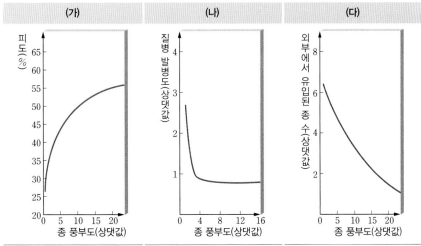

(가)	(나)	(다)
식물의 종 풍부도가 높아질수록 식물의 피도가 증가하다가 일정해진다.	식물의 종 풍부도가 높아질수록 질병 발병도가 감소하다가 일정해진다.	식물의 종 풍부도가 높아질수록 외부에서 유입된 생물종 수가 감소한다.

식물의 종 풍부도가 높으면 식물의 피도가 높고 질병 발병도가 낮아지며 외부에서 유입되는 생물종 수가 적으므로, 생태계가 위협받을 확률이 낮다. 즉, 종 풍부도가 높을수록 생태계가 안정적으로 유지된다.

01 생물 다양성의 중요성

2. 생물 다양성과 보전

① 생물 다양성의 의미

1. (❶   ) 한 개체군 내에 존재하는 유전적 변이의 다양한 정도이다.
- 유전적 다양성이 높은 개체군은 환경이 급변하거나 전염병이 발생할 때 생존할 가능성이 높다.

2. (❷   ) 한 생태계 내의 군집에 서식하고 있는 생물종의 다양한 정도이다.
- 군집을 구성하는 종의 수가 많고 각 종의 분포 비율이 고를수록 종 다양성이 높다.
- 종 다양성이 높을수록 생태계가 안정적으로 유지될 수 있다.

3. (❸   ) 일정한 지역에 존재하는 생태계의 다양한 정도이다.
- 지구 곳곳에는 삼림, 초원, 사막, 습지, 호수, 강, 바다 등 다양한 생태계가 형성되어 있다.
- 생태계가 다양할수록 종 다양성이 높다.

유전적 다양성	종 다양성	생태계 다양성
들쥐 개체군의 유전적 다양성	삼림 생태계의 종 다양성	넓은 지역에 분포하는 생태계 다양성

② 생물 다양성의 중요성

1. **생태계 평형 유지** 종 다양성이 높아 먹이 그물이 복잡한 생태계는 생태계 평형이 쉽게 깨지지 않는다.

종 다양성이 (❹) 생태계	종 다양성이 (❺) 생태계

먹이 그물이 복잡하여 어떤 한 종이 사라지더라도 다른 종이 그 역할을 대체할 수 있기 때문에 생태계 평형이 쉽게 깨지지 않는다.	먹이 그물이 단순하여 어떤 한 종이 사라지면 그 역할을 대체할 수 있는 다른 종이 없기 때문에 생태계 평형이 쉽게 깨진다.

2. (❻   )으로서의 가치 인간은 살아가는 데 필요한 자원을 대부분 생물로부터 얻고 있다.
- 다양한 생물은 인간에게 의식주에 필요한 자원, 의약품 원료, 유전자원을 제공한다.
- 생태계의 아름다운 자연 경관은 휴식 공간, 문화 공간, 교육 활동 장소 등의 관광 자원을 제공한다.

3. **환경 조절자로서의 가치** 생태계를 구성하는 생물종은 각각 생태계에서 물질 순환의 매개체가 되어 대기, 수질, 토양의 보전에 기여한다.

01 표는 생물 다양성의 세 가지 의미 (가)~(다)의 특징을 정리한 것이다.

의미	특징
(가)	한 생태계 내의 군집에 다양한 생물종이 존재한다.
(나)	같은 종이라도 개체마다 몸의 형태, 크기, 색깔 등이 다르다.
(다)	지구에는 삼림, 초원, 사막, 바다 등 다양한 생태계가 존재한다.

(1) (가)~(다)에 해당하는 생물 다양성의 의미를 각각 쓰시오.

(2) 이에 대한 설명으로 옳은 것만을 〈보기〉에서 있는 대로 고르시오.

> 보기
> ㄱ. (가)가 높을수록 환경이 급변할 때 멸종 가능성이 높다.
> ㄴ. (나)는 개체군을 구성하는 개체들이 가진 유전자의 차이 때문에 나타난다.
> ㄷ. (다)는 생물 서식지의 다양한 정도를 포함한다.

02 그림은 면적이 같은 두 지역 (가)와 (나)에 서식하는 식물 종의 분포를 나타낸 것이다.

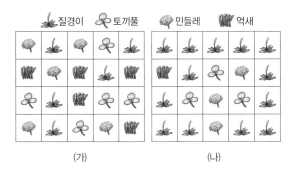

(가)와 (나) 중 식물의 종 다양성이 더 높은 지역을 쓰시오. (단, 제시된 식물 종만 고려한다.)

03 그림은 한 개체군을 이루는 곤충들의 모습을 나타낸 것이다.

이 곤충들의 겉 날개 무늬와 색깔의 차이는 생물 다양성의 세 가지 의미 중 어느 것의 예에 해당하는지 쓰시오.

04 그림은 서로 다른 생태계 (가)와 (나)의 먹이 그물을 나타낸 것이다.

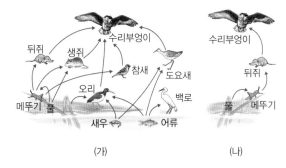

(1) (가)와 (나) 중 종 다양성이 더 높은 생태계를 쓰시오.

(2) (가)와 (나) 중 뒤쥐가 사라질 경우 수리부엉이가 사라질 가능성이 더 높은 생태계를 쓰시오.

05 다음 각 설명에 해당하는 생물 자원을 〈보기〉에서 있는 대로 고르시오.

> 보기
> ㄱ. 목화　　　　　ㄴ. 푸른곰팡이
> ㄷ. 버드나무 껍질　　ㄹ. 제주도의 올레길

(1) 관광 자원으로 이용된다.

(2) 의약품 원료로 이용된다.

(3) 의식주 자원으로 이용된다.

01 ▶생물 다양성의 의미

그림은 생물 다양성의 세 가지 의미 ㉠~㉢을, 표는 ㉠~㉢의 특징을 나타낸 것이다.

구분	특징
㉠	삼림, 초원, 강, 갯벌 등 생태계가 다양하게 존재한다.
㉡	같은 종이라도 개체 간에 형질이 다르게 나타난다.
㉢	한 생태계 내 군집에 존재하는 생물종의 다양한 정도이다.

이에 대한 설명으로 옳은 것만을 〈보기〉에서 있는 대로 고른 것은?

> **보기**
> ㄱ. ㉠은 생물적 요인과 비생물적 요인의 다양함을 모두 포함한다.
> ㄴ. 한 개체군을 이루는 달팽이들의 껍데기 무늬와 색깔이 다양한 것은 ㉡의 예에 해당한다.
> ㄷ. ㉢은 지구의 모든 지역에서 동일하게 나타난다.

① ㄱ   ② ㄷ   ③ ㄱ, ㄴ   ④ ㄴ, ㄷ   ⑤ ㄱ, ㄴ, ㄷ

• 생물 다양성에는 유전적 다양성, 종 다양성, 생태계 다양성이 모두 포함된다.

02 ▶종 다양성

그림은 면적이 같은 서로 다른 지역 (가)와 (나)에 서식하는 식물 종 A~D의 분포를 나타낸 것이다. 한 개체가 차지하는 면적은 A~D 모두 동일하다.

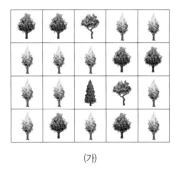

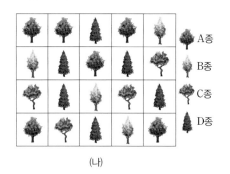

A종
B종
C종
D종

(가)   (나)

이에 대한 설명으로 옳은 것만을 〈보기〉에서 있는 대로 고른 것은? (단, A~D 이외의 종은 고려하지 않는다.)

> **보기**
> ㄱ. (가)에서 우점종은 C이다.
> ㄴ. A의 개체군 밀도는 (가)와 (나)에서 같다.
> ㄷ. 종 다양성은 (나)에서가 (가)에서보다 높다.

① ㄴ   ② ㄷ   ③ ㄱ, ㄴ   ④ ㄴ, ㄷ   ⑤ ㄱ, ㄴ, ㄷ

• 종 다양성은 종의 수가 많고, 각 종의 분포 비율이 고를수록 높다.

03 〉 생물 다양성의 의미 구분

그림은 생물 다양성의 세 가지 의미를 구분하는 과정을 나타낸 것이다.

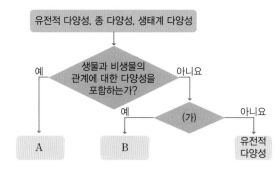

이에 대한 설명으로 옳은 것만을 〈보기〉에서 있는 대로 고른 것은?

보기
ㄱ. 심해저에 해령, 해산, 해구가 있고, 이곳에 각각의 환경에 적응한 생물이 살고 있는 것
   은 A의 예에 해당한다.
ㄴ. B는 동물 종에서만 나타난다.
ㄷ. '한 개체군 내의 생물 다양성인가?'는 (가)에 해당한다.

① ㄱ   ② ㄴ   ③ ㄷ   ④ ㄱ, ㄴ   ⑤ ㄱ, ㄷ

• 유전적 다양성은 개체군 내의 다양성이고, 종 다양성은 개체군의 다양성이며, 생태계 다양성은 서식지에 따른 다양성이다.

04 〉 생물 다양성과 생태계 평형

그림은 안정된 생태계 (가)와 (나)의 먹이 그물을 나타낸 것이다. 두 생태계는 면적이 같고, 제시된 종만 서식하며 풀과 나무는 각각 한 종으로 가정한다.

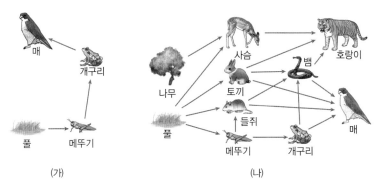

(가)   (나)

이에 대한 설명으로 옳은 것만을 〈보기〉에서 있는 대로 고른 것은?

보기
ㄱ. (가)에서 생물량은 매 개체군이 메뚜기 개체군보다 많다.
ㄴ. 종 다양성은 (나)에서가 (가)에서보다 높다.
ㄷ. 개구리가 사라질 경우 매가 멸종할 가능성은 (나)에서가 (가)에서보다 높다.

① ㄱ   ② ㄴ   ③ ㄷ   ④ ㄱ, ㄴ   ⑤ ㄴ, ㄷ

• 생물종이 다양할수록 먹이 그물이 복잡하므로 생태계 평형이 쉽게 깨지지 않는다.

02 생물 다양성 보전

학습 Point   생물 다양성의 감소 원인 ⟩ 생물 다양성의 보전 대책

 생물 다양성의 감소 원인

　　멸종은 자연에서 일반적으로 일어나는 일이지만, 최근에는 인간의 활동으로 짧은 시간 동안 많은 생물이 멸종했거나 멸종 위기에 처해 있다. 생물 다양성을 감소시키는 인간의 활동에는 서식지 파괴와 단편화, 불법 포획과 남획, 외래 생물(외래종) 도입, 환경 오염과 기후 변화 등이 있다.

> **멸종**
> 생태계에서 특정 종이 사라지는 것

1. 서식지 파괴와 단편화 　　　　　　　　　　　집중 분석 2권 190쪽

인간의 개발 활동으로 일어나는 서식지 파괴와 단편화는 생물 다양성을 감소시키는 가장 큰 원인이다.

⑴ **서식지 파괴**: 서식지는 생물이 먹이를 얻고 생식 활동을 하는 공간이다. 농지 확장, 도시 개발 등으로 서식지가 파괴되어 종 다양성이 급격히 감소하고 있다. 특히 열대 우림에서는 과도한 개발로 서식지가 파괴되어 종 다양성이 빠르게 감소하고 있다.

⑵ **서식지 단편화**: 도로 건설, 택지 개발 등으로 대규모의 서식지가 소규모로 나누어지는 서식지 단편화도 종 다양성을 감소시킨다. 특히 서식지 단편화로 도로를 가로질러 서식지 사이를 이동하던 야생 동물이 차에 치여 죽는 로드킬이 자주 발생한다.

시선 집중 ★ 서식지 단편화에 따른 종 다양성 감소

가운데에서 사는 종

가장자리에서 사는 종

분할 →

● 서식지 가운데　　● 서식지 가장자리　　　　서식지 가운데에서 사는 종 감소

❶ 서식지가 단편화되면 실제로 감소되는 면적이 작더라도 서식지의 가장자리 면적이 늘어나고 가운데 면적이 줄어든다. 이에 따라 서식지 가운데에 사는 생물종의 일부는 멸종하고, 가장자리에 사는 생물종의 일부는 개체 수가 늘어나 종 풍부도와 종 균등도가 감소하여 종 다양성이 감소한다. → 서식지가 단편화되면 가장자리보다 가운데에 사는 생물종이 더 큰 영향을 받는다.

❷ 서식지 단편화는 생물종의 이동을 제한하여 고립시키기 때문에 시간이 지남에 따라 그 지역에 서식하는 개체군의 크기가 감소하며, 이는 멸종으로 이어질 수 있다.

> **해양 생태계의 단편화와 어린 가리비 피식률**
> 바다의 매립, 간척 사업, 항만이나 방파제 건설 등에 의한 해양 생태계의 서식지 단편화도 종 다양성을 감소시킨다. 서식지 단편화 정도가 심할수록 포식자에게 잡아먹히는 어린 가리비의 비율(피식률)이 높고, 이는 가리비의 멸종으로 이어질 수 있다.
>
>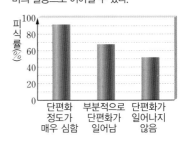

2. 불법 포획과 남획

야생 동물을 밀렵하거나 희귀 식물을 채취하는 불법 포획과, 생물을 원래의 개체군 크기를 회복하지 못할 정도로 과도하게 잡는 남획은 생물 다양성을 감소시키는 요인이 된다. 서식지가 제한되어 있거나 번식률이 낮은 종은 남획으로 멸종되었거나 멸종 위기에 처해 있다. 우리나라 지리산에 서식하던 반달가슴곰은 무분별한 밀렵으로 멸종 위기에 처해 있어 복원 사업이 진행 중이며, 하늘다람쥐와 광릉요강꽃도 남획으로 멸종 위기종으로 지정되어 보호받고 있다. 또, 바다사자, 아프리카코끼리 등도 남획으로 개체 수가 급격히 감소하였다.

▲ 멸종 위기에 처한 반달가슴곰

▲ 불법 유통되는 코끼리 상아

▲ 정어리의 남획

3. 외래 생물(외래종) 도입

애완동물, 관상용 어류, 식용 생물, 조경수 등의 수입이 늘면서 최근 외래 생물이 급격히 증가하고 있다. 외래 생물은 서식지에 살고 있는 고유종과 함께 진화해 오지 않았기 때문에 포식자나 기생충이 없는 경우가 많아 쉽게 번성하여 고유종의 서식지를 침범하거나 먹이 그물을 훼손한다. 그 결과 생물 다양성이 감소하고 생태계 평형이 위협받는다. 우리나라에 서식하는 외래 생물은 약 600종으로, 꽃매미, 붉은귀거북, 뉴트리아, 가시박 등을 포함하여 다양한 외래 생물이 생태계 위해 생물로 지정되어 관리되고 있다.

꽃매미

붉은귀거북

뉴트리아

▲ **생태계 위해 생물로 지정된 외래 생물** 화물을 통해 중국에서 도입된 꽃매미는 나무의 수액을 빨아먹어 과수원에 피해를 주고, 미국에서 도입된 붉은귀거북은 토종 물고기를 마구 잡아먹어 현재 수입이 금지되어 있다.

4. 환경 오염과 기후 변화

인간의 활동에 따른 환경 오염과 지구 온난화로 인한 기후 변화도 생물 다양성을 위협한다.

(1) 환경 오염: 대기오염으로 내리는 산성비는 하천, 호수, 토양 등의 산성도를 높여 식물을 비롯한 다양한 생물의 생존을 위협한다. 또, 담수 생태계나 해양 생태계에 유입된 중금속과 유해 화학 물질은 수중 생물의 생존을 위협하고, 생물 농축을 일으켜 상위 영양 단계의 생물에게도 심각한 해를 끼친다.

▲ **산성비로 황폐해진 숲** 산성비로 인한 토양의 산성화는 식물의 생장을 방해하여 숲을 황폐화시킨다.

남획과 외래 생물에 의한 멸종
과거 인도양의 모리셔스섬에는 날지 못하고 땅 위에 둥지를 만들어 번식하는 도도새가 서식하였다. 도도새는 이 섬에 사람과 함께 돼지, 원숭이, 생쥐 등이 유입되고 얼마 후 멸종되었다.

▲ 도도새(복원도)

외래 생물(외래종)
본래 살고 있던 지역을 벗어나 다른 지역으로 옮겨 서식하게 된 종

고유종
특정 지역에 한정적으로 분포하고 있는 종

귀화 식물과 생물 다양성 증가
모든 외래 생물이 생태계를 위협하는 것은 아니다. 원래의 자생지를 벗어나 다른 지역에서 번성하는 외래 식물을 귀화 식물이라고 하는데, 개망초, 아까시나무, 토끼풀, 서양민들레 같은 귀화 식물은 서식지에 성공적으로 정착하여 고유종과 공존하면서 서식지의 생물 다양성을 증가시켰다.

생물 농축
중금속이나 유해 화학 물질은 생물의 체내에서 분해되거나 배출되지 않고 먹이 사슬을 따라 상위 영양 단계로 이동하면서 점차 농축되는데, 이러한 현상을 생물 농축이라고 한다.

(2) **기후 변화:** 대기 중 이산화 탄소 농도의 증가로 인한 지구 온난화는 기후 변화를 일으켜 서식지 환경을 변화시키거나 번식 시기를 교란하여 생물 다양성을 감소시킨다.

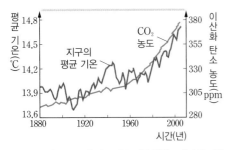

▲ **이산화 탄소 농도와 지구 평균 기온 변화** 대기 중 이산화 탄소 농도가 증가함에 따라 지구 온난화가 심화되어 지구 평균 기온이 상승하고 있다.

▲ **빙하가 녹고 있는 북극** 지구 온난화로 북극의 빙하가 녹아 북극곰의 서식지가 감소하고, 이는 북극곰의 개체 수 감소로 이어지고 있다.

 생물 다양성의 보전 대책

멸종을 막고 생물 다양성을 보전하기 위해서는 생물 다양성을 감소시키는 원인을 제거하거나 그 영향을 최소화해야 한다.

1. 서식지 보호

(1) **생태 통로 설치:** 서식지 단편화의 가장 큰 원인은 도로 건설이다. 도로를 건설할 때 고가 도로나 터널을 만들거나 도로 위에 생태 통로를 설치하면, 단편화된 서식지가 연결되고 동물이 안전하게 이동할 수 있어 서식지 단편화로 인한 피해를 줄일 수 있다.

(2) **보호 구역 지정:** 야생 생물을 보호하기 위해서는 군집 수준 이상의 보전이 필요하며, 군집 보전에서 가장 중요한 조치는 보호 구역을 지정·관리하는 것이다. 생물 다양성이 풍부하여 보전 가치가 있는 생태계를 국립 공원 등의 보호 구역으로 지정·관리하며, 사람의 출입을 일시적으로 금지하는 안식년을 실시한다.

▲생태 통로

▲국립 공원(지리산)

2. 생물종 보전 사업

(1) **멸종 위기종 지정 및 복원 사업:** 개체군의 크기가 매우 작아 멸종 위험이 있는 종을 멸종 위기종으로 지정하여 보호한다. 또, 멸종 위기종의 개체군 크기를 증가시키기 위해 멸종 위기종을 수집하고 사육하여 원래 살고 있던 자생지로 방사하는 복원 사업을 시행한다. 우리나라에서는 국립 공원 관리 공단과 전국의 수목원을 중심으로 반달가슴곰, 산양, 여우, 황새 등의 복원 사업이 진행되고 있다.

(2) **종자 은행:** 식물의 종자를 수집하고 저장하는 종자 은행을 설립하여 자생종의 멸종에 대비한다. 종자 은행은 종자를 휴면 상태로 장기 저장하므로 식물의 종 보전에 유용하다.

3. 외래 생물로 인한 피해 방지

외래 생물을 도입하기에 앞서 외래 생물이 생태계에 미칠 영향을 철저히 검증하며, 외래 생물이 확산되지 않도록 자연 생태계에서 외래 생물을 제거하는 노력이 사회적, 국가적 차원에서 이루어지고 있다. 특히 허가받지 않고 외래 생물을 도입하는 경우가 없도록 하며, 외래 생물 출현을 감시하고 발견 초기에 즉각 제거하여 외래 생물의 확산으로 생길 수 있는 피해를 막는다.

4. 법률 제정 및 국제 협약 가입

지역, 국가 수준에서 종의 보호를 위한 법률이 제정·시행되고 있으며, 국제적인 차원의 협력과 지원도 이루어지고 있다.

(1) **법률 제정:** 보전 가치가 있는 종을 천연기념물로 지정하여 보호하고, 「야생 생물 보호 및 관리에 관한 법률」을 제정하여 야생 생물의 멸종을 예방하고 있다. 자연 생태계에 영향을 줄 수 있는 개발 사업은 사전에 환경 영향 평가를 실시하도록 법령으로 정하고 있다.

(2) **국제 협약 가입:** 전 세계 여러 국가가 생물 다양성에 관한 국제 협약에 가입하여 국제적인 차원에서 생물 다양성의 보전을 위해 노력하고 있다.

① 생물 다양성 협약: 생물 다양성의 보전과 지속 가능한 이용, 생물 자원의 이용으로부터 발생하는 이익의 공정한 배분을 목적으로 하는 협약으로, 우리나라는 1994년에 가입하였다.

② 람사르 협약: 물새 서식지로 중요한 습지를 보호하기 위한 협약으로, 우리나라도 가입하여 대암산 용늪, 우포늪, 무안 갯벌 등을 람사르 습지로 지정·관리하고 있다.

③ 멸종 위기에 처한 야생 동식물의 국제 거래에 관한 협약(CITES): 야생 동식물을 남획으로부터 보호하기 위한 협약으로, 보호종을 지정하고 국제 거래를 금지하고 있다. 이 협약으로 고래 사냥이 금지되었고, 아프리카코끼리의 DNA를 분석하여 불법 상아 유통을 막고 있다.

시야확장 ➕ 핵심종 보호

❶ 해달은 해양 생태계에서 군집을 유지하는 데 크게 영향을 미치는 핵심종이다. 북태평양 지역에서 해달이 많은 곳에서는 다시마 숲(켈프)이 발달하지만, 해달의 포식자인 범고래의 출현으로 해달의 개체 수가 급격히 감소한 곳에서는 성게의 개체 수가 크게 증가하여 다시마 숲(켈프)이 파괴된다.

❷ 생태계에서 상위 포식자인 핵심종의 개체 수가 줄어들면 하위 소비자의 개체 수가 크게 증가하여 하위 소비자의 먹이가 되는 생물종의 개체 수가 크게 감소한다. 그 결과 생태계 평형이 파괴되고 생물 다양성이 감소할 수 있다.

❸ 생물 다양성 보전을 위해 해달, 수달, 상어와 같이 생태계 유지에 중요한 핵심종을 파악하여 보호하고 관리하는 노력이 필요하다.

범고래

해달

성게

다시마

▲ 해양 생태계의 먹이 사슬

▲ 해달

▲ 다시마 숲이 사라진 바닷속

종자 은행

식물의 종자를 장기간 저장하여 종을 보전하면서 필요 시 육종 농가에 제공하는 것을 목적으로 하는 기관이다. 종자 은행에서 보관한 종자 중 일부는 국제종자저장고에 맡겨 보관한다. 노르웨이 스발바르 제도에 있는 국제종자저장고는 지구 온난화, 천재지변, 핵전쟁 등의 재앙에 대비하여 종자를 보존해 두는 시설이다. 이곳은 영하의 온도를 유지하는 언 땅에 자리 잡고 있어 전기 공급이 끊기더라도 오랫동안 종자를 냉동 보관할 수 있다.

▲ 스발바르 국제종자저장고

멸종 위기에 처한 야생 동식물의 국제 거래에 관한 협약(CITES; Convention on International Trade in Endangered Species of Wild Fauna and Flora)

멸종 위기에 처한 야생 동식물의 국제 거래를 일정한 절차를 거쳐 제한함으로써 멸종 위기에 처한 야생 동식물을 보호하는 협약이다.

나고야 의정서

생물 자원을 활용하여 생기는 이익을 공유하기 위한 지침을 담은 국제 협약으로, 2010년 일본 나고야에서 개최된 제10차 생물 다양성 협약 당사국 총회에서 채택되었다. 2014년 나고야 의정서 발효로 국가가 자국의 자생 생물에 대해 주권적 권리를 갖고, 다른 나라의 생물 자원을 무단으로 활용할 수 없게 되었다.

집중
분석

서식지 파괴와 단편화

생태계에서 생물 다양성이 감소하는 주요 원인은 인간의 활동과 관련이 있다. 생물 다양성을 감소시키는 가장 큰 원인은 서식지 파괴와 단편화이다. 특히 서식지 단편화는 그림, 실험 결과 분석, 그래프 등과 함께 생물 다양성을 보전하는 방안과 연계하여 출제되는 경우가 많다.

① 서식지 파괴

그림은 서식지 면적이 감소함에 따라 그곳에 서식하던 생물 중 살아남은 종의 비율을 나타낸 것이다.

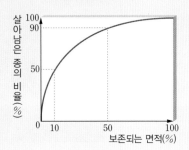

(1) 서식지가 50 % 파괴되면 그곳에 서식하던 생물종의 10 %가 멸종하고, 서식지가 90 % 파괴되면 생물종의 50 %가 멸종한다.

(2) 숲의 벌채나 매립 등으로 서식지 면적이 감소하면 그곳에 서식하는 생물종 수가 감소하여 생물 다양성이 감소한다.

② 서식지 단편화

그림은 철도와 도로 건설로 서식지 단편화가 일어났을 때의 서식지 면적 변화를 나타낸 것이다.

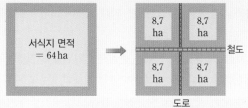

서식지 면적 = 8.7 ha × 4 = 34.8 ha

(1) 서식지 단편화가 일어나면 전체 서식지에서 가장자리의 비율이 늘어나고, 서식지 중심부에서 가장자리까지의 거리가 짧아지기 때문에 깊은 숲속에서 사는 생물의 서식지는 크게 줄어든다.

(2) 대규모의 서식지가 단편화되면 서식지 면적이 줄어들고 그곳에 사는 동물은 이동이 제한되어 고립되기 때문에 개체군의 크기가 작아지고 멸종으로 이어질 수 있다.

> 정답과 해설 **88**쪽

 유제

그림은 어떤 숲에서 벌목 전과 후의 변화를, 표는 A와 B 지역에서 벌목으로 감소한 생물종의 비율을 나타낸 것이다. 벌목 전 A와 B 지역에 서식하는 생물종의 수는 같다.

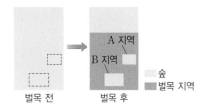

구분	A 지역	B 지역
감소 비율(%)	88	64

이에 대한 설명으로 옳은 것만을 〈보기〉에서 있는 대로 고른 것은?

보기
ㄱ. 벌목으로 서식지 단편화 현상이 일어났다.
ㄴ. 벌목은 숲에 서식하는 생물의 개체군 크기에 영향을 주지 않는다.
ㄷ. 벌목 후 A와 B 지역의 종 다양성이 서로 다른 것은 서식지 면적과 관계가 있다.

① ㄱ 　　② ㄷ 　　③ ㄱ, ㄴ 　　④ ㄱ, ㄷ 　　⑤ ㄱ, ㄴ, ㄷ

02 생물 다양성 보전

2. 생물 다양성과 보전

① 생물 다양성의 감소 원인

1. **서식지 파괴와 단편화** 생물 다양성을 감소시키는 가장 큰 원인이다.
- 농지 확장, 도시 개발 등으로 서식지가 파괴되어 종 다양성이 급격히 감소하고 있다.
- 대규모의 서식지가 소규모로 나누어지는 서식지 (❶   )는 서식지 면적을 줄이고, 생물종의 이동을 제한하여 고립시키기 때문에 그 지역에 서식하는 개체군의 크기가 감소하여 멸종으로 이어질 수 있다.
2. **불법 포획과 남획** 야생 동물의 밀렵과 희귀 식물의 채취 등 불법 포획과, 생물을 과도하게 잡는 (❷   )은 생물 다양성을 감소시킨다.
3. **외래 생물(외래종) 도입** 다른 지역에서 옮겨 와 서식하게 된 (❸   )은 천적이 없는 경우 대량으로 번식하여 고유종의 서식지를 침범하거나 먹이 그물을 훼손하여 생물 다양성을 감소시키고 생태계 평형을 위협한다.
4. **환경 오염과 기후 변화**
- 환경 오염: 대기오염으로 내리는 산성비는 하천, 호수, 토양 등을 산성화시키고, 생태계에 유입된 중금속과 유해 화학 물질은 (❹   )을 일으켜 다양한 생물의 생존을 위협한다.
- 기후 변화: 대기 중 이산화 탄소 농도가 증가하면서 심각해지고 있는 (❺   )는 기후 변화를 일으켜 서식지 환경을 변화시키거나 번식 시기를 교란하여 생물 다양성을 감소시킨다.

② 생물 다양성의 보전 대책

1. **서식지 보호**
- 도로 건설 등으로 단편화된 서식지에 (❻   )를 설치하여 야생 동물의 이동 경로를 확보하고, 야생 동물의 로드킬 사고를 방지한다.
- 야생 생물을 보호하기 위해서는 군집 수준 이상의 보전이 필요하므로 군집 보전을 위해 (❼   )을 지정·관리한다.
2. **생물종 보전 사업**
- 멸종 위험이 있는 종을 (❽   )으로 지정하여 보호한다.
- 멸종 위기종의 개체군 크기를 증가시키기 위해 멸종 위기종을 수집하고 사육하여 원래 살고 있던 자생지로 방사하는 복원 사업을 시행한다.
- 식물의 종자를 수집하여 휴면 상태로 장기간 저장할 수 있는 (❾   )을 설립하여 자생종의 멸종에 대비하고, 식물 종을 보전한다.
3. **외래 생물로 인한 피해 방지** 외래 생물이 생태계에 미칠 영향을 철저히 검증하며, 외래 생물이 확산되지 않도록 자연 생태계에서 외래 생물을 제거하는 노력이 사회적, 국가적 차원에서 이루어지고 있다.
4. **법률 제정 및 국제 협약 가입**
- 법률 제정: 천연기념물 지정·보호, 「야생 생물 보호 및 관리에 관한 법률」 제정으로 야생 생물의 멸종을 예방하고, 개발 사업 전 환경 영향 평가 실시를 법령으로 정하고 있다.
- 국제 협약 가입: 생물 다양성 협약, 람사르 협약, 멸종 위기에 처한 야생 동식물의 국제 거래에 관한 협약 등 생물 다양성 보전을 위한 국제 협약에 가입하여 생물 다양성 보전을 위해 노력하고 있다.

01 그림은 도로 건설로 대규모의 서식지가 소규모로 분할된 모습을 나타낸 것이다.

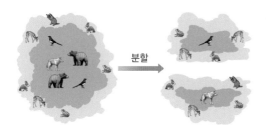

분할

이와 같은 현상을 무엇이라고 하는지 쓰시오.

02 생물 다양성을 감소시키는 원인에 대한 설명으로 옳은 것만을 〈보기〉에서 있는 대로 고르시오.

보기
ㄱ. 인간의 활동으로 인한 서식지 파괴는 생물 다양성을 위협하는 가장 큰 원인이다.
ㄴ. 불법 포획은 종 다양성을 감소시킬 수 있으나 남획은 특정 종의 개체 수 조절에 도움이 된다.
ㄷ. 환경 오염은 생물 다양성을 감소시키고, 지구 온난화로 인한 기후 변화는 생물 다양성을 증가시킨다.

03 그림은 현재 우리나라에 서식하는 세 가지 생물의 모습을 나타낸 것이다.

붉은귀거북　　　꽃매미　　　가시박

이 생물들은 모두 과거에는 우리나라에 서식하지 않았던 생물로, 다른 서식지로부터 유입되었다. 이러한 생물들을 무엇이라고 하는지 쓰시오.

04 그림의 A는 도로를 가로질러 서식지 사이를 이동하던 야생 동물이 차에 치여 죽는 사고를 막기 위해 설치한 것이다. 설치물 A를 무엇이라고 하는지 쓰시오.

05 생물 다양성을 보전하기 위한 대책에 해당하는 것만을 〈보기〉에서 있는 대로 고르시오.

보기
ㄱ. 서식지 단편화
ㄴ. 국립 공원 지정 및 관리
ㄷ. 천연기념물 지정 및 보호
ㄹ. 멸종 위기종 복원 사업 시행

06 다음 설명에 해당하는 기관을 무엇이라고 하는지 쓰시오.

수많은 식물의 종자를 수집하고 휴면 상태로 장기 저장하여 식물의 멸종을 방지하고 유용한 유전자를 보존하는 기관이다.

07 생물 다양성 보전을 위한 국제적 노력에 해당하는 것만을 〈보기〉에서 있는 대로 고르시오.

보기
ㄱ. 나고야 의정서 채택
ㄴ. 람사르 습지 지정 및 관리
ㄷ. 국립 공원의 지정 탐방로 이용

01 〉생물 다양성의 감소 원인

그림은 생물 다양성의 감소 원인에 따라 영향을 받는 생물종의 비율을, 그림 (나)는 보존되는 서식지 면적에 따라 원래 서식하던 생물종의 비율을 나타낸 것이다.

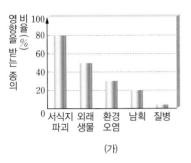
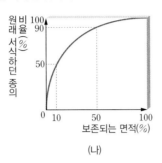

이에 대한 설명으로 옳은 것만을 〈보기〉에서 있는 대로 고른 것은?

보기
ㄱ. (가)에서 서식지 파괴가 남획보다 생물 다양성 감소에 더 큰 영향을 미친다.
ㄴ. (나)에서 서식지 면적이 50 % 감소하면 멸종되는 생물종의 비율은 50 %에 이른다.
ㄷ. 생물 다양성을 보전하려면 서식지를 개체군 단위로 보호하는 것이 군집 단위로 보호하는 것보다 더 효과적이다.

① ㄱ　　② ㄴ　　③ ㄱ, ㄴ　　④ ㄱ, ㄷ　　⑤ ㄴ, ㄷ

· 생태계에서 생물 다양성을 감소시키는 가장 큰 원인은 서식지 파괴와 단편화이다.

02 〉서식지 단편화와 종 다양성의 감소

그림은 서식지가 분할되기 전(가)과 후 (나)의 면적과 서식하는 생물종 A ～ E 의 분포 변화를 나타낸 것이다.
이에 대한 설명으로 옳은 것만을 〈보기〉에서 있는 대로 고른 것은? (단, 제시된 생물종만 고려하며, A ～ E의 위치는 각 생물종의 분포 지역을 나타낸 것이다.)

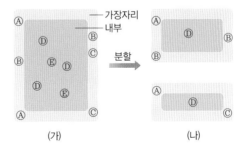

보기
ㄱ. 종 다양성은 (나)에서가 (가)에서보다 높다.
ㄴ. $\dfrac{\text{내부 면적}}{\text{가장자리 면적}}$ 은 (나)에서가 (가)에서보다 크다.
ㄷ. 생존에 필요한 서식지의 크기는 E가 D보다 크다.

① ㄱ　　② ㄴ　　③ ㄷ　　④ ㄱ, ㄷ　　⑤ ㄴ, ㄷ

· 서식지가 단편화되면 전체 서식지에서 가장자리의 비율이 늘어나므로 숲속에서 살아가는 생물의 서식지는 크게 줄어든다.

03 > 서식지 단편화 실험

다음은 이끼 서식지에 따른 소형 동물의 종 수에 대한 실험이다.

[실험 과정]

그림과 같이 면적을 다르게 한 이끼 서식지 (가)~(다)에서 관찰되는 소형 동물의 종 수를 조사하였다.

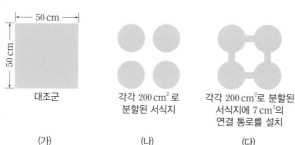

대조군   각각 $200 \, cm^2$로   각각 $200 \, cm^2$로 분할된
                        분할된 서식지   서식지에 $7 \, cm^2$의
                                                연결 통로를 설치

　(가)　　　　　　　　(나)　　　　　　　　(다)

[실험 결과]

각 서식지에서 관찰되는 소형 동물의 종 수는 (가)>(다)>(나)이다.

이에 대한 설명으로 옳은 것만을 〈보기〉에서 있는 대로 고른 것은?

보기
ㄱ. 서식지 단편화가 일어나면 종 다양성이 감소한다.
ㄴ. (가)에 서식하는 소형 동물은 모두 같은 개체군에 속한다.
ㄷ. 단편화된 서식지를 연결하는 생태 통로를 설치하면 종 다양성 보전에 도움이 된다.

① ㄱ　　　　　② ㄴ　　　　　③ ㄱ, ㄷ　　　　　④ ㄴ, ㄷ　　　　　⑤ ㄱ, ㄴ, ㄷ

04 > 생물 다양성 보전을 위한 노력

다음은 생물 다양성 협약에 대한 설명이다.

제10차 ㉠생물 다양성 협약 당사국 총회(2010. 10. 29.)에서 생물 자원 접근 및 이익 공유 원칙을 담은 나고야 의정서가 채택되었다. ㉡나고야 의정서 채택으로 모든 국가가 자국의 자생 생물에 대한 주권적 권리를 갖게 되었다.

이에 대한 설명으로 옳은 것만을 〈보기〉에서 있는 대로 고른 것은?

보기
ㄱ. ㉠에 참가한 국가는 상업적인 이익을 위해 자생 생물을 사용할 수 없게 되었다.
ㄴ. ㉠과 ㉡은 모두 생물 다양성 보전을 위한 국제적 노력의 사례이다.
ㄷ. ㉡으로 특정 기업이 다른 국가의 생물 자원을 이용하여 신약을 개발할 경우 그 국가의 승인을 받아야 한다.

① ㄱ　　　　　② ㄴ　　　　　③ ㄷ　　　　　④ ㄱ, ㄷ　　　　　⑤ ㄴ, ㄷ

● 인위적 또는 자연적 요인에 의해 서식지가 분리되는 서식지 단편화는 종 다양성을 감소시키는 요인이다.

● 2010년 나고야 의정서가 채택되면서 모든 국가가 자국의 자생 생물에 대한 주권적 권리를 갖게 되어 특정 국가가 다른 나라의 생물 자원을 무단으로 활용할 수 없게 되었다.

생물 자원에서 기생충 치료제를 얻다

1000년 넘게 인류를 괴롭혀 온 기생충 감염 질병을 치료하기 위해 많은 과학자들이 노력하고 있다. 그중 오무라 사토시(Omura Satoshi, 1935~)와 윌리엄 캠벨(William C. Campbell, 1930~)은 사상충증이나 림프사상충증 그리고 다른 기생충 감염 질병에 치료 효과가 있는 약물인 '아버멕틴'을 개발하였다. 또, 투유유(Tu Youyou, 1930~)는 현재 가장 효과적인 말라리아 치료제인 '아르테미시닌'을 개발하였다.

일본의 미생물학자 오무라 사토시는 토양에 서식하며 항생 물질을 생성하는 스트렙토마이세스 속의 세균을 실험실에서 배양하는 데 성공하였다. 그리고 여러 개의 배양액에서 항생제로 사용할 수 있는 50가지 물질을 추출하였다. 아일랜드의 생화학자 윌리엄 캠벨은 오무라 사토시가 추출한 물질 중 스트렙토마이세스 아베르미틸리스(Streptomyces avermitilis)라는 세균에서 추출한 성분인 '아버멕틴'이 가축의 기생충을 제거하는 데 매우 효과적이라는 사실을 밝혀냈다. '아버멕틴'은 추가적인 화학 가공을 거쳐 '이버멕틴'이는 약물로 개발되었다. 이후 기생충에 감염된 환자에게 임상 실험한 결과 이버멕틴은 기생충의 유충인 마이크로필라리아를 효과적으로 제거한다는 것이 밝혀졌다.

▲ 아버멕틴과 이버멕틴의 분자 구조

1960년대까지 말라리아 치료제로 클로로퀸 또는 퀴닌이 쓰였으나 그 효과가 미미했으며, 말라리아 퇴치를 위한 노력은 계속 실패하여 말라리아 발병률이 계속 증가하는 상태였다. 이 시기에 중국의 전통 의학자인 투유유는 새로운 말라리아 치료법을 개발하기 위해 말라리아에 감염된 동물을 대상으로 대규모 약초 실험을 하였고, 그 결과 국화과 식물인 개똥쑥(Artemisia annua)이 말라리아 치료에 효과가 있다는 것을 알게 되었다. 이후 투유유는 고대 의학 서적을 읽으면서 개똥쑥에서 말라리아 치료제 성분을 추출할 수 있는 단서를 찾아 개똥쑥으로부터 '아르테미시닌'을 추출하는 데 성공하였다. 아르테미시닌은 말라리아 원충에 감염된 사람과 동물 모두에게 효과적인 치료제이다.

개똥쑥

아르테미시닌

▲ 개똥쑥에서 추출한 아르테미시닌 분자 구조

현재 이버멕틴과 아르테미시닌은 기생충 감염성 질병으로 고통받는 전 세계 환자들의 치료제로 쓰이고 있다. 또, 말라리아 치료제로 이버멕틴과 아르테미시닌을 함께 사용한 결과 말라리아 환자의 사망률이 20 % 정도 감소하였다.

세균과 개똥쑥으로부터 치명적인 기생충 감염 질병과 말라리아의 치료제를 얻은 사례를 통해서도 알 수 있듯이 지구에 존재하는 다양한 생물종은 인류의 건강과 복지를 위해 필요한 잠재적인 생물 자원이다. 따라서 생물 다양성을 보전하는 노력이 지속적으로 이루어져야 한다.

01 ▶ 생물 다양성의 의미

그림 (가)~(다)는 유전적 다양성, 종 다양성, 생태계 다양성을 순서 없이 나타낸 것이다.

(가)

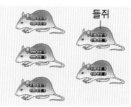
들쥐
(나)

(다)

이에 대한 설명으로 옳은 것만을 〈보기〉에서 있는 대로 고른 것은?

> **보기**
> ㄱ. (가)는 생태계 다양성이다.
> ㄴ. 돌연변이는 (나)를 증가시키는 요인 중 하나이다.
> ㄷ. 사람마다 지문선 수가 다른 것은 (다)의 예에 해당한다.

① ㄱ　　　② ㄷ　　　③ ㄱ, ㄴ　　　④ ㄱ, ㄷ　　　⑤ ㄴ, ㄷ

유전적 다양성은 같은 종이라도 다양한 형질을 나타내는 것을 의미하며, 종 다양성은 한 지역 내 생물종의 다양한 정도를 의미한다. 생태계 다양성은 삼림, 초원, 사막 등 일정한 지역에서 나타나는 생태계의 다양함을 의미한다.

02 ▶ 종 다양성과 유전적 다양성

표 (가)는 서로 다른 지역 ㉠~㉢에 서식하는 식물 종 **A~E**의 개체 수를, 그림 (나)는 지역 ㉠에 서식하는 어떤 개체군의 개체들을 나타낸 것이다. ㉠의 면적은 ㉢과 같고, ㉡의 면적은 ㉠의 2배이다.

지역＼식물 종	A	B	C	D	E
㉠	9	12	9	0	10
㉡	13	12	18	0	17
㉢	2	12	0	9	17

(가)

(나)

이에 대한 설명으로 옳은 것만을 〈보기〉에서 있는 대로 고른 것은? (단, 제시된 종만 고려한다.)

> **보기**
> ㄱ. 식물의 종 다양성은 ㉠에서가 ㉢에서보다 낮다.
> ㄴ. B의 개체군 밀도는 ㉠과 ㉡에서 같다.
> ㄷ. (나)에서 각 개체는 유전자 구성이 서로 다르다.

① ㄴ　　　② ㄷ　　　③ ㄱ, ㄴ　　　④ ㄱ, ㄷ　　　⑤ ㄱ, ㄴ, ㄷ

종 다양성은 생물종의 수와 분포 비율을 모두 고려해야 하며, 개체 군 내에서 나타나는 개체 간의 형질 차이는 개체가 가진 유전자의 차이로 나타난다.

03 ❯ 종 다양성과 유전적 다양성

그림 (가)는 ㉠과 ㉡ 지역에 살고 있는 생물종 A~D의 개체 수 비율(%)을, 그림 (나)는 동물 종 X의 개체군 크기에 따른 유전자 변이 수를 나타낸 것이다.

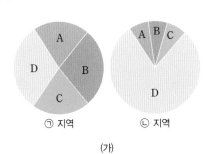

㉠ 지역   ㉡ 지역

(가)

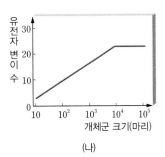

(나)

이에 대한 설명으로 옳은 것만을 〈보기〉에서 있는 대로 고른 것은? (단, 제시된 종만 고려한다.)

보기
ㄱ. 종 다양성은 ㉠에서가 ㉡에서보다 높다.
ㄴ. (나)에서 개체군 크기가 커질수록 유전적 다양성은 계속 증가한다.
ㄷ. (나)에서 개체군 크기가 10000마리일 때가 100마리일 때보다 환경 변화에 대한 적응력이 높다.

① ㄱ   ② ㄴ   ③ ㄱ, ㄷ   ④ ㄴ, ㄷ   ⑤ ㄱ, ㄴ, ㄷ

• 개체군의 크기가 커서 개체 수가 많으면 많은 수의 유전자 변이가 나타나므로 유전적 다양성이 높다.

04 ❯ 종 다양성과 개체군 밀도

그림은 면적이 같은 (가)와 (나) 지역에 서식하는 식물 종 A~E의 개체 수를 나타낸 것이다.

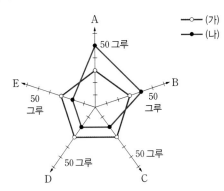

이에 대한 설명으로 옳은 것만을 〈보기〉에서 있는 대로 고른 것은? (단, 제시된 종만 고려한다.)

보기
ㄱ. 식물의 종 다양성은 (가)에서가 (나)에서보다 높다.
ㄴ. C의 개체군 밀도는 (가)에서가 (나)에서보다 높다.
ㄷ. D의 상대 밀도는 (가)와 (나)에서 같다.

① ㄱ   ② ㄴ   ③ ㄱ, ㄴ   ④ ㄱ, ㄷ   ⑤ ㄱ, ㄴ, ㄷ

• 개체군의 상대 밀도는 군집 내 모든 개체군 밀도의 총합에 대한 특정 개체군 밀도의 비율이다.

05 〉 생물 다양성의 세 가지 의미 구분

표는 생물 다양성을 구성하는 세 가지 의미 A~C의 특징을 정리한 것이다.

의미	특징
A	생태계에 속하는 생물과 비생물의 상호 작용에 관한 다양성을 포함한다.
B	㉠
C	생물 다양성의 가장 기본이 되는 개념으로, 생물의 종 수와 분포 비율을 모두 고려한다.

생물 다양성은 개체군의 유전적 다양성, 생태계를 구성하는 종 다양성, 일정한 지역에 존재하는 생태계 다양성을 모두 포함한다.

이에 대한 설명으로 옳은 것만을 〈보기〉에서 있는 대로 고른 것은?

> 보기
> ㄱ. A는 한 생태계 내에서만 확인할 수 있다.
> ㄴ. '한 개체군 내에서의 생물 다양성이다.'는 ㉠에 해당한다.
> ㄷ. C는 생태계 평형 유지에 중요하다.

① ㄱ   ② ㄴ   ③ ㄷ   ④ ㄱ, ㄴ   ⑤ ㄴ, ㄷ

06 〉 서식지 단편화

다음은 벌목에 따른 생물종의 변화를 알아보기 위한 실험이다.

[실험 과정]
(가) 벌목하기 전에 벌목하고자 하는 지역에 서식하는 생물종을 조사한다.
(나) (가)의 지역에서 A~C 지역을 남겨 두고 벌목한다.
(다) 1년이 지난 후 A~C 지역에 서식하는 생물종을 조사한다.

벌목 전 / 벌목 후

[실험 결과]

구분	벌목 전	벌목 후		
		A 지역	B 지역	C 지역
생존한 종의 비율(%)	100	56	11	37

서식지 단편화는 서식지의 면적을 감소시킬 뿐만 아니라 생물종의 이동을 제한하여 고립시킨다.

이에 대한 설명으로 옳은 것만을 〈보기〉에서 있는 대로 고른 것은?

> 보기
> ㄱ. 서식지 단편화는 종 다양성 감소에 영향을 준다.
> ㄴ. 벌목 후 생존한 종의 비율은 서식지 면적에 비례한다.
> ㄷ. A 지역과 B 지역에 서식하는 생물종을 비교하면 생태 통로 설치가 종 다양성 보전에 도움이 될 수 있음을 알 수 있다.

① ㄱ   ② ㄴ   ③ ㄱ, ㄷ   ④ ㄴ, ㄷ   ⑤ ㄱ, ㄴ, ㄷ

07 > 서식지 단편화

그림은 철도와 도로 개발로 발생한 ㉠에 의해 어떤 동물의 서식지 면적이 변한 것을 나타낸 것이다. 서식지 면적의 단위는 $\times 10^4 m^2$이다.

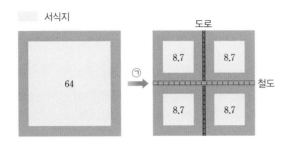

이에 대한 설명으로 옳은 것만을 〈보기〉에서 있는 대로 고른 것은?

보기
ㄱ. ㉠에 의해 서식지 면적이 줄어들었다 .
ㄴ. ㉠에 의해 로드킬의 발생 빈도가 감소할 수 있다.
ㄷ. ㉠이 일어나면 서식지 가장자리의 길이와 면적이 감소한다.

① ㄱ   ② ㄴ   ③ ㄱ, ㄷ   ④ ㄴ, ㄷ   ⑤ ㄱ, ㄴ, ㄷ

> 도로 개발로 서식지가 분할되면 서식지 사이를 이동하던 동물이 차에 치여 죽는 로드킬이 자주 발생한다.

08 > 생물 다양성의 감소 원인과 대책

그림 (가)는 생물의 개체군 크기에 따른 멸종률을, 그림 (나)는 생물 다양성을 감소시키는 요인 A를 해결하기 위한 어떤 방안을 나타낸 것이다.

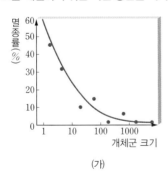

(가)   (나)

이에 대한 설명으로 옳은 것만을 〈보기〉에서 있는 대로 고른 것은?

보기
ㄱ. 개체군 크기가 클수록 종 다양성이 보전될 가능성이 높다.
ㄴ. 외래 생물 도입은 A에 해당한다.
ㄷ. (나)의 방안이 적용되면 A로 인한 개체군 크기의 감소를 줄일 수 있다.

① ㄱ   ② ㄴ   ③ ㄱ, ㄴ   ④ ㄱ, ㄷ   ⑤ ㄴ, ㄷ

> 개체군 크기의 감소는 멸종으로 이어질 수 있으며, 단편화된 서식지를 연결하면 서식지 단편화에 의한 생물 다양성 감소를 어느 정도 막을 수 있다.

01 다음은 어느 호수 생태계에서 일어난 변화에 대하여 설명한 것이다.

> 아프리카의 빅토리아 호수에는 500종 이상의 시클리드 물고기가 살고 있었다. 1954년 나일농어가 이 호수에 도입되어 폭발적으로 증식하면서 다양한 종류의 시클리드를 포식하여 개체 수가 적은 시클리드 종이 사라지기 시작하였다. 또, 그 즈음에 주변 마을에서 흘러 들어온 폐수와 농업용수 때문에 이 호수에 부영양화가 일어났다. 이로 인해 호수의 물이 탁해져 서로 몸 색깔을 인식해 짝짓기를 하는 시클리드 종은 짝을 찾지 못하고 멸종되기도 하였다. 그 결과 1986년 빅토리아 호수에서는 70 % 이상의 시클리드 종이 사라졌다.

1954년 이후부터 1986년까지 빅토리아 호수 생태계에서 종 다양성이 감소한 두 가지 원인을 제시된 자료에서 찾아 종 다양성이 감소한 과정과 함께 서술하시오.

KEY WORDS
• 외래 생물
• 환경 오염
• 나일농어
• 시클리드
• 부영양화

02 다음은 바나나 품종에 대하여 설명한 것이다.

> ㉠야생종 바나나는 그림과 같이 씨가 있어 씨로 번식하지만, 우리가 흔히 볼 수 있는 바나나는 먹기 좋도록 씨를 없앤 품종으로 줄기의 일부를 잘라 심어 번식시킨다. 1950년대까지 주로 재배되었던 ㉡'그로 미셸' 품종의 바나나는 맛과 향이 뛰어났지만, 곰팡이 감염에 의한 파나마병의 유행으로 멸종하였다. 그 대신 1960년대 중반에 ㉢'캐번디시' 품종의 바나나가 개발되었다. 하지만 1980년대에 들어와 변종 파나마병이 출현하면서 '캐번디시' 품종의 바나나 역시 멸종 위기에 처하게 되었다.

씨

야생종 바나나의 단면

(1) ㉠과 ㉡ 중 유전적 다양성이 더 높은 종은 어느 것인지 쓰고, 그와 같이 판단한 까닭을 바나나의 번식 방법과 연관 지어 서술하시오.

(2) ㉢이 변종 파나마병의 출현으로 멸종 위기에 처한 까닭을 서술하시오.

KEY WORDS
(1) • 유전적 다양성
• 유성 생식
• 무성 생식
• 유전자 구성
(2) • 무성 생식
• 유전적 차이

03 그림은 면적이 같은 두 지역 (가)와 (나)에 서식하는 식물 종 A~D의 분포를 나타낸 것이다.

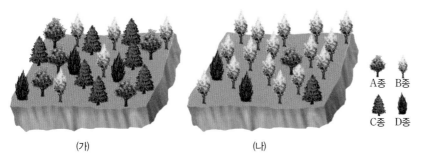

(가)   (나)

(가)와 (나) 중 식물 종 다양성이 더 높은 지역을 근거를 들어 서술하시오. (단, (가)와 (나)에 서식하는 식물의 총 개체 수는 20개체로 동일하며, 제시된 종만 고려한다.)

04 그림 (가)는 마다가스카르 열대 우림의 면적 변화를, 그림 (나)는 이 열대 우림에서 보존되는 면적에 따라 살아남은 생물종의 비율을 나타낸 것이다.

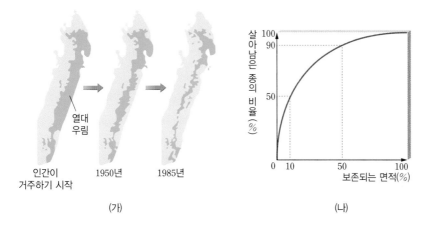

(가)   (나)

제시된 자료를 토대로 마다가스카르 열대 우림 군집의 종 다양성은 인간이 거주한 이후부터 1985년까지 어떻게 변하였는지 유추하고, 그와 같은 종 다양성 변화가 일어난 까닭을 서술하시오.

부록

● 논구술 대비 문제 ⋯⋯⋯⋯⋯⋯⋯⋯⋯⋯ 204

   IV 유전

   V 생태계와 상호 작용

● 용어 찾아보기 ⋯⋯⋯⋯⋯⋯⋯⋯⋯⋯⋯⋯ 212

● **출제 의도**
체세포에 있는 상동 염색체의 유래를 이해하며, X 염색체 수의 차이에 따른 유전자 산물의 양 조절 방식을 유추하고, 이를 염색체 비분리와 연관 지어 설명할 수 있는지 평가한다.

예시 문제

다음은 염색체와 유전자에 대한 자료이다.

> **(제시문 1)** 대부분의 동물에서 체세포에는 염색체가 쌍으로 존재한다. 염색체는 상염색체와 성염색체로 구분할 수 있다.
>
> **(제시문 2)** 그림은 성염색체 구성이 사람과 같은 동물에서 유전자 발현량을 조사한 결과이다. 그림 (가)는 X 염색체에 있는 유전자 1, 2, 3에서 전사된 RNA의 양을, 그림 (나)는 상염색체에 있는 유전자 p, q, r에서 전사된 RNA의 양을 측정하여 정량화한 것이다. X 염색체와 상염색체에서 선택된 각 유전자들은 각 염색체의 평균적인 유전자들이다.
>
>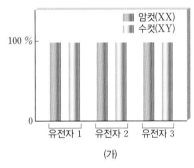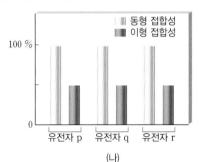
>
> (가)　　　　　　　　　　　(나)
>
> **(제시문 3)** 고양이의 성염색체 구성은 사람과 같으며, 털색을 나타내는 유전자 중 하나는 X 염색체에 있다. X 염색체에 있는 대립유전자 F는 검정색을, 대립유전자 f는 주황색을 나타나게 한다. 이에 대한 유전자형이 이형 접합성(Ff)인 고양이는 주황색 털과 검정색 털이 모자이크처럼 섞여 있어 얼룩무늬가 되는데, 이를 거북무늬 고양이라고 한다. 거북무늬 고양이는 대부분 암컷이며, 수컷은 매우 드물다.

⑴ (제시문 1)에서 체세포의 염색체가 쌍으로 존재하는 까닭을 서술하고, 남자와 여자의 염색체 구성을 성염색체를 포함하여 서술하시오.

⑵ (제시문 2)에서 X 염색체에 있는 유전자와 상염색체에 있는 유전자에서 발현상의 차이가 나타나는 방식을 X 염색체를 중심으로 두 가지 이상의 가능성을 생각하여 서술하시오.

⑶ (제시문 3)을 참고하여 포유류의 경우 ⑵에서 자신이 제시한 가능성 중 어느 것이 타당한지 판단하고, 필요한 경우 ⑵에서 제시한 답을 수정하거나 보완하여 서술하시오.

⑷ (제시문 3)에서 거북무늬 고양이 수컷이 매우 드문 까닭을 설명하고, 드물기는 하지만 어떤 경우에 거북무늬 고양이 수컷이 나타날 수 있는지 서술하시오.

문제 해결 과정

(1) 체세포에서 관찰되는 상동 염색체의 유래를 설명하고, 남자와 여자의 염색체 구성을 설명한다.

(2) X 염색체에 있는 유전자의 발현량은 X 염색체를 2개 가지고 있는 여자와 X 염색체를 1개 가지고 있는 남자에서 동일하다는 것에 착안하여 여자가 가진 X 염색체 중 1개는 유전자가 발현되지 않는다는 것을 설명한다.

(3) (제시문 3)의 거북무늬 고양이의 털색 유전 현상을 (2)에서 답한 것으로 설명할 수 있는지를 검토하고, 수정하거나 보완하여 설명한다.

(4) 거북무늬는 털색의 유전자형이 이형 접합성일 때 나타날 수 있으므로, 털색의 유전자가 있는 X 염색체가 2개 있어야 거북무늬가 나타난다는 것에 착안하여 설명한다. 또, 클라인펠터 증후군에서 착안하여, 드물지만 염색체 비분리가 일어나 성염색체 구성이 XXY가 되면 거북무늬 고양이 수컷이 나타날 수 있다는 것을 설명한다.

예시 답안

(1) 유성 생식을 하는 동물은 반수체(n)인 정자와 난자의 수정으로 2배체($2n$)인 자손이 생긴다. 체세포에서 관찰되는 상동 염색체 쌍은 각각 정자와 난자를 통해 부모에게서 하나씩 물려받은 것이다. 사람의 경우 여자는 상염색체 22쌍(44개)과 성염색체로 X 염색체 2개를 가지며, 남자는 상염색체 22쌍(44개)과 성염색체로 X 염색체 1개와 Y 염색체 1개를 가진다.

(2) 상염색체에서는 유전자 발현량이 유전자 수에 비례하지만, X 염색체의 유전자 발현량은 X 염색체가 2개인 암컷과 1개인 수컷에서 같다. 이러한 결과를 설명할 수 있는 가능성 두 가지는 다음과 같다.

　• 가능성 1: 암컷의 X 염색체 2개 중 1개는 유전자가 발현되지만, 다른 1개는 불활성화되어 유전자가 발현되지 않는다.

　• 가능성 2: 암컷의 X 염색체에서는 유전자 발현량이 반으로 조절되어 2개의 X 염색체에서의 유전자 발현량의 합이 수컷과 같다.

(3) (2)에서 제시한 가능성 2에 따르면 털색의 유전자형이 이형 접합성(Ff)인 고양이는 주황색과 검정색의 중간 색깔과 같이 털색이 한 가지 색깔로 나타나야 하므로 가능성 2는 배제된다. 가능성 1에 따르면 이형 접합성(Ff)인 고양이에서 X 염색체 2개 중 1개에 있는 유전자가 발현되지 않으므로 털색이 주황색이나 검정색을 나타내야 하는데, 이 두 가지 색깔의 털이 섞여 있는 얼룩무늬가 나타나므로 세포에 따라 불활성화되는 X 염색체가 다르다는 것을 알 수 있다.

(4) 거북무늬는 X 염색체가 2개이고, 각 X 염색체의 털색 대립유전자가 F와 f로 달라서 유전자형이 이형 접합성일 때 나타난다. 따라서 성염색체로 X 염색체를 2개 가지는 암컷에서는 거북무늬가 나타날 수 있지만, X 염색체를 1개 가지는 수컷에서는 거북무늬가 나타나지 않는다. 그러나 생식세포인 정자와 난자를 형성하는 과정에서 성염색체가 비분리되어 사람의 클라인펠터 증후군처럼 성염색체 구성이 XXY인 수컷 고양이가 태어나고, 2개의 X 염색체에 각각 대립유전자 F와 f가 있으면 수컷에서도 거북무늬가 나타날 수 있다.

문제 해결을 위한 배경 지식

• 상동 염색체: 체세포에 들어 있는 모양과 크기가 같은 한 쌍의 염색체로, 부모에게서 1개씩 물려받은 것이다.

• 상염색체: 암수에 공통으로 존재하며, 성 결정과 관련이 없는 염색체이다.

• 성염색체: 암수에 따라 구성이 다르며, 성 결정에 관여하는 염색체이다. 사람의 경우 성염색체 구성은 여자가 XX, 남자가 XY이다.

• 동형 접합성: 쌍을 이루는 대립 유전자가 같은 것이다. 예 AA, aa

• 이형 접합성: 쌍을 이루는 대립 유전자가 다른 것이다. 예 Aa

• 클라인펠터 증후군: 성염색체 구성이 XXY로, 정상보다 X 염색체가 1개 더 많은 남자이다. 부모의 감수 분열 시 성염색체가 비분리되어 형성된 생식세포가 수정되어 태어나며, 외관상 남자이지만 정자가 형성되지 않아 불임이다.

• X 염색체 불활성화: 발생 초기에 2개의 X 염색체 중 1개가 응축되어 유전적인 기능을 상실하는 현상으로, X 염색체가 2개 존재할 때 일어난다.

실전 문제

1 다음은 세포 주기에 대한 설명이다.

> (제시문 1) 그림 (가)는 영양 물질이 풍부한 조건에서 배양 중인 어떤 세포의 세포 주기를, 그림 (나)는 배양 중이던 이 세포들의 절반 ㉠을 대상으로 세포당 DNA양에 따른 세포 수를 조사한 결과를 나타낸 것이다.

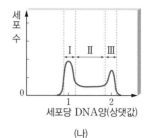

(가)   (나)

> (제시문 2) 암세포는 세포 주기 조절에 이상이 생겨 비정상적으로 계속 세포 주기를 반복하여 종양을 형성한다. 암을 치료하는 항암제는 세포 분열을 억제하는 방식으로 작용하는 것이 많다. 예를 들어, 항암제 A는 G_1기에서 S기로의 진행을 억제하고, 항암제 B는 M기에서 진행을 멈추게 한다.

(1) (제시문 1)의 그림 (나)에서 Ⅰ, Ⅱ, Ⅲ의 세포들은 각각 세포 주기 중 어느 시기에 있는지 근거를 들어 서술하시오.

(2) (제시문 1)의 배양 중이던 세포들의 나머지 절반을 (제시문 2)의 항암제 A를 첨가한 배양액에서 24시간 배양하여 세포 집단 ㉡을 얻었다. 세포 집단 ㉡에 속하는 세포들의 절반을 대상으로 세포당 DNA양에 따른 세포 수를 조사하여 그래프로 나타내면 어떤 모양으로 나타나겠는가? 그림 (나)를 토대로 그래프를 그리고, 그렇게 생각하는 까닭을 서술하시오.

(3) (2)의 세포 집단 ㉡에 속하는 나머지 절반의 세포들에서 항암제 A를 제거한 후 바로 항암제 B를 첨가한 배양액으로 옮겨 12시간 더 배양하여 세포 집단 ㉢을 얻었다. 세포 집단 ㉢에 속하는 세포들 전체를 대상으로 세포당 DNA양에 따른 세포 수를 조사하여 그래프로 나타내면 어떤 모양으로 나타나겠는가? 그림 (나)를 토대로 그래프를 그리고, 그렇게 생각하는 까닭을 서술하시오.

답안

● **출제 의도**
세포 주기의 각 시기에 따른 DNA양의 변화를 알고, 항암제의 작용 원리를 이해하며, 세포 주기의 각 시기별 소요 시간과 세포 수의 관계를 파악할 수 있는지 평가한다.

● **문제 해결을 위한 배경 지식**
● 세포 주기: 크게 간기와 분열기 (M기)로 나뉘고, 간기는 다시 G_1기, S기, G_2기로 나뉜다.
● G_1기: 세포 분열이 끝난 직후부터 DNA 복제가 시작되기 전까지의 시기이다.
● S기: DNA 복제가 일어나는 시기로, 핵 속의 모든 DNA가 복제되어 DNA양이 2배로 증가한다.
● G_2기: DNA 복제가 끝난 후부터 분열기(M기)에 들어가기 전까지의 시기이다.
● 분열기(M기): 세포 분열이 실제로 일어나는 시기이다. 2개의 염색 분체로 구성된 염색체가 나타나고, 방추사의 작용으로 염색 분체가 분리된다.

2 다음은 감수 분열과 사람의 유전 형질에 대한 자료이다.

> (제시문 1) 유성 생식을 하는 생물의 경우 생식세포가 만들어질 때 일어나는 감수 분열은 유전적 다양성을 제공하는 중요한 수단이다. 감수 분열 과정에서 부모에게서 물려받은 염색체가 섞여서 다양한 조합이 만들어진다. 이때 같은 조합을 가진 생식세포가 생길 확률은 매우 낮으며, 염색체 수가 많을수록 유전적 다양성도 높아진다.
>
> (제시문 2) 뒤셴 근위축증은 중요한 근육 단백질인 디스트로핀이 결핍되어 근육이 서서히 약해지고 근육 운동의 협조가 없어지는 유전병으로, 우성 대립유전자 T와 열성 대립유전자 T*에 의해 결정된다. 주로 남자아이에게서 발병하며, 2세~6세에 증상이 나타나 20대 초반에 대부분 사망한다.
>
> (제시문 3) 혈액형은 유전자에 의해 결정된다. ABO식 혈액형의 유전자는 9번 염색체에 있으며, 대립유전자는 I^A, I^B, i로 나타낸다. Rh식 혈액형의 유전자는 1번 염색체에 있으며, 대립유전자는 R, r로 나타낸다. R는 적혈구 표면에 응집원 D를 만들게 하며, r에 대해 우성이다. 적혈구 표면에 응집원 D가 있으면 Rh^+형이고, 응집원 D가 없으면 Rh^-형이다.

(1) 사람의 난자 1개와 정자 1개가 수정했을 때 수정란이 가질 수 있는 염색체 조합의 수는 2^{46}이다. 이러한 유전적 다양성이 어떻게 만들어지는지 (제시문 1)을 참조하여 서술하시오. (단, 돌연변이와 교차는 고려하지 않는다.)

(2) (제시문 2)의 뒤셴 근위축증이 주로 남자에게서 발병하는 까닭을 서술하시오.

(3) 그림은 어떤 집안의 뒤셴 근위축증, ABO식 혈액형, Rh식 혈액형에 대한 가계도이다.

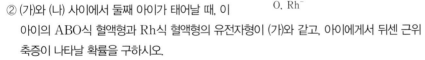

① (가)에서 I^A, r, T*를 모두 가진 난자가 형성될 확률을 구하시오.

② (가)와 (나) 사이에서 둘째 아이가 태어날 때, 이 아이의 ABO식 혈액형과 Rh식 혈액형의 유전자형이 (가)와 같고, 아이에게서 뒤셴 근위축증이 나타날 확률을 구하시오.

③ (가)와 (나)는 첫째 아이가 뒤셴 근위축증을 앓고 있어서 둘째 아이를 낳는 것에 매우 신중하다. 자신이 유전 상담원이라면 건강한 아이를 낳고 싶어하는 이들 부부에게 어떻게 조언할지 서술하시오.

답안

_____

_____

_____

_____

_____

출제 의도
자손의 유전적 다양성을 감수 분열과 관련지어 이해하고, 단일 대립 유전과 복대립 유전 및 반성유전의 특징을 바탕으로 가계도를 해석하여 감수 분열과 수정 과정을 통해 각 형질이 유전될 확률을 구할 수 있는지 평가한다.

문제 해결을 위한 배경 지식
• ABO식 혈액형: I^A, I^B, i의 3가지 대립유전자가 관여하는 복대립 유전 형질이며, 유전자형은 I^AI^A, I^Ai, I^BI^B, I^Bi, I^AI^B, ii의 6가지가 있다.
• Rh식 혈액형: 단일 인자 유전 형질이며, 대립유전자는 R와 r이다. 유전자형이 RR이거나 Rr이면 Rh^+형이고, rr이면 Rh^-형이다.
• 반성유전: 형질을 결정하는 유전자가 성염색체에 있어 성에 따라 형질이 나타나는 빈도가 다른 유전 현상이다. 적록 색맹과 같이 X 염색체에 있는 열성 대립유전자에 의해 나타나는 형질은 여자보다 남자에서 많이 나타난다.

예시 문제

다음은 개체군의 생장과 개체군 간의 상호 작용에 대한 설명이다.

(제시문 1) 일정한 지역에 사는 같은 종의 개체들은 무리를 이루어 개체군을 형성한다. 개체군의 개체 수는 개체군 형성 후 시간이 지남에 따라 증가하는데 이를 개체군의 생장이라고 하며, 개체군의 생장을 그래프로 나타낸 것을 생장 곡선이라고 한다. 개체가 생식 활동에 아무런 제약을 받지 않는다면 개체군의 개체 수는 기하급수적으로 증가할 것이다. 그러나 실제 환경에서는 여러 가지 요인이 개체군의 생장에 영향을 주어 개체 수가 기하급수적으로 증가하지 않는다.

(제시문 2) 생태계에서는 여러 개체군이 모여 군집을 이루고, 군집 내 개체군 간에 여러 가지 상호 작용이 나타난다. 생태적 지위가 비슷한 두 종 이상의 개체군이 함께 살면 한정된 먹이와 서식 공간 등의 자원을 차지하기 위해 종간 경쟁이 일어난다. 또, 두 종의 개체군이 서로 긴밀한 관계를 맺고 함께 생활하면서 두 개체군이 모두 이익을 얻거나 한쪽만 이익을 얻는 경우도 있다.

(제시문 3) 표는 종 A, B, C를 단독 배양했을 때와 두 종씩 혼합 배양했을 때 시간에 따른 각 개체군의 개체 수를 조사한 결과이다. 단독 배양했을 때와 혼합 배양했을 때의 배양 조건은 동일하다.

배양 방식	시간(일) 종	1	2	3	4	5	6	7	8
단독 배양	A	100	200	400	800	1500	2100	2200	2200
	B	100	200	500	1000	2400	4500	5100	5100
	C	100	250	700	1600	3600	5600	6100	6100
혼합 배양 (A+B)	A	100	150	300	500	400	200	0	0
	B	100	200	400	700	1100	1600	1700	1800
혼합 배양 (A+C)	A	100	200	400	800	1500	2100	2200	2200
	C	100	250	750	1700	4100	7500	8100	8100

(1) (제시문 3)에서 종 A, B, C를 단독 배양했을 때의 개체군 생장 곡선을 각각 그리고, 이들 생장 곡선에서 나타나는 공통점과 그와 같은 공통점이 나타나는 까닭을 (제시문 1)과 연관 지어 서술하시오.

(2) (제시문 2)와 (제시문 3)을 바탕으로 종 A, B, C 사이에서 일어나는 상호 작용에 대하여 서술하시오.

● 출제 의도

개체군의 이론적 생장 곡선과 실제 생장 곡선이 차이 나는 까닭을 이해하고, 제시된 자료를 근거로 개체군 생장 곡선을 그릴 수 있으며, 개체군 간의 상호 작용을 파악할 수 있는지 평가한다.

문제 해결 과정

⑴ (제시문 3)의 표에서 종 A, B, C를 단독 배양했을 때의 자료를 그래프로 변환하여 생장 곡선을 그린다. 그리고 종 A, B, C의 생장 곡선에서 나타나는 공통점을 (제시문 1)의 이론적 생장 곡선과 비교하여 설명하고, 이러한 공통점이 나타나는 까닭을 환경 저항과 연관 지어 설명한다.

⑵ (제시문 2)에서 군집 내 개체군 간의 상호 작용에는 어떤 유형이 있는지 파악하고, (제시문 3)에서 종 A, B, C를 단독 배양했을 때와 혼합 배양했을 때의 개체 수 변화를 비교하고, 이를 토대로 종 A와 B, 종 A와 C 사이의 상호 작용을 파악하여 설명한다.

예시 답안

⑴ 종 A, B, C를 단독 배양했을 때의 개체군 생장 곡선은 다음과 같다.

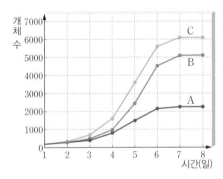

종 A, B, C는 모두 개체 수가 기하급수적으로 증가하는 이론적 생장 곡선을 나타내지 않고, 개체 수가 어느 정도 증가하면 개체군의 생장이 점차 둔화되어 개체 수가 더 이상 증가하지 않는 S자 모양의 생장 곡선을 나타낸다. 이와 같이 S자 모양의 생장 곡선을 나타내는 까닭은 종 A, B, C의 개체 수가 증가함에 따라 서식 공간 부족, 먹이 부족, 노폐물 축적, 개체 간의 경쟁, 질병 등과 같은 환경 저항이 증가하여 개체군의 생장을 억제하기 때문이다.

⑵ 종 A와 B를 혼합 배양했을 때 종 A는 단독 배양했을 때보다 개체 수가 적게 증가하다가 다시 감소하여 결국 사라졌으며, 종 B는 단독 배양했을 때보다 개체 수가 적게 증가하였다. 이를 통해 종 A와 B는 생태적 지위가 비슷하여 두 종 사이에 종간 경쟁이 일어났으며, 경쟁에서 이긴 종(B)은 살아남고 진 종(A)은 사라지는 경쟁·배타 원리가 적용되었음을 알 수 있다.
종 A와 C를 혼합 배양했을 때 종 A는 단독 배양했을 때와 개체 수 변화에 차이가 없었다. 그러나 종 C는 단독 배양했을 때보다 개체 수가 더 많이 증가하였다. 이를 통해 종 A는 종 C로부터 아무런 영향을 받지 않지만 종 C는 종 A로부터 이익을 얻으며, 따라서 종 A와 C 사이에서 일어나는 상호 작용은 편리공생이라는 것을 알 수 있다.

실전 문제

1 다음은 군집의 천이와 층상 구조 및 숲 가꾸기에 대한 설명이다.

출제 의도

식물 군집의 천이 과정을 이해하고, 생태계가 파괴된 환경에서 일어나는 천이 과정을 환경 요인과 연관 지어 설명할 수 있는지 평가한다. 또, 천이 과정에 따른 환경 변화와 식물 군집의 층상 구조 및 숲 가꾸기를 연관 지어 이해하는지 평가한다.

(제시문 1) 어느 한 지역의 생태계에서 생물 군집의 구성과 특성이 시간이 지나면서 점진적으로 변해 가는 현상을 천이라고 한다. 식물 군집의 천이는 용암 대지와 같은 곳에서 시작하는 건성 천이와 호수나 늪지와 같은 곳에서 시작하는 습성 천이로 구분된다. 건성 천이는 지의류가 들어와 토양이 형성되면서 시작되며, 이후 환경 요인의 변화에 따라 이끼류, 풀, 나무 등이 차례로 번성하여 천이의 마지막 단계에서 안정된 군집을 형성해 극상을 이룬다.

(제시문 2) 다양한 식물 개체군으로 구성된 삼림 군집은 수직적인 몇 개의 층으로 구성되는데, 이를 층상 구조라고 한다. 층상 구조는 높이에 따라 위에서부터 교목층, 아교목층, 관목층, 초본층, 선태층, 지중층으로 구분되며, 각 층에는 다양한 생물이 살고 있다.

(제시문 3) 인공적으로 형성된 숲이나 자연적으로 형성된 숲이 건강하고 우량하게 자랄 수 있도록 숲을 가꾸고 키우는 것을 숲 가꾸기라고 한다. 숲 가꾸기에는 숲의 연령과 상태에 따라 가지치기, 어린나무 가꾸기, 생장이 나쁜 나무 잘라 주기, 굽은 나무와 노쇠한 나무 잘라 주기 등의 작업이 있다.

| 방치된 숲 | 가꾸어진 숲 |

문제 해결을 위한 배경 지식

• 건성 천이 과정: 척박한 땅 → 지의류에 의해 토양 형성 → 이끼류 → 초본류 → 관목림 → 양수림 → 혼합림 → 음수림

• 층상 구조: 삼림 군집에서 식물이 햇빛을 최대로 활용할 수 있도록 형성된 구조로, 교목층, 아교목층, 관목층, 초본층은 식물의 광합성이 활발하여 광합성층이라고 한다.

• 빛의 세기와 식물: 식물은 광합성을 하므로 빛의 세기의 영향을 받는다. 양지 식물은 약한 빛에서는 잘 자라지 못하고, 음지 식물은 약한 빛에서도 잘 자란다.

(1) 그림은 산불이 난 숲의 모습을 나타낸 것이다. 이 숲이 앞으로 극상에 도달할 때까지 천이가 어떻게 진행되는지와 이 과정에 가장 큰 영향을 미치는 환경 요인에 대하여 (제시문 1)을 참조하여 서술하시오.

(2) 천이가 진행되는 동안 숲 가꾸기를 해야 하는 까닭을 (제시문 2)와 (제시문 3)을 참조하여 서술하시오.

답안

_____

_____

_____

_____

_____

_____

2 다음은 질소 고정과 질소 분자(N_2)의 특성 및 생태계 평형에 대한 설명이다.

(제시문 1) 질소(N)는 단백질, 핵산 등 생물체를 구성하는 물질의 중요한 성분으로, 질소 기체(N_2)는 대기 중의 약 78 %를 차지하고 있다. 하지만 대부분의 생물은 대기 중의 질소 기체(N_2)를 직접 이용할 수 없다. 일반적으로 식물은 질소를 토양에 있는 암모늄 이온과 질산 이온의 형태로 뿌리를 통해 흡수하여 이용한다. 대기 중의 질소(N_2)가 식물이 이용할 수 있는 형태로 전환되기 위해서는 뿌리혹박테리아와 같은 질소 고정 세균에 의한 질소 고정이 일어나야 한다.

(제시문 2) 우주 공간에서 질소 원자와 질소 원자 간에 충돌이 일어나면 질소 원자는 공유 결합을 하여 질소 분자(N_2)를 형성한다. 수소 원자와 수소 원자가 한 쌍의 전자를 공유하여 수소 분자(H_2)를 형성하는 것과 달리, 질소는 원자 사이에 세 쌍의 전자를 공유하여 질소 분자(N_2)를 형성한다. 같은 원자로 이루어져 있는 수소 분자(H_2)는 두 원자가 공유 전자쌍을 끌어당기는 힘이 같아 공유 전자쌍은 두 원자에 동등하게 끌린다. 이와 같은 특성을 가진 분자를 무극성 분자라고 하며, 무극성 분자에는 수소(H_2) 외에도 질소(N_2), 산소(O_2) 등이 있다.

(제시문 3) 생태계는 일반적으로 그 안에서 생활하는 생물 군집의 구성이나 개체 수, 물질의 양, 에너지 흐름이 안정된 상태를 유지하는데, 이를 생태계 평형이라고 한다. 생태계 평형은 주로 먹이 사슬을 기초로 유지되며, 먹이 사슬의 어느 단계에서 일시적으로 변동이 나타나도 시간이 지나면 평형을 회복한다.

(1) (제시문 1)에 제시된 바와 같이 식물은 질소를 질소 분자(N_2) 형태로 흡수하여 이용하지 못한다. 그 까닭을 (제시문 2)를 활용하여 서술하시오.

(2) 안정된 어떤 생태계에서 일시적으로 질소 고정 세균이 모두 사라졌을 때, 이 생태계에 어떤 변화가 일어날지 (제시문 1)과 (제시문 3)을 연관 지어 서술하시오.

답안

● 출제 의도
생태계에서의 질소 순환 과정과 생태계 평형 유지 원리를 이해하고, 질소 분자의 특성과 생태계 평형에 대한 자료를 분석하여 식물이 질소 기체를 직접 이용하지 못하는 까닭과 일시적으로 평형이 깨진 생태계에서 일어나는 변화를 설명할 수 있는지 평가한다.

● 문제 해결을 위한 배경 지식
• 질소 고정: 토양 속에 있는 뿌리혹박테리아, 아조토박터와 같은 질소 고정 세균이 대기 중의 질소 기체를 암모늄 이온으로 전환하는 과정이다.
• 안정된 생태계에서의 물질 순환: 생산자는 무기물을 받아들여 유기물을 합성하고, 이 유기물은 먹이 사슬을 따라 소비자로 이동하여 생물의 호흡에 쓰이거나, 생물의 몸을 구성하는 데 이용된다. 생물의 몸을 구성하는 물질은 생물이 죽으면 분해자에 의해 분해되어 환경으로 되돌아간다. 이와 같이 물질은 생태계에서 생물과 비생물 환경 사이를 끊임없이 순환하며 생태계를 유지시킨다.

ㄱ

가계도 분석 방법	2권 58
가계도 조사	2권 56
가로무늬근	1권 134
가설	1권 27
가슴샘	1권 214
가족생활	2권 120
가지 돌기	1권 114
각성제	1권 121
간기	2권 15
간뇌	1권 148
γ−글로불린	1권 215
감각 뉴런	1권 115
감각령	1권 147
감수 분열(생식세포 분열)	2권 30
감수 1분열	2권 30
감수 2분열	2권 31
감염성 질병	1권 198
갑상샘	1권 168
갑상샘 기능 저하증	1권 173
갑상샘 기능 항진증	1권 173
갑상샘종	1권 173
개척자	2권 137
개체	2권 106
개체군	2권 106, 116
개체군 밀도	2권 116
개체군의 사망률 곡선	2권 117
개체군의 생장 곡선	2권 117
개체군의 생존 곡선	2권 117
개체군의 주기적 변동	2권 118
거인증	1권 173
건성 천이	2권 137
겉질	1권 147
결실	2권 78
경쟁 · 배타 원리	2권 134
계절형	2권 109

고름	1권 214
고양이 울음 증후군	2권 78
고에너지 인산 결합	1권 54
고유종	2권 187
고혈당	1권 88
고혈압	1권 90
골격근	1권 134
골수	1권 214
곰팡이	1권 202
공동 우성	2권 59, 66
공생	2권 135
과분극	1권 117
광포화점	2권 108
교감 신경	1권 151
구심성 뉴런	1권 115
군락	2권 131
군집	2권 106, 130
귀납적 탐구 방법	1권 26
극상	2권 137
근위축성 측삭 경화증(루게릭병)	1권 153
근육 수축	1권 136
근육 원섬유	1권 135
근육 이완	1권 137
글루카곤	1권 169, 170
글리코젠	1권 169
기관	1권 10
기관계	1권 66, 73
기생	2권 136
기억 세포	1권 216
기초 대사량	1권 86
기후 변화	2권 188
길랭 · 바레 증후군	1권 153
길항 작용	1권 152, 169

ㄴ

나고야 의정서	2권 189
Na^+-K^+ 펌프	1권 55, 116

Na^+ 통로	1권 116
난자	2권 38
남획	2권 187
낫 모양 적혈구 빈혈증	2권 79, 84
낭성 섬유증	2권 80
내분비계	1권 166
내분비계 질환	1권 173
내분비샘	1권 166
내장근	1권 134
노르에피네프린	1권 124, 151
뇌	1권 147
뇌교	1권 149
뇌사	1권 149
뇌경색	1권 91
뇌졸중	1권 91
뇌출혈	1권 91
뇌하수체	1권 148, 168
뉴런	1권 114
뉴클레오솜	2권 10
능동 수송	1권 55, 116

ㄷ

다세포 생물	1권 10
다운 증후군	2권 76
다인자 유전	2권 62
단세포 생물	1권 10
단일 인자 유전	2권 57
당뇨병	1권 90, 173
대뇌	1권 147
대립유전자	2권 14
대립 형질	2권 56
대사성 질환	1권 88
대사 증후군	1권 88
대식세포	1권 213
대조군	1권 28
대조 실험	1권 28

도약전도	1권 119	면역 결핍	1권 219	병원체	1권 198
독립변인	1권 28	면역 관련 질환	1권 218	보상점	2권 108
돌연변이	2권 74	면역 혈청	1권 218	보인자	2권 60
동공 반사	1권 149	멸종 위기종	2권 188	보조 T 림프구	1권 216
동맥 경화증	1권 91	멸종 위기에 처한 야생 동식물의 국제 거		보호 구역	2권 188
동형 접합성	2권 56	래에 관한 협약(CITES)	2권 189	복대립 유전	2권 59
동화량	2권 151	무기질 코르티코이드	1권 168, 172	부갑상샘	1권 168
동화 작용	1권 11, 52	무릎 반사	1권 150	부교감 신경	1권 151
DNA	2권 11	무산소 호흡	1권 57	부신	1권 168
		무성 생식	2권 28	분극	1권 116
		무조건 반사	1권 150, 154	분리의 법칙	2권 57
		무좀	1권 202	분서	2권 134
ㄹ		물질대사	1권 11, 52	분업	2권 120
라이소자임	1권 213	물질 순환	2권 151	분열기	2권 15
람사르 협약	2권 189	민말이집 신경	1권 115	분해자	2권 107
랑비에 결절	1권 114	민무늬근	1권 134	불법 포획	2권 187
루푸스	1권 219			불수의근	1권 134
류머티즘 관절염	1권 219			비감염성 질병	1권 198
리더제	2권 120			B 림프구	1권 214
림프계	1권 214			비만	1권 89
림프구	1권 214	ㅂ		비만 세포	1권 214
림프절	1권 214	바이러스	1권 15, 200	비생물적 요인	2권 107
		반성유전	2권 60	비특이적 방어 작용	1권 212, 213
		반수체	2권 34	빛의 세기	2권 108
		반작용	2권 107	빛의 파장	2권 108
		발생	1권 12		
ㅁ		방어 작용	1권 212		
마이오신 필라멘트	1권 135	방추사	2권 16		
막전위	1권 117	방형구법	2권 132	ㅅ	
만성 골수성 백혈병	2권 78	배설계	1권 72	사람 면역 결핍 바이러스(HIV)	
말단 비대증	1권 173	배수성 돌연변이	2권 77		1권 200, 219
말라리아	1권 201	백반증	1권 219	사람 유전체 사업	1권 26
말이집	1권 114	백색질	1권 148	사막	2권 132
말이집 신경	1권 115	백신	1권 217	사망률	2권 116
말초 신경계	1권 146, 151	백혈구	1권 213	사이토카인	1권 215
먹이 그물	2권 130	변이	2권 176	사회생활	2권 120
먹이 사슬	2권 130	변인	1권 28	산소 호흡	1권 57
멘델의 유전 원리	2권 65	변인 통제	1권 28	삼두박근	1권 136
면역	1권 212	변형 프라이온	1권 202		

삼림	2권 132	
3배체	2권 77	
삼투압	1권 172	
삼투압 조절	1권 171	
상관	2권 132	
상대 연령	2권 117	
상동 염색체	2권 12	
상리 공생	2권 135	
상염색체	2권 12	
상염색체 유전	2권 58	
상호 작용	2권 107	
생명 과학	1권 24	
생물 농축	2권 187	
생물 다양성	2권 176	
생물 다양성 협약	2권 189	
생물 자원	2권 179	
생물량(생체량)	2권 149	
생물적 요인	2권 107	
생산자	2권 107	
생식	1권 13, 2권 28	
생식샘	1권 169	
생장	1권 12	
생장량	2권 150	
생장 호르몬	1권 168	
생태계	2권 106	
생태계 다양성	2권 178	
생태계 평형	2권 154	
생태계 평형 유지	2권 154, 178	
생태 밀도	2권 116	
생태 분포	2권 133	
생태적 지위	2권 130	
생태 통로	2권 188	
생태 피라미드	2권 149	
생활형	2권 110	
서식지 단편화	2권 186	
서식지 파괴	2권 186	
섭식량	2권 151	
성 결정	2권 60	
성염색체	2권 12	
성염색체 유전	2권 60	
세균(박테리아)	1권 198	
세력권	2권 119	
세포	1권 10	
세포독성 T 림프구	1권 216	
세포성 면역	1권 216	
세포 주기	2권 15	
세포질 분열	2권 16	
세포 호흡	1권 53	
소뇌	1권 148	
소비자	2권 107	
소인증(왜소증)	1권 173	
소화계	1권 67	
속질	1권 147	
수면병	1권 201	
수생 군집	2권 133	
수용체	1권 120	
수의근	1권 134	
수의 운동	1권 147	
수인성 질병	1권 203	
수직 분포	2권 133	
수평 분포	2권 133	
수혈	1권 221	
순생산량	2권 150	
순위제	2권 119	
순환계	1권 69	
슈반 세포	1권 114	
슈퍼 박테리아	1권 199	
습성 천이	2권 137	
시냅스	1권 119	
시상	1권 148	
시상 하부	1권 148, 167	
식균 작용(식세포 작용)	1권 213	
식물인간	1권 149	
신경계	1권 146	
신경계 질환	1권 153	
신경 세포체	1권 114	
신경 전달 물질	1권 120	
신경절	1권 151	
실험군	1권 28	
심근 경색	1권 91	
심장근	1권 134	
심혈관계 질환	1권 91	
쌍둥이 연구	2권 57	
아세틸콜린	1권 120, 136, 151	
I대	1권 135	
알레르기	1권 218	
알레르겐	1권 218	
알비노증(백색증)	2권 80	
Rh식 혈액형	1권 221	
알츠하이머병	1권 153	
알코올 발효	1권 57	
암세포	2권 20	
액틴 필라멘트	1권 135	
양성 피드백	1권 169	
양수	2권 137	
억제성 시냅스	1권 124	
에너지 균형	1권 86	
에너지 대사	1권 11	
에너지 소비량	1권 86	
에너지 효율	2권 150	
에너지 효율 피라미드	2권 150	
에너지 흐름	2권 148	
에드워드 증후군	2권 76	
S기	2권 15	
A대	1권 135	
ABO식 혈액형	1권 220, 2권 59	
ADP	1권 54	
ATP	1권 54	
H대	1권 135	
에피네프린	1권 168, 170, 171	

M선		1권 135
역위		2권 78
역치		1권 117
연관 유전		2권 66
연령 분포		2권 118
연령 피라미드		2권 118
연수		1권 149
연역적 탐구 방법		1권 27
연합 뉴런		1권 115
연합령		1권 147
열성		2권 56
염색 분체		2권 13
염색체		2권 10
염색체 구조 이상		2권 77
염색체 및 유전자 연구		2권 57
염색체 비분리 현상		2권 75
염색체 수 이상		2권 75
염증 반응		1권 214
영양 과다		1권 86
영양 부족		1권 86
외래 생물(외래종)		2권 187
외분비샘		1권 166
요붕증		1권 173
우성		2권 56
우울증		1권 153
우점종		2권 131
운동 뉴런		1권 115
운동령		1권 147
원생생물		1권 201
원심성 뉴런		1권 115
원핵생물		1권 198
윌리엄스 증후군		2권 78
유기 영양소		1권 53
유성 생식		2권 28
유전		1권 13
유전병		2권 74
유전자		2권 11
유전자 이상		2권 79

유전자형		2권 56
유전적 다양성		2권 33, 176
유전체		2권 11
육상 군집		2권 132
음성 피드백		1권 169
음수		2권 137
응집 반응		1권 220
응집소		1권 220
응집원		1권 220, 2권 59
의식적인 반응		1권 150, 154
의태		2권 135
2가 염색체		2권 30
이두박근		1권 136
2배체		2권 34
이상 지혈증(고지혈증)		1권 90
이입		2권 116
이자		1권 169
이자섬		1권 169
2차 면역 반응		1권 216
2차 천이		2권 138
이출		2권 116
이형 접합성		2권 56
이화 작용		1권 11, 52
인공 면역		1권 217
인슐린		1권 94, 169, 170
인슐린 저항성		1권 94
1일 대사량		1권 87
일조 시간		2권 108
1차 면역 반응		1권 216
1차 천이		2권 137
임계 암기		2권 109

ㅈ

자가 면역 질환		1권 218
자극		1권 12
자율 신경계		1권 151

작용		2권 107
재분극		1권 117
적록 색맹		2권 60
적아 세포증(Rh 신생아 용혈성 질환)		
		1권 221
적응		1권 14
전근		1권 150
전좌		2권 78
점막		1권 213
정자		2권 38
제1형 당뇨병		1권 90, 173, 219
제2형 당뇨병		1권 90, 173
Z선		1권 135
조밀도		2권 116
조작 변인		1권 28
조직		1권 10
종 균등도		2권 177
종 다양성		2권 177
종 특이성		1권 166
종 풍부도		2권 177
종간 경쟁		2권 134
종속변인		1권 28
종자 은행		2권 189
중간뇌		1권 149
중간 유전		2권 66
중복		2권 78
중요도		2권 132
중추 신경계		1권 146
지구 온난화		2권 138, 152, 188
G_1기		2권 15
지의류		2권 131
G_2기		2권 15
지표종		2권 131
진정제		1권 121
진핵생물		1권 198
진핵생물 병원체		1권 201
진핵세포		2권 19
진화		1권 14

질산화 세균	2권 153
질소 고정 세균	2권 153
질소 노폐물	1권 71
질소 순환	2권 153
집단 조사	2권 57

ㅊ

척수	1권 150
천이	2권 137
체성 신경계	1권 151
체세포 분열	2권 16
체액성 면역	1권 216
체온 조절	1권 171
초원	2권 132
총생산량	2권 150
축삭 돌기	1권 114
출생률	2권 116
층상 구조	2권 133

ㅋ

K$^+$ 통로	1권 116
쿠싱 증후군	1권 173
크로이츠펠트 · 야코프병	1권 202
클라인펠터 증후군	2권 77

ㅌ

탄소 순환	2권 152
탈분극	1권 117
탈질산화 세균	2권 153
터너 증후군	2권 76
텃세	2권 119
테타니병	1권 173

통제 변인	1권 28
특이적 방어 작용	1권 212, 214
티록신	1권 168, 171
T 림프구	1권 214

ㅍ

파킨슨병	1권 153
페니실린	1권 199
페닐케톤뇨증	2권 80
펩티도글리칸	1권 199
편리공생	2권 136
포식과 피식	2권 135
포식자	2권 118
폴리뉴클레오타이드	2권 11
표현형	2권 56
피부	1권 213
피부색	2권 62
피식자	2권 118

ㅎ

항바이러스제	1권 201
항상성	1권 12, 169
항생제	1권 199
항원	1권 215
항원 항체 반응	1권 215
항이뇨 호르몬	1권 168, 172
항체	1권 215
항히스타민제	1권 218
핵분열	2권 16
핵상	2권 12
핵심종	2권 131
핵형	2권 12
핵형 분석	2권 12
헌팅턴 무도병	2권 80

혈당량	1권 170
혈당량 조절	1권 170
혈우병	2권 61
혈청	1권 218
협심증	1권 91
형질	2권 56
형질 세포	1권 216
호르몬	1권 166
호중성 백혈구	1권 213
호흡계	1권 69
호흡 기질	1권 53
호흡량	2권 150
환각제	1권 121
환경 수용력	2권 117
환경 오염	2권 187
환경 저항	2권 117
활동 대사량	1권 87
활동 전위	1권 117
활주설	1권 136
회색질	1권 148
회피 반사	1권 150
효모	1권 57, 2권 121
효소	1권 11
후근	1권 150
후천성 면역 결핍증(AIDS)	1권 219
휴지 전위	1권 116
흥분성 시냅스	1권 124
흥분 전달	1권 119
흥분 전도	1권 116, 118
희소종	2권 131
히스타민	1권 214